Школа злословия

ТАТЬЯНА МИРОНОВА

ПЛАН ПУТИНА-
МЕДВЕДЕВА
и
НАЦИОНАЛЬНАЯ БЕЗОПАСНОСТЬ

Москва
АЛГОРИТМ
2008

УДК 323
ББК 66.2
М 64

Миронова Т. Л.

М 64   План Путина — Медведева и национальная безопасность / Т. Л. Миронова. — М.: Алгоритм, 2008. — 400 с. — (Школа злословия).

ISBN 978-5-9265-0585-3

Наше общество давно уже страдает нездоровьем, почти низверженное разлагающей моралью «бери от жизни все». По законам змеиной подлости, этот процесс все набирает силу, становясь национальной и государственной бедой. Безумие, Достоевским названное бесовством, охватившее все слои и прослойки населения России, остановить кажется невозможным. Есть ли тому противоядие, как противостоять безраздельным властителям масс, манипулирующим нашим сознанием?

Народу предлагают план Ельцина — Чубайса, план Путина — Медведева, власть колдует над национальными проектами... Эта полемическая книга — о тайных технологиях внушения, которые породили «демократический электорат».

УДК 323
ББК 66.2

ВМЕСТО ПРЕДИСЛОВИЯ

Что с нами? Мы ведь не сейчас задались этим наболевшим вопросом. О нездоровости общества думающие люди заговорили уже в преддверии событий 1905 года, когда стало очевидным, что в здравом уме и по собственной воле православные граждане мощно набиравшей силу Российской империи стали посягать на устои своего родного государства. Но безумие, Достоевским названное бесовством, охватившее все слои и прослойки населения России, остановить оказалось невозможным. Смерч понесся по России, чуть затихая лишь на время и с жесточайшей силой вновь обрушиваясь на страну, круша Российскую империю в 1917 году, разваливая Советский Союз в 1991-м, сегодня превращая ограбленную, разоренную Россию в третьесортное государство со всеми признаками дальнейшего распада на сколки новых «независимых» государств.

Находить объяснение тому в мировом заговоре, в происках вечных врагов России — занятие небесполезное, но неглубокое, опасное сокрытием от понимания и анализа первопричины бедствий России. Никакой заговор, никакие происки врагов не способны не то что одолеть, но и чуть поколебать здоровый, крепкий организм, и оставайся русский народ в прежней крепости духа, уж точно его сознание не помутили бы вирусы западной заразы «свободы, равенства, братства», демократии, либерализма, улиточной философии «лишь бы не было войны», разлагающей морали «бери от жизни все».

Под метафоричностью расхожего «народ болен» действительно сокрыта первопричина наших национальных и государственных бед, но как же мало для излечения дает пусть трижды правильно поставленный диагноз, если не стремиться дойти до истоков помрачения сознания целого народа. Как, какими средствами, при помощи каких бацилл удалось так глубоко протравить национальное сознание? Сегодня это называется пиартехнологиями, нейролингвистическим воздействием на сознание масс, и прочее и прочее, не суть, важно другое, что жесточайшая, самая разрушительная война для России и, как свидетельствуют итоги, самая эффективная война против русского народа на поле его национального сознания началась не вчера и тем более не сегодня, это более чем вековая война, в арсеналах которой многочисленнейшие, разнообразнейшие фальсификации, мистификации, подлоги, подмены, вплоть до искажения перевода Святого Писания. Битва эта, ведущаяся по законам подлости, не затихает, напротив, набирает как никогда мощь, потому что цель разверзших эту войну против русского народа не крушение империи, не подрыв экономической мощи государства, не захват территории и сырья и даже не истощение людского потенциала, а обращение русского народа в быдло, истребление национального сознания русского народа — его твердыни, его крепости, основы его непобедимости.

КАК ИСТРЕБЛЯЮТ ВОИНСКИЙ ДУХ ПРАВОСЛАВИЯ

Обращаясь к тягчайшим вопросам нашего времени — погибели народа выморочными, иссушающими нацию темпами, — мы повсюду находим даже у осознающих национальную катастрофу русских людей расслабление духа и воли, сумятицу в головах, смятение в душах. И что всего горше, расслаблению и обезволиванию подвержены русские православные люди, казалось бы, неустрашимые и всесильные Верой во Христа Господа, осознающие неизбежность Страшного Суда, перед которым все иные страхи — ничто.

Вникая в истоки нынешней православной «зачарованности» и бессилия, что не позволяет ныне русским людям отстоять свое Отечество от нового нашествия двунадесяти языков и духовного чужеземного ига, явственно видишь попытку врага рода человеческого замутить, исказить исконные представления русских о Вере и своем долге по отношению к Господу и России. Замутнение и искажение Веры началось с малого — с перемены значений русских и славянских слов, обозначавших ключевые понятия русского православного самосознания. Восстановим исконные смыслы и вернем себе тот воистину дух воинства Христова, вдохновлявший более тысячи лет наших предков строить и защищать великую Русскую Православную Державу, именуемую Россией.

Иудео-христианство под маской православия

Первые христиане — апостолы получили учение от Самого Господа Иисуса Христа. Это учение затем было воплощено в Четвероевангелии и передано всем христианам. Поэтому вслед за Отцами Церкви мы можем с увереностью полагать Евангелие своим духовником и в случае, когда вблизи нет мудрого священника, не скорбеть об отсутствии учителя, ведь Священное Писание и слова Самого Господа всегда перед глазами. Другое дело, что читать Евангелие трудно, оно бескомпромиссно утверждает для нас такие правила и принципы жизни, которые не всякий в силах понести. А батюшка — свой, родной, жалостливый, да и сам не совершен сый, — всегда войдет в положение слабого духом «пасомого», оправдает грешника, утешит, убаюкает его больную совесть. Так множество людей годами ходят в церковь, исповедуются, причащаются, в глаза не видев слов Евангелия, даже не представляя, какие жесткие требования хранит оно в себе. Разумеется, на службах они слышат **«Святаго Евангелия чтение»** и затем в священнических проповедях внимают истолкованию этих чтений. Только вот не всякий священник хочет поднимать на проповедях вопросы, которые слишком суровы для паствы и могут отпугнуть человека, не готового к духовной борьбе в силу его природных слабостей и мирского воспитания. А Евангелие — Оно зовет на борьбу со злом, Господь призывает быть воином Христовым. На литургии нам об этом напоминают: **«Блаженни слышащии слово Божие и творящии е»**. Отец Паисий Святогорец очень точно приложил эти слова к нашим современникам: «Православно думать легко, но для того чтобы православно жить, необходим труд… Цель в том, чтобы православно жить, а не просто православно говорить или писать» (Старец Паисий Святогорец. «Духовное пробуждение», М., 2007, стр. 73).

Нас ныне атакуют идеей единства иудаизма и христианства, настаивают, что иудеи — старшие братья христиан, их Тора (весь Ветхий Завет без изъятья) является священной книгой православных. Все чаще христианство пытаются именовать *иудео-христианством*, а попутно изымают из нашей Православной Веры то, что непримиримо разводит религию иудаизма с христианством, прежде всего — Евангельские тексты, где Господь Иисус Христос выносит приговор еврейскому народу, где говорится о крестных страданиях Господа от иудеев и о Его Распятии жидами. Православные христиане сознают невозможность соединения иудеев и христиан, ведь оно неизбежно ведет к попранию христианских святынь. Иудеи, как известно из их главной книги — Талмуда, обязаны проклинать Господа Иисуса Христа, поносят Божию Матерь, а неиудеев полагают равными животным. По сути же иудео-христианство — никакое не христианство, а иудаизм, приспособленный для христиан. В этой «версии» иудаизма для гоев нас убеждают в том, что иудеи — наши «старшие» братья по вере, нас принуждают признавать иудеев богоизбранным народом, не утратившим своей избранности, и смиряться перед злом, которое они несут христианским народам, а также чтить весь Ветхий Завет как книги Священного Писания.

Так отнесемся же к Евангелию как к своему духовнику, будем читать его так, как полагается христианину, по главке, по кусочку, будто каждый день ходим за советом к старцу; будем постигать Евангелие шаг за шагом, обдумывая, соизмеряя со своей немощной совестью, укрепляя и воспитывая ее, буквально *воспитывая* — то есть напитывая свою душу Евангелием, — вот тогда начинается подлинный труд и подлинное духовное взрастание. И никто не сможет нас тогда убедить в истинности так называемого иудео-христианства.

О сопротивлении злу силой

Отче наш, — обращаемся мы в данной нам в Евангелии молитве Господней к Богу, удостоенные чести называть Его своим Отцом.

Отче наш, Иже еси на небесех. — Так христианин исповедует свою непреложную Веру в Бога Истинного, которая потому и Верой именуется, что не требует доказательств.

Да святится Имя Твое, — любовь выражена в этих словах, приносящих славу Имени Божьему.

Да приидет Царствие Твое, — надежда на спасение душ наших звучит здесь. А у слова *надежда* есть удивительный древний смысл: как *одежда* — покров телу, так *на-*

дежда — Божий покров человеческой души, без которого не выжить

Да будет Воля Твоя, яко на небеси и на земли, — премудрость Божия превозносится в этих словах — коренных словах Господней молитвы, и что очень важно — когда мы молимся о воле Божией на земле, как на небе, тем самым полагаем себя орудием этой воли, не пассивными созерцателями творимого на земле зла, а поборниками Божьей правды, без которой мир погибнет.

Хлеб наш насущный даждь нам днесь, — так выражаем мы верность добродетели воздержания — христианскому аскетизму.

И остави нам долги наша, яко же и мы оставляем должником нашим, — здесь сказано о нашем долге покаяния, искупления своих грехов и готовности прощать грехи ближнего.

И не введи нас во искушение, — здесь христианин оглашает свою твердость стояния в Вере, свою готовность добровольно нести свой крест, ибо вольно следующему за Господом не требуется *искушений*, то есть испытаний, ведь *искушать* значит *пробовать, испытывать*. Прошение: **Не введи нас в искушение, Господи,** означает, что мы и так уже, без проб и испытаний, несем крест свой вслед за Христом. Если же встречаем искушения в жизни, не в знак ли того, что уклоняемся от креста своего?

Но избави нас от лукаваго. — Кто назван *лукавым* в Молитве Господней? Русский язык придал этому слову игривый, нестрашный смысл. А ведь *лукавый* — имя сатаны, в слове *лукавый* выражена идея *искривления прямого пути* к Господу. Корень слова -лук- есть в русских словах *излучина* (поворот реки), *лук* (изогнутое оружие). И мы просим Бога в последних словах молитвы Господней избавить нас от сатаны, кривителя нашего пути к Богу.

Для нас, православных, молитва **Отче наш** является исповеданием нашей Веры в Бога, утверждением нашего долга отстаивать правду Божию на земле, именно отстаивать, то есть непримиримо воевать со злом. Так почему же сегодня Православное христианство в России предстает в облике эдакой овечьей уступчивости, с помощью которой, как уверяют нас, только и можно победить зло. В подтверждение обычно приводят слова Господа Иисуса Христа: «**Аз же глаголю вам не противитися злу. Но аще тя кто ударит в десную твою ланиту, обрати ему и другую**» (Мф.5, 39). Почему-то эти слова выдаются за единственно верный закон жизни христианина, а сопротивление злу силой рассматривают чуть ли не как покушение на Божьи Заповеди. И у человека, ищущего Веры, стремящегося справедливость и милость Божию водворить по образу небес в своей земной жизни, возникает естественное недоумение — ведь повелением «подставить щеку» его призывают уступать дорогу злу. А что такое душа, привыкшая все время уступать дьявольскому вражьему натиску? Это душа без силы творить добро. Это душа — без воли следовать за Господом. Не христианин, пустое место!

В подспорье идее непротивления злу обычно приводят и другие слова Господа Иисуса Христа своему ученику, кинувшемуся с мечом на пришедших иудеев: «**Возврати меч свой в место его. Вси бо приемшии меч, мечем погибнут**» (Мф. 26, 52). Толкуют так, что у православного руки опускаются в бессилии. Заглянем в Толковую Библию, читаем: «Христос, произнося свои слова, запретил всем людям иметь меч и употреблять его в качестве *защиты* или производства насилия». Перед нами пример наглой лжи, дьявольски расчетливо нацеленной на обессиливание, обезволивание христиан, на воспитание из них покорного стада для будущего пастуха — Антихриста.

Ложь в том, что слово **приемшии,** а еще в этом чтении встречается и слово **вземшии,** по-церковнославянски и по-русски не означают просто *взять*, они означают *взять первым, начать*. Сравним русское выражение *приняться за дело, взяться за дело* — они значат *начать работу*. Греческое слово, соответствующее этим славянским в оригинале Евангельского текста, имеет такое же значение — *поднять оружие первым*. Вот и **приемший меч** — тот, кто взял его *первым, напавший с оружием,* и такой человек, по слову Господа и по свидетельству нашей истории, непременно от меча и погибает. Бог не дает победы агрессору. Русская пословица в подтверждение Евангельских слов гласит: «На начинающего — Бог».

Правда же в том, что Господь запретил нам такое противление злу силой, которое выступает как личная месть нашему личному врагу. Врагам же Божиим и врагам Отечества — силе сатанинской — не противиться есть грех великий, ибо это нарушает две главные заповеди Христовы: заповедь любви к Богу и заповедь любви к ближнему. Евангельские слова об оружии и вооруженном сопротивлении злу намеренно замалчивают сегодня, хотя они-то как раз и являются для нас законом противодействия врагам именно силой. Накануне смертных Своих Страданий Господь Иисус Христос заповедует ученикам быть готовыми к тяжелым временам *без Него* на земле и непременно вооружаться, и у кого нет денег — **«да продаст ризу свою и купит нож»** (Лк. 22, 36). И пусть никто не смеет перетолковывать буквального смысла этой святой непреложной для всякого христианина заповеди! Вооруженная героическая борьба за Христа, против христоненавистников и богоборцев освящена Самим Господом.

Наше Русское Православие искони понимало необходимость меча, разящего врагов Божиих. Потому и первый из Архангелов Михаил предстает на иконах вооруженным мечом, воюющим. Потому и народ наш взял в герб свой Святого Георгия Победоносца в образе воина, ожесточенно сражающегося с драконом. Наши благоверные князья Александр Невский, Дмитрий Донской, святой воин Илья Муромец, святой флотоводец Феодор Ушаков, шедшие против врагов Отечества огнем и мечом, прославлены во святых не за кротость и смирение перед агрессорами, но за священную решимость побивать врага. Не только города Святой Православной Руси, но и монастыри русские, их насельники, постриженные в ангельский образ, становились, подобно воинственному Архангелу Михаилу, оплотом истребления вражьих сил, как это было в Смутное время, когда Свято-Троицкая Сергиева обитель продержалась в польской осаде, в кольце 15-тысячного войска, год и три месяца, потеряв две трети своего воинского монашеского гарнизона.

Крест и меч, милосердие и мужество составляют монолит Православной Веры, который сегодня стремятся расколоть, расшатать, разрушить, обезоруживая христиан хитроумными разглагольствованиями, убеждая их в пагубности воинского подвига для христианской души.

Излюбленная тема псевдохристианских проповедников — о мире всего мира, ради которого нас опять-таки призывают не прикасаться к оружию, стать толерантно вежливыми, улыбчиво единомысленными — ведь это же ради мира на земле! — со всеми врагами Христа и нашего Отечества. Да разве единомыслие всегда одинаково благо? По слову Иоанна Златоуста, «и разбойники между собой бывают согласны». Но лишь тогда «по-настоящему водворяется мир, — утверждает святитель Иоанн, — когда враждебное отделяется».

Христос жестко полагает перед нами свое слово именно о разделении, а не единении мира. Господь предупреждает нас: **«Приидох воврещи не мир, но меч»** (Мф.10,34). Меч — по-славянски значит *рассекающий, разделяющий* добро и зло, творящий насилие властью, Богом данной, меч, водворяющий добро на земле и поражающий злобу, — вот священное оружие православных. «Ведь и врач, — говорит святитель Иоанн Златоуст, — тогда спасает прочие части тела, когда отсекает от него неизлечимый член». Только поразив огнем и мечом врагов Господа, выгнав со своей земли врагов Отечества, мы водворим подлинный мир в России, только тогда можем стяжать истинно дух мирен, спасая тысячи и тысячи наших ближних — православных братьев христианской уступчивостью и любовью.

Не всякая власть от Бога!

Сегодня многих русских, осознающих, что над Россией царит иноверческое иго, пожирающее русский народ, смущает и останавливает в их праведном гневе и мужественном сопротивлении расхожая христианская формула со ссылкой на апостола Павла: «*Всякая душа да будет покорна высшим властям, ибо нет власти не от Бога, существующие же власти от Бога установлены. Посему противящийся власти противится Божию установлению*» (Рим. 13, 1-3). Вот так, дескать, что заслужили, то и послал Господь, теперь терпите. И противятся этому люди православные всей душой, и понимают, что слова эти против здравого смысла и даже простейшего инстинкта самосохранения, и сознают, что покорство убивающим и растлевающим наших детей — это самоубийственное безумие, а вот терпят, Бог-де велел.

Разрушительное для нашего сознания «правило» — это всего лишь неправильный русский перевод Св. Писания, перевод, лукаво подсунутый нам как фундамент наших православных воззрений на власть и государство, внедренный давно, в пору масонских переложений Св. Писания на русский язык Библейским Обществом в XIX веке.

Давайте по первоисточнику — церковнославянскому тексту Нового Завета восстановим действительный взгляд Православия на власть. У апостола Павла в Послании к Римлянам дается формула, которая по-русски обычно действительно переводится так: *Нет власти не от Бога*, или еще более обобщенно: *Вся власть от Бога*. На этом и зиждется ложное предписание якобы христианской покорности любым властям — безбожным, богоборческим, иноверным, губящим народы. Но ведь в церковнославянском тексте не так сказано. Здесь изречено: **Несть власть, аще не отъ Бога, сущия же власти отъ Бога учинены суть**, что означает буквально — не власть, *если* не от Бога: то есть — не признается властью власть, если она не от Бога. Подлинные власти от Бога учреждены! Слово **сущий** здесь означает именно *подлинный, истинный, настоящий* — сравните старинное русское выражение «сущая правда». И греческий текст-первоисточник имеет точно такой же смысл, и точно такую же подчеркивающую важность условия форму: *аще*, что значит — *если*.

Следовательно, не всякая власть от Бога и не всякой власти следует покоряться, а только власти, учрежденной

Богом, христианской, а потому подлинной. И только противление таким властям считает святой апостол Павел противлением Божьему повелению. Таково исконное представление Православия об отношении к власти, а будь оно иным, то никогда бы русские не одолели ни ига татарского, ни натиска польского, ни нашествия французского, ни вторжения немецкого. Это же православное неприятие антихристианской богоборческой власти должно одушевлять нас и ныне на восстановление в России власти христианской, православной, подлинной власти, от Бога установленной.

Православное сопротивление безбожной власти благословляется Господом, уничтожившим страх перед властителями: **Егда же приведут вы на сборища и власти и владычества, не пецытеся, како или что отвещаете или что речете: Святый бо дух научит вы в той час, яже подобает рещи** (Лк. 12, 11). Это и по сей день остается непреложным правилом православного человека, для которого служение Богу безусловно выше служения властям. И действует он так, как поступали св. Апостолы, преследуемые гонителями от власти. Об апостолах Петре и Иоанне в книге Деяний святых апостолов рассказывается, что тогдашние власти призвали их и велели не проповедовать Имя Христово, на что святые апостолы отвечали: **Аще праведно есть пред Богом вас послушати паче нежели Бога.**

Русская Православная Церковь всегда следовала этим заветам. Вот слово о власти св. прп. Иосифа Волоцкого, победителя ереси жидовствующих: «Царь есть Божий слуга, для милости и наказания людей. Если же царь царствует над людьми, а над ним самим царствуют скверные страсти и грехи: сребролюбие и гнев, лукавство и неправда, гордость и ярость, злее же всего неверие и хула, такой царь — не Божий слуга, но дьяволов, и не царь, но мучитель. И ты не слушай царя или князя, склоняющего тебя к нечестию или лукавству, даже если он будет мучить тебя или угрожать смертью. Этому учат нас пророки, апостолы и все мученики, убиенные нечестивыми царями, но не покорившиеся их повелению. Вот как подобает служить царям и князьям» («Просветитель», Слово седьмое).

И эти слова на Руси не расходились с делом. Св. прп. Сергий Радонежский благословил св. князя Дмитрия Донского сражаться против ордынской власти, а св. прп. Иринарх Переяславльский призвал к себе князя Дмитрия Пожарского и обещал Божью помощь в изгнании польской власти из Кремля. Уже в двадцатом веке св. патриарх Тихон, как св. Гермоген в польско-литовскую интервенцию, рассылает народу призыв к сопротивлению большевистской власти: «Скажи народу, что если они не объединятся и не возьмут Москву опять с оружием, то мы погибнем, и Святая Русь погибнет с нами». К сопротивлению безбожным большевистским властям призывал тогда и архиепископ Андроник, священномученик Пермский, впоследствии замученный большевиками: «Умоляю всякого русского, кто еще хоть малость сохранил Веру в Бога и любовь к многострадальной и погибающей Родине, умоляю всякого встать на защиту Церкви и России». На допросе священномученик Андроник лишь одно сказал чекистам: «Мы враги открытые, примирения между нами не может быть. Если бы не был я архипастырем и была необходимость решать вашу участь, то я, приняв грех на себя, приказал бы вас повесить немедленно».

Святители Гермоген, Тихон, Андроник противились властям инородным, иноверным, безбожным и за то обрели от Господа венцы мученичества. Так почему же, имея в нашей Церкви великие примеры стояния в Вере к Господу и любви к нации, мы должны мириться сегодня с властью чужеродных безбожных властителей?!

В годы большевистских гонений дана была молитва о спасении России: **«Господи Иисусе Христе, Боже наш, прости беззакония наша. Молитвами Пречистыя Твоея Матере спаси страждущия русския люди от ига безбожныя власти. Аминь».**

Возможно ли было молиться об этом нашим предкам, если бы они верили, что коммунистическая власть — «от Бога»? А как быть тогда с властью антихриста, его, стало быть, тоже придется признать «божьим слугой»? А ведь нас и готовят покориться власти антихриста, и обосновывают это изо всех сил при помощи лжетолкований. Но будем помнить подлинные слова св. ап. Павла: **«Несть власть, аще не от Бога»**, что значит — *Не власть, если не от Бога.* И действовать сообразно этим словам.

Есть и эллин, и иудей!

Сегодня принято объяснять православным, ссылаясь на св. апостола Павла, что христианство уничтожает национальные различия, что, дескать, во Христе нет ни эллина, ни иудея. Но вот как звучат эти слова у самого святого апостола Павла: **Вси бо вы сынове Божии есте верою о Христе Иисусе. Елицы бо во Христа крестистеся, во Христа облекостеся. Несть иудей, ни эллинъ, несть рабъ, ни свободь, несть мужеский пол, ни женский, вси бо вы едино есте о Христе Иисусе** (Гал. 3, 27).

Как видите, напрасно нас убеждают, что эти слова апостола о том, что Господь Иисус Христос отменил понятие о народах. Тогда он отменил социальные различия — «несть раб, ни свободъ», тогда надо говорить и об «отмене» различий между мужчинами и женщинами — «несть мужеский пол, ни женский». Апостол же Павел говорит только о том, что через Христа могут быть спасены все народы, независимо от того, пребывали ли они в иудействе или в язычестве (именно язычники именовались *эллинами*), что Христом спасутся люди всякого социального положения, как мужчины, так и женщины.

Наш же инстинкт национального самосохранения через усиленную пропаганду извращенного понимания апостольских слов сегодня крепко связан, просто скован так называемым христианским интернационализмом. Напрочь отбито у русских людей исконное чутье к своим врагам, природный инстинкт, который не чужд даже овце и заставляет ее держаться своего родного стада и слушаться вожака, чтобы не попасть волку в зубы. Призывы к восстановлению русского национального самосознания, русского православного воинского духа часто пресекаются категоричным возражением хитроумных богословов, что-де апостол Павел утверждал, что во Христе нет «ни эллина, ни иудея».

Но, повторим, святой апостол говорил, что для язычника-эллина и еврея-иудея — для них открыт путь ко Христу! Православное же христианство всегда мыслило именно этническими категориями. Оно никогда не было тиглем, переплавлявшим народы в единую безнациональную массу, напротив, оно противилось этому, предвидя, что безнациональные человеческие массы легко покорятся царству Антихриста. Загляните в Священное Писание. Псалтырь глаголет: **Воцарися Бог над языки** (Пс. 46, 9). Евангелие гласит: **И на имя Его языцы уповати имут** (Мф. 12, 21). К народам обращены в истории и Божий гнев, и Божия любовь, и Божие попеченье. Народ — это Божье стадо, одухотворенное Верой, соединенное наследственностью, наделенное языком. Но все социальные теории, когда-либо проникавшие в Россию, нацеливались на одно — на разрушение русского национального единения. Интернационализм коммунистический сражается за классовые ценности, терзая нацию в клочки воюющих классов. Интернационализм демократический ратует за общечеловеческие ценности, растворяя нацию в кипящем вареве общечеловеков. И вот теперь, когда очевиден губительный смысл этих теорий, нас пытаются приручить мнимым христианским интернационализмом, который внушает русским уничижение перед другими народами. При этом намеренно забывают, что Спаситель учил различать народы враждебные и дружественные Ему: **И соберутся пред Ним вси языци, и разлучит их друг от друга, яко же пастырь разлучает овцы от козлищ** (Мф. 25, 32). Все постановления Церкви шли в согласии со Словом Господа. По второму правилу IV Вселенского Собора христианам нельзя лечиться у евреев и принимать от них подарки. Мера благоразумно защитительная от целого народа, признанного христианами богоотверженным согласно Христовой заповеди о нем в Евангелии: **Вы отца вашего дьявола есте, и похоти отца вашего хощете творити** (Ин. 8, 44).

Русское Православие всегда различало народы враждебные и дружественные христианской Истине. Оно устами митрополита Иллариона благословляло рассеяние иудеев: «И рассеяны были иудеи, да не вкупе злое пребывает» (1051 год). Русское Православие словом Серапиона, епископа Владимирского, обличало монголо-татарских завоевателей: «И навел на нас Господь язык немилостив, язык лют, язык, не щадящий красоты юных, язык, не жалеющий возраста детей…» (1223 год). Русское Православие грамотами патриарха Гермогена призывало русских «дерзать на кровь», «идти на литовских людей» (1610 год), оно словом святого праведного Иоанна Кронштадтского предупреждало: «Помните, не будет самодержавия — не будет России, заберут власть евреи, которые сильно ненавидят нас» (1908 год).

Но почему теперь мы не слышим от наших святителей подобных слов, ведь в России еще в 1998 году смертность достигла уровня смертности страны, ведущей боевые действия, и с той поры гибель народа только возрастает? И виновники этой гибели — Ельцин, Чубайс, Гайдар, Абрамович, Кириенко, Березовский — несть им числа.

Православное учение обязывает русского человека стоять именно «за други своя», за православных братьев до смерти. Во все века русской истории христианин-воин исповедовал принцип: «Смерть в бою — дело Божье». И если задуматься, каков должен быть русский человек — носитель православного воинского духа, то вот перед нами череда исторических примеров и образцов для подражания. Святой благоверный князь Александр Невский, названный в народе Солнцем Земли Русской и изображаемый на иконах с мечом, святой благоверный князь Дмитрий Донской, другой наш святой меченосец Феодор Ушаков, морской адмирал, заповедавший: «Врагов не считать надо, их надо уничтожать». Святой-великомученик Николай Второй, Царь великой воли и мужества, вопреки утверждению иудеев, совсем не исповедовавший терпения и смирения перед врагами Отечества. Что в них, помимо безупречной нравственности и высокой религиозности, удостоено почитания народного? Твердая воля и готовность дать отпор всем врагам Православия и русского народа, в котором единственно и сохранялась нерушимо Православная Вера.

Вдумайтесь в смысл русского христианского национализма: *защищать русскую нацию от погибели значит прежде всего защищать Православие, только среди русских бытующее еще неповрежденным*. Сойдет русский народ с исторической сцены, и не станет живительной среды для Православного христианства. Потому святых воителей Земли Русской и отличала всегда любовь к *искренним* своим, людям кровно одного корня, вскормленным из одного духовного источника.

Приходится признать, что прежним русским героям было несравненно легче, чем нынешним, ведь Русская Православная Церковь благословляла их на меч за други своя. Вот в чем религиозный мистический смысл спасения русской нации от окончательного ее истребления иноверцами и инородцами.

О книжниках и фарисеях

Понятие «фарисей» прочно вошло и в русский язык, и в русскую культуру. Даже не читавшие Евангелия люди знают, что это синоним притворщика и лицемера, человека, примеряющего себе «чужие лица» и скрывающего при этом свое подлинное лицо. Истоки фарисейства лежат в иудаизме, в религиозных верованиях и обрядовых представлениях еврейского народа, которые обличил и отверг, пришед на землю, Господь Иисус Христос. Суть фарисейского духа в том, что из религии изымается стержень искренности, поклонение Богу превращается в пустой обряд, в холодный ритуал с дотошным выполнением мелочей без горячей молитвы, следовательно, без подлинной Веры.

Господь жестко посрамил книжников и фарисеев, слова Его из Евангелий от Матфея, Марка, Луки стали нашим руководством в отношении к иудеям, не принявшим Господа и распявшим Его, в отношении к нашим собственным православным церковнослужителям и мирянам, к тем, кто по неверию своему принимают дух фарисейства.

Господь начинает свою речь словами **На Моисеевом седалищи седоша книжници и фарисее** (Мф. 23, 1), обличая книжников и фарисеев, что они самовольно заняли место пророка Моисея и присвоили себе исключительное право учить народ еврейский Закону Божию, истолковывать смысл этого закона, выдавать свои собственные измышления за божественные установления. Как эти слова актуальны для нас сейчас, когда наши сегодняшние «книжники и фарисеи» втолковывают нам, что вся власть от Бога или что священноначалие непогрешимо. От гордынного желания навязать свой закон вместо Христова учения пало католичество, неужели и мы идем по тому же пути?

В другом обличал фарисеев Господь, что не выполняют они того, чего сами со ссылкой на Закон Божий требуют от народа. Книжники и фарисеи **связуют бо бремена тяжка и бедне носима, и возлагают на плеща человеческа: перстом же своим не хотят двигнути их** (Мф. 23, 4). Это тоже нам знакомо — требование исполнения многочисленных обрядовых мелочей часто вытесняет в нашей Вере искренний молитвенный настрой, вычитыванием правил заменяется покаянный вздох из глубины души. А принятие на себя показного благочестия порождает в человеке необузданное стремление повелевать другими. В то время как эти другие зачастую сами с готовностью склоняют свою выю под их иго, особо подчеркивая — мы рабы Божии.

Не на пустом месте враги Православия клеймят нас рабами, а Веру нашу издевательски именуют «религией рабов». И мы не спорим, покорно, рабски соглашаемся, — да, да, рабы, но Божии! Однако *раб Божий* — лишь первая, самая малая ступенька на пути к Вере. Разумеется под этим, по слову аввы Дорофея, «если кто уклоняется от зла по страху наказания, как раб, боящийся господина». Православному не должно долго ходить в рабах, авва Дорофей убеждает: «постепенно христианин приходит к тому, чтобы делать благое добровольно, и мало-помалу начинает как *наемник*, надеяться на некоторое воздаяние за свое благое делание». Но рабский страх и надежда на воздаяние наемника — еще не предел пути. «Христианин получает вкус благого и начинает понимать, в чем истинное добро, и уже не хочет разлучаться с ним… Тогда достигает он достоинства *сына* и любит добро ради самого добра». Сыновняя любовь к Творцу — вот венец этого пути, а нас стремятся укоренить в звании рабов, действующих не из любви, а из страха наказания.

Это тем более опасно, что сегодня слово *раб* в русском языке совершенно переродилось, возобладал дух слепого повиновения, безропотного, бездумного исполнения любых приказаний, отданных от имени Господа своего рода «носителями» Божьей Воли — священниками, духовниками, иерархами Церкви. Все это называется ныне «церковной дисциплиной», которая при бездумном, нерассудительном к ней отношении развращает пастырей, повелевающих паствой в собственных интересах и смотрящих на нее как на стадо, портит прихожан, и впрямь входящих в роль рабов и весьма уютно в ней себя чувствующих: не надо думать самому, не надо советоваться с совестью, не обязательно читать Св. Писание и размышлять над Евангелием — то есть взрастать в Богопознании. В рабах у «своего батюшки» весьма покойно волочиться до самой смерти, почитая себя истинно рабом Божиим, исполнившим добродетель послушания до конца. Но ведь таковой послушник не раб Божий, не работник Господу, а служка, наемник у другого — нерадивого служителя Божьего, и плата такому служке-наемнику — его заглушенная, примороженная совесть, перед которой он ежечасно оправдывается — служу-де в рабах у Господа.

Да не у Господа ты служишь, пойми же ты это, наконец, холопски именуя себя рабом Божиим. Служил бы ты Христу, разве б терпел тогда отступления иерархов Церкви от Веры Христовой, которые тянут нас, как в пропасть, как в ад, — в экуменизм, разве б терпел бы ты эту не от Бога власть? А если власть не от Бога, давайте уж договаривать до конца, она — от сатаны. И если б мы действительно были

22

хотя бы рабами или работниками у Господа, тогда были бы мы не рабами, все сносящими, а воинами Христовыми, как Коловрат, как Пересвет, как Ослябя, как Илья Муромец.

Рабская покорность наша зачастую потворствует фарисейству священничества. Господь обличает фарисеев в стремлении принимать почести, а мы видим эти фарисейские ростки не только в иудеях, но прежде всего в себе и своих пастырях: **Вся же дела своя творят, да видими будут человеки... Любят же преждевозлежания на вечерях и преждеседания на сонмищах, и целования на торжищах, и зватися от человек: учителю, учителю** (Мф.23, 5-7).

Фарисеи все делают напоказ и любят почет, добиваясь главных мест преждевозлежания и преждеседания на пиршествах и в синагогах. Сегодня и в наших храмах можно видеть фарисеев, ибо порода эта неистребима: со свечками в руках стоят на почетных местах по праздникам наши безбожные правители, напоказ крестятся, им воздается недолжный по их заслугам почет. Господь предостерегает от того, чтобы люди не стремились принимать на себя звание учителя: **Един бо есть ваш учитель Христос: вси же вы братия есте** (Мф. 23, 8). Как писал об этих словах архиепископ Аверкий (Таушев): «Не следует воздавать человеку чести, подобающей единому Богу, и чтить учителей и наставников самих по себе чрезмерно, как если бы эти учителя и наставники говорили свое слово, а не слово Божие». Эта болезнь духа фарисейского особенно распространена сегодня в образе безмерного почитания старцев, превращающегося в идолопоклонство. Книги о духовных наставниках подчас проникнуты такой ложной умиленностью, что граничит уже с истерией. Пересказываются банальные истории о «маслице», которым помазывает батюшка, об «иконочках», которые он раздает, о «бутылочках со святой водичкой». Каждый шаг старца, каждое его слово толкуют пророчески, в самых обыденных словах батюшки видят святую прозорливость, а если батюшка вполне справедливо и сам называет свои слова обыденными, житейскими, за этим поклонники усматривают особое смирение старца и даже юродство. А преставится батюшка, и толпа почитателей, а больше почитательниц кидается искать другого учителя, и снова повторяется прежнее — водичка, маслице, иконочки, записочки. Стульчик, на котором батюшка сиживал, столик, за которым батюшка кушал. Словечка в простоте не скажут... Редко кто из старцев рад такому безмерному елею, которым умащают ему главу почитатели. Отец Николай Гурьянов на вопросы приходящих к нему о приискании духовника твердо говорил: «У вас должен быть один Духовник — Христос. А учение Его — в Евангелии». Но слова эти почти никем не были услышаны...

В Евангельском чтении о книжниках и фарисеях ясно звучит приговор Господа им, отвращающим людей от Бога. Восьмикратно произносит Сын Божий: **Горе Вам, книжници и фарисее!** Наследование духа фарисейского нашими современниками подводит и нас, сегодняшних, услышать над собой этот приговор. В чем же горе нынешних фарисеев от Православия?

Горе вам, книжници и фарисее, лицемери, яко затворяете царствие небесное пред человеки: вы бо не входите, ни входящих оставляете внити (Мф. 23, 13). Это ко всем неверующим пастырям нашим, а таких немало в России, кто «не для Иисуса, а для хлеба куса» служит и труждается, кто своим собственным неверием, холодным сердцем, пустословием в проповедях, формализмом в исповедях замыкает двери Веры для входящих в храмы.

Горе вам, книжници и фарисее, лицемери, яко снедаете домы вдовиц (Мф. 23, 14). Это сказано тем пастырям, кто своей показной набожностью обманывает искренних и простодушных, от сердца несущих батюшке последнее, и тем расхищает их имущество под предлогом жертвы Богу. Богатые священники и иерархи — страшное искушение для верующих, огромная беда для Церкви. Дух нестяжания, проповедуемый Господом в Евангелии: **Не стяжите злата, ни сребра, ни меди при поясех ваших, ни пиры (кошеля) в путь, ни двою ризу, ни сапог, ни жезла: достоин бо есть делатель мзды своея** (Мф. 10, 9), вот этот дух созвучен русскому православному сердцу. Мы опытом последнего столетия русской истории ведаем, как опасно пастырям и монахам поклоняться мамоне.

Горе вам, книжницы и фарисее, лицемерии, яко одесятствуете мятву и копр и кимин и остависте вящшая закона, суд, и милость, и веру (Мф.23,24). Так Господь обличает пастырей, кто требует от верующих мелочной обрядовой суеты, и этим проповедует достаточность в их служении Богу, успокаивая совесть прихожан внушением, что так исполняется христианский долг. Принесение десятины от всего, что имеют, даже от трав и пряностей — от мяты, тмина и укропа фарисеи в евангельские времена выдавали за служение. Главное же — **вящшее в Законе Божием** — суд, милость и Веру, как прежние, так и новые фарисеи не требуют ни от себя, ни от своей паствы. Как мало ныне священников, именно это — Суд, Милость и Веру — воспитывающих в христианах, оттого мало в Православии ныне Воинов Христовых, а все больше мелких торгашей, несущих свою десятину в храм, будто платящих Господу налог на спасение души.

Горе вам, книжницы и фарисее, яко очищаете внешнее скляницы и блюда, внутрьуду же суть полни хищения и неправды. Фарисее слепый, очисти прежде внутреннее скляницы и блюда, да будет и внешнее чисто (Мф.23,25-26). Хищения и неправды, которыми была заполонена жизнь иудеев-фарисеев в дни пришествия Господа, часто наследуют новые фарисеи от Православия. Дух алчности, стяжательства, готовности ради этого на лукавство и лицемерие, к сожалению, заразны, и не всякий священнослужитель может их в себе побороть. Но хищения и неправда чутко опознаются народом, и это осознание хищений и неправды в служителях Самого Бога отвращает людей не только от Его нерадивых пастырей, но зачастую и от Матери-Церкви. Если священник — хищник и лжец, значит, он неверующий, а если неверующий пребывает в Доме Божьем, какова цена самому Дому? Вот почему Христос заключает свои слова приговором: **Горе вам, книжницы и фарисее, лицемери, яко подобится гробом повапленным, иже**

внеуду убо являются красны, внутрьуду же полни суть костей мертвых и всякия нечистоты (Мф.23,27). Забота о внутренней чистоте и искренности для христианина, тем более пастыря, есть забота о Церкви, и каждый человек, исполненный неправды и хищения, сравнивается с покрашенным, то есть **повапленным гробом**, в котором, несмотря на всю внешнюю красоту и благолепие, — разлагающийся мертвец.

Господь произнес суровый приговор еврейскому народу: **Се оставляется дом ваш пуст** (Мф.23,38). Это не только знак физического истребления и разрушения, как часто указывают богословы, напоминая, что вскоре после Распятия и Воскресения Господня в 67 году Иерусалим был разрушен римлянами и все попытки евреев восстановить храм Соломона до сего времени всякий раз оканчивались опустошением. Дом Божий, в котором некогда обреталась Вера, и Господь благоволил за это к народу еврейскому, стал пуст: в нем нет больше Господа и святых ангелов Его. Сам народ еврейский стал подобен повапленному гробу. Но наша судьба будет ничем не лучше, если воспримем фарисейский дух, дух хищений и неправды, дух стяжательства и чревоугодничества. Вот чего следует страшиться нам. Каждый из нас — часть тела Христова, часть Матери-Церкви, и каждый из нас отвечает за то, будет ли Дом Божий пуст или вечно Свят.

Воинский долг христианина

Непреложная истина **Начало премудрости страх Божий**, ибо живо в нас сознание, что за все совершенное надо платить. Ведь что такое **судьба** в христианском смысле этого слова? *Суд Божий* в земной жизни человека, суд Бога, воздающий человеку уже на земле по грехам и заслугам его.

Святитель Иоанн Златоуст называет **Страх Божий** корнем благих. Единственный страх, который должен жить в душе, именно он — основа мужества, воинской отваги. Страх божий подвигает нас защищать слабого и противостоять неправде. Ведь недаром говорят: *Смелым владеет*

Бог. С малолетства наставляли русских деды и отцы: *Никого не бойтесь, одного Бога бойтесь*.

Все добродетели, которые постигает православный христианин, они не перед людьми носятся, это ведь не личины, не маски, они суть состояние человеческой души перед Богом.

Откроем в Евангелии Заповеди Блаженства (Мф. 5, 3-12), которые исчисляют добродетели человеческие. **Блаженни нищии духом, яко тех есть царствие небесное**. Вокруг выражения *нищии духом* столько сломано копий, столько споров, возбуждаемых врагами христиан, упрекающих нас в том, что-де Вера наша призывает к духовной бедности. Но слово *нищий* в славянском языке означает вовсе не *бедный*, его первоначальное значение происходит от понятия *никнуть*, то есть склоняться. Слово **нищий** родственно словам *приникнуть*, пасть *ниц*, опрокинуться *навзничь*. То есть **нищии духом** изначально значит *приникшие духом своим ко Господу*, склонившие перед ним собственную гордыню и своевольство.

Другая заповедь: **Блаженни плачущие, яко тии утешатся**. *Плачущие* о своих грехах разумеются здесь, и это позволяет врагам Православия упрекать нас в унылости нашей Веры. Мы же в отпор можем сказать, что плач о грехах смывает самые грехи и делает нас, православных, чистым, святым народом.

Блаженни кротции, яко тии наследят землю. — третья Заповедь блаженства. Кроткие, — убеждают нас иноверные, — это слабые люди, не способные к волевым поступкам. А мы ответим так: *кроткие* — те, кто укрощает свои страсти, не дает вздыматься греху гордыни. Кроткий и воин на поле боя, укрощающий свой животный страх

Блаженни алчущие и жаждущие правды, яко тии насытятся. Господь Иисус Христос дает нам образец жизни в искании и утверждении на земле правды Божьей.

Есть среди заповедей и зарок о милости, вот как он звучит: **Блаженни милостивии, яко тии помилованы будут**. Есть здесь и заповедь о покаянии: **Блаженни чисти сердцем, яко тии Бога узрят**. Почему здесь речь о покаянии?

Да потому что **каятися** и **чистый**, как это ни странно, слова одного корня. Искупление вины, которое подразумевается в слове **каятися**, ведет к тому, что грешник очищает свое сердце, свою душу.

Еще одна заповедь блаженства, вызывающая много вопросов: **Блаженни миротворцы, яко тии сынове Божии нарекутся.** О каком миротворстве может идти речь, если христианство на протяжении всей его истории было религией воинов и только в наш все разлагающий век потеряло былую спасительную воинственность. И что видим в результате? Веру нашу и самый народ наш, в среде которого тысячелетие хранилось Православие неповрежденным, сегодня притесняют, глумятся над нашими святынями, и мира в государстве стократ меньше, чем тогда, когда Церковь была воинствующей. Самое время понять, что миротворство — не есть потворство злу, напротив, удаление зла самым радикальным способом. Не пресекаемые христианами злые, сатанинские силы водворяют в народе смуту и войну. Поэтому христианин-миротворец всегда с мечом и всегда готов отстоять Истину в бою.

О воинском долге христианина отстаивать правду Божию даже под угрозой смерти, терпеть за Веру поношение и клевету говорят две заповеди блаженства: **Блаженни изгнаннии правды ради, яко тех есть Царствие небесное. Блаженни есте, егда поносят вам и ижденут, и рекут всяк зол глагол на вы лжуще мене ради. Радуйтеся и веселитеся, яко мзда ваша многа на небесех.** Это путь мученичества ради укрепления и торжества Веры Христовой, путь очень немногих — самых решительных, самых верных христиан, Господь говорит нам: **Вы есте соль земли.** Почему *соль*, что за образ приложен к православным? *Соль* — то, что предохраняет пищу от тления, от гниения, от порчи. Покуда есть на земле истинные христиане, земля не будет вконец испорчена злом, человечество не истлеет до конца, смысл земного бытия, заложенный Творцом, будет сохраняться. Вот такое у нас высокое звание — *соль земли*, спасающая тварный мир от конечной гибели.

Господь говорит: **Вы есте свет мира. Не может град укрытися верху горы стоя. Ниже вжигают светильника, и поставляют его под спудом, но на свещнице, и светит всем, иже в храмине суть. Тако да просветится свет ваш пред человеки, яко да видят ваша добрая дела и прославят отца вашего, иже на небесех.** Свет добрых дел христиан является основой проповеди христианства. Смысл христианской государственности — идею справедливости Божией воплотить в форме самодержавной государственной власти.

Господь говорит, чем отличается Его учение от закона ветхого. И здесь у нас возникает недоумение: **Да не мните, яко приидох разорити закон, или пророки. Не приидох разорити, но исполнити.** Слово **исполнити** означает *наполнить*, а не *выполнить*. Речь идет о **наполнении** закона новым содержанием, потому именуется учение Господа Иисуса Христа — Новый Завет. В подтверждение этого дальнейшие слова Господа: **Глаголю бо вам, яко аще не избудет правда ваша паче книжник и фарисей, не внидете в Царствие небесное.** То есть правда Христова должна превзойти содержанием своим учение книжников и фарисеев, о которых Господь сказал: **«Се оставляется дом ваш пуст!»** (Мф., 23, 38). Означают эти слова, что иудеи — богоотверженный народ, ведь понятие *пустой* изначально в славянском языке подразумевало — *оставленный Божьей благодатью*. Об опасности соединения с отвергнутым Богом племенем предупреждали Отцы Церкви. Святитель Иоанн Златоуст особенно наставлял в своих словах против иудеев: «Если ты уважаешь иудейское, что у тебя общего с нами, христианами? Осмелился бы ты подойти к осужденному за покушение на верховную власть и говорить с ним? Не думаю. Не странно ли избегать сделавших зло человеку, а с оскорбившими Бога иметь общение? Поклоняющимся Распятому праздновать вместе с распявшими Его — безумно. ...Разве ничтожно различие между нами и иудеями? Разве спор у нас о пустых вещах? Скажи мне, ты участвуешь в таинствах, поклоняешься Христу, у Него испрашиваешь благ, и празднуешь с Его врагами? С какою же совестью ты приходишь в церковь? Святой первомученик Стефан говорил иудеям: «Вы присно Духу Святому противитесь!»

Воинствующее христианство не может смешивать себя с иудеями, с их обычаями, образом мысли, памятуя о том, что они отвержены Богом. Пока это блюдется в Церкви, в Ней сохраняется Благодать.

Несение Креста

Придя к Богу, умом ли, бедой, не суть, став христианами, мы чаще всего полагаем, что долг христианина состоит лишь в молитве, в хождении в храм, исполнении заповедей, содержании постов. Это все так, если бы ныне в России было **«тихое и безмолвное житие во всяком благочестии и чистоте»**. Но ныне это не так. Все силы зла ополчились против нашей Веры, против ее носителей — православных христиан, против ее сердцевины — Русской земли. Наш христианский долг оказывается много тяжелее, чем у прапрадедов, живших в Православном Отечестве, и об этом долге для христиан, родившихся в трудные времена, сказано в Евангелии.

К примеру, в Евангелии от Матфея (Мф. 18) читаем об отношении христианина к соблазнам. Само слово **соблазн**, происходящее от глагола **блазнити**, своей внутренней формой выказывает гибельный смысл обозначаемого им явления. **Блазнити** значит *убеждать в том, что зло есть благо*, **блазнитися** — *принимать зло за благо*. Таким образом, **соблазн** — *зло, выдаваемое за добро*. Современный мир просто кишит соблазнами, человеку постоянно представляют гнусные, отвратительные, преступные, гибельные пороки как вещи вполне нормальные, приемлемые в том числе и для христианина. Несомненное, осуждаемое в прежние времена зло рисуется ныне пристойным делом, не подвергается осуждению. Совесть соблазненного христианина не тревожит, он убежден, что не грешит. Но вот что говорит об этом Евангелие: **Горе миру от соблазн: нужда бо есть приити соблазном, обаче горе человеку** тому, имже соблазн приходит. **Аще ли рука твоя или нога твоя соблажняет тя, отсецы ю и верзи от себе: добрейшее ти есть внити в живот хрому или бедну, неже две руце и две нозе имущу ввержену бытии в огнь вечный. И аще око твое соблажняет тя, изми е и верзи от себе: добрейшее ти есть со единем оком в живот внити, неже две оце имущу ввержену быть в геенну огненную** (Мф.18, 7-9).

Многих пугают эти слова, они отстраняются, уходят из христианства, утверждающего столь жестокие принципы жизни во Христе. Другие же, жалея оставить Церковь, но не в силах отвергнуть соблазны, начинают понимать эти слова всего лишь как метафору. И разве не более как метафорой становится для них само Евангелие? Тогда мы слышим из уст таких умствующих христиан, что «соблазны вообще угодны Христу», ибо в них «**нужда есть**». На самом же деле, слово о противодействии соблазнам — буквальное правило борьбы с грехом. Имея перед глазами самый жестокий образец сопротивления соблазнам, то есть злу, представляемому дьяволом как благо, — отторжение от себя руки или ока, люди, согрешающие сначала в помыслах, должны успеть остановиться прежде, чем дело дойдет до крайности.

Вообще мерило добра и зла для христиан — это Господь наш Иисус Христос, Его Заповеди, Его Слово. Он Сам говорит об этом столь жестко, что не оставляет нам никакого выбора, кроме того, чтобы быть с Ним. Или с сатаной, что для христианина не приемлемо. **Иже не со Мною, на Мя есть. Иже не собирает со Мною, расточает** (Мф. 12, 30).

Никакой «золотой середины», никаких тихих заводей, покойных местечек для трусов, бездельников, маловеров, надеющихся без особого труда, одним бездействием — как в добре, так и во зле, спастись, христианство не предусматривает: Кто не со Мной, тот на Меня, то есть тот против Меня! «Некоторые говорят: «Я христианин и поэтому должен быть радостным и спокойным». Нет, это не христиане. Это равнодушие, это радость мирская, — учит Паисий Святогорец. — Тот, в ком присутствуют эти мирские начала, — не духовный человек. Духовный человек — весь сплошная боль, то есть ему больно за то, что происходит, ему больно за людей... Если кто-то не начнет воевать против зла — то есть не начнет обличать тех, кто соблазняет верующих, — то зло станет еще больше»

И как воевать против зла, — бескомпромиссно, жестоко, стойко, — тоже заповедано в Евангелии, тут и к старцам не надо бегать, спрашивать, стоит ли идти на брань, стоит ли обличать согрешающих. Но сколько же сегодня трусящих и надеющихся, что вот возьмет старец и не благословит их противодействовать злу, скажет, как многие и говорят: «Не время еще!», и как-нибудь на духовной войне без них обойдутся... Но ни один старец не отменил для нас святых Евангельских слов: **Аще же согрешит к тебе брат твой, иди и обличи его между тобою и тем единем: Аще тебе послушает, приобрел еси брата твоего. Аще ли тебе не послушает, пойми с собою еще единаго или два. Да при устех двою или триех свидетелей станет всяк глагол. Аще же не послушает их, повеждь церкви. Аще же и церковь преслушает, буди тебе якоже язычник и мытарь** (Мф. 18, 15-17).

По сути это и есть истинная любовь к ближнему — обличение его грехов, воспитание его души, ограждение ее от соблазнов. Мало кому из ближних наших понравится это, и мы принуждены воевать за их души либо воевать с ними как с носителями зла, как с «мытарями и язычниками». Путь, не сулящий покоя и тихой мирской радости!

Обратите внимание, как точно соотносится с этими словами другое чтение из Евангелия от Матфея: **Не судите, да не судими будете. Имже бо судом судите, судят вам, и в нюже меру мерите, возмерится вам** (Мф. 7, 1-2). Эти слова обычно истолковывают, как правило против осуждения ближнего, и на всякое наше слово обличения злодея тот же самый злодей готов заткнуть нам рот — не судите, мол, Христос не велел. Но разве в этих словах есть запрет суда? Здесь просто предупреждается, что, если ты решил судить ближнего, ты должен быть *не хуже* его, твои грехи не должны превышать его прегрешений. Ибо собственный тяжкий грех не может позволить человеку судить праведно, правильно другого, грех судьи мешает вынесению праведного решения над посудимым, как бревно в твоем глазу мешает видеть сучок в глазу твоего ближнего. И вправду, разве может судья-убийца судить другого убийцу, у него нет на то права, как не могут, не имеют права власти, крадущие, разоряющие страну и уничтожающие народ, пытаться насаждать в том народе покорство законам и проповедовать бескорыстие, честность, а также наказывать своих граждан за разор, кражи, беззакония. Суд таких властей не будет иметь для народа никакой пользы, от суда таких властей никто не исправится. Напротив, той же мерой — мерой беззакония возмерится и им. Так что евангельские слова о суде вовсе не запрет на суд, а повеление тому, кто судит, быть нравственно выше, чище, лучше судимого.

О необходимости же суда, о непреложности рассуждения в обличении грехов, о защите своих святынь благодаря умению верно судить о добре и зле говорят следующие слова Христа: **Не дадите святая псом, не пометайте бисер ваших пред свиниями, да не поперут их ногами своими, и вращшеся расторгнут вы** (Мф.7,6).

Вот где ключ понимания слов **Не судите, да не судимы будете**, ибо нравственное превосходство христианина, его моральная высота позволяет ему видеть дурное в других, дают ему право обличать зло и тем защищать святыни, защищать для того, чтобы посягнувшие на святыни и все самое драгоценное, что есть у человека — Бога, Отечество, народ, — все эти «псы и свиньи» не разодрали, буквальный перевод слова **расторгнули,** — его самого. Высшая святыня для христианина — Господь Бог, Пресвятая Троица. И вот сегодня повсеместно к Господу воспитывается небрежение, равнодушие, допускается даже богохульство. Выходит на экраны фильм Скорцезе «Последнее искушение Христа», публикуются гнусные книжонки, порочащие евангельскую историю. И что же православные? Молчат, в лучшем случае — проводят пикеты и митинги. Богохульникам все сходит с рук. Потому что православные христиане безмолвствуют в отличие от мусульман, которые приговариваютк к смерти за осквернение своих святынь, за поругание Аллаха или пророка Мухаммеда. Вот почему осквернители боятся воинов ислама, но презирают «рабов» Христа. Это видно даже по обсуждению введения в школьное образование курса «Основы православной культуры», против которого поднялась вся чужеродная интеллигенция России, но почему-то она не коснулась другой темы — еще бы! попробуй тронь! — в Татарстане уже несколько лет преспокойно обучают в школах «основам исламской культуры».

Заповедано в Евангелии: **Не дадите святая псом, не пометайте бисер ваших пред свиниями, да не поперут их ногами своими, и вращшеся расторгнут вы** (Мф. 7,6). Слова эти читаются в церкви в день архистратига Михаила, защитника христианских святынь, как предупреждение, что без Святынь — без Бога, без Отечества, без нации — человек гибнет.

В пример история жизни старца Самсона Сиверса, который подвизался в Александро-Невской Лавре как раз в тот ужасный час, когда большевики пришли разорять мощи святого благоверного князя Александра Невского. Старец свидетельствовал о себе и о других, как монахи стояли и молились за «псов и свиней», глядя на попираемую ими святыню. Трудно сейчас сказать, почему они вели себя так безвольно: из страха ли смерти, или из внушенной им ложной идеи непротивления злу силой, упорно внедряемой на протяжении не одного столетия в умы христиан. Вот только спустя всего несколько дней иноки сами были разодраны, растоптаны, расстреляны. Но это их мученичество не было вольным, как если бы они встали на пути богоборцев, защищая свою святыню. Это мученичество было подневольным, оно явилось Божьим попущением за отступление и малодушие перед врагами Божьими. Так что одно дело, когда ты принял вольную смерть, смело обороняя святое — преграждая собой поругание Господа от сатанистов и иноверцев, защищая Земное Отечество, прикрывая ближних своих. Это мученичество свято, не зря погречески, на языке Евангелия мученик зовется *мартириос*,

34

что значит свидетель, тот, кто своим подвигом, своей готовностью умереть за Христа свидетельствует о незыблемости и истинности святынь христианских. И совсем другое дело, когда тебя вытаскивают из норы, куда ты закопался в надежде, что беда пройдет стороной, и распластывают в муках невольных, — бессильного, одинокого, оставленного Богом, тогда тебе только и остается, что исповедать свой грех малодушия и трусости и молиться за врагов своих.

Надо понимать без иллюзий, что порой приходят на Русь времена, когда малодушно избегать вольного мученичества — значит рано или поздно претерпеть мученичество невольное, которое, безусловно, тяжче и горше первого, ибо не всякий проходит его с честью.

Именно о готовности на вольное мученичество за свои святыни говорит Господь Иисус Христос в словах, засвидетельствованных и Евангелием от Матфея, и Евангелием от Марка, и Евангелием от Луки, но тщательно обходимых современными духовниками: **«И призвав народы со ученики своими, рече им: иже хощет по мне ити, да отвержется себе, и возмет крест свой, и по мне грядет. Иже бо аще хощет душу свою спасти, погубитю, а иже погубит душу свою мене ради, и Евангелия, той спасет ю»** (Лк. 8, 34-35).

Крест Христов — вольный подвиг за Бога и други своя, подобный пути, пройденному Самим Господом. Вольный, потому что христианин **хочет ити** за Христом, по собственной воле **отвержется** своих удобств, покоя, житейских радостей, мирских удовольствий. Потому что христианин готов за Христа и святыни свои умереть! Вот в чем смысл истинного несения креста Христова, оно во всем подобится жертвенному подвигу Господа, пошедшего за нас на крестную смерть, оно подобно крестоношению Иисуса Христа прежде всего силой любви к Богу, Отечеству и ближнему, любви столь великой, что за них добровольно человек готов отдать жизнь. Много ли сегодня среди нас способных хотя бы шаг шагнуть по этому крестному пути?

Вспоминается недавний случай, когда в огне, охватившем дом, остались двое маленьких детей полутора и трех лет, мальчик и девочка — ингуши. Успевшие выбежать из горящего дома родители безвольно стояли во дворе, уже смирившиеся с неизбежной гибелью детей. Столь же безучастны были собравшиеся вокруг соседи. И только одна русская женщина, подбежав к пылающему остову здания, вошла в пламень и вытащила детей. Истинно христианский подвиг — спасти пусть даже ценой собственной жизни гибнущую чью-то жизнь, ибо, если попустить ребятишкам сгореть заживо, то как после этого жить самому, как глядеть в глаза соседям, как улыбаться и смеяться?

В этом смысл христианского креста — по доброй воле идти на риск, на гибель, глядеть в глаза смерти, буквально **попереть льва и змия**, встречая опасность лицом к лицу, потому что невозможно смириться со злом, невозможно терпеть зло, нестерпимо соглашаться со злом. Родители-мусульмане побоялись вступить в огонь, ибо страшились собственной смерти, а русская православная женщина, не рассуждая об опасности для себя, думала только об одном: «Как жить-то после такого?» Истинный христианин не может уживаться со злом, потому берет крест свой и идет, жертвуя собой, за Христом.

А во что у нас превратилось понятие *нести свой крест*? Ныне так говорят о людях, которые терпят страдания, болезни, материальные лишения, издевательства родных, семейные и прочие несчастья. Но все эти житейские перипетии, если точно следовать слову Евангелия, крестом не являются, ведь они не добровольно возложены на себя страдальцами, это, как правило, «плата по счетам», «отдание долгов», наказание человеку от Господа, милостиво ожидающего от страждущего, от терпящего беду, искреннего покаяния и слезной молитвы. Но сколь утешительно и одновременно искусительно такому страдальцу верить, что таков его крест, посланный от Господа, и благодаря набежавшим на него несчастьям чувствовать себя исполнившим долг христианином.

Каков же истинно крест наш ныне, во времена тяготеющего над Русью ига? Крест наш — добровольный выбор пути христианского — прежде всего спасение русских от физического истреблении и духовного рабства. Из-за сокращения территории исторической России, ухода из нее народов, когда-то получивших кров и защиту русских, впервые за несколько столетий мы, русские, стали подавляющим большинством в своей собственной стране. Это страшно напугало врагов России и Православия, и они принялись физически истреблять нас — абортами, алкоголем, наркотиками, непосильными условиями жизни. Они взялись за наши души, растлевая больших и малых, а тех, кто носит имя христианина, заводят в ложь иудео-христианства или отваживают в дебри псевдоязычества.

Сколько же крестов разбросано ныне по нашей земле. Поднимай, воздвигай себе на плечи какой по силам. Только тогда можешь надеяться, что Господь, приняв твою вольную жертву, не ввергнет тебя в невольное мученичество.

КАК ПОДТАЧИВАЮТ В НАС ВЕРУ

Православное воинство, как свидетельствует русская история, — непобедимо, всегда вело исключительно оборонительные войны, но действовало сокрушающе. Единственное, что остается врагам Православия, пытающимся раз за разом разрушить Православный мир и его крепь — Россию, это раскрошить, надломить в нас стержень Веры. Как это делается? Ответ старца Паисия Святогорца: «Сегодня стараются разрушить Веру и, для того чтобы здание Веры рухнуло, потихоньку вынимают по камешку. Однако ответственны за это разрушение мы все: не только те, кто вынимает камни и разрушает, но и мы, видящие, как разрушается Вера, и не прилагающие усилий к тому, чтобы ее укрепить. Толкающий ближнего на зло даст за это ответ Богу. Но даст ответ и тот, кто в это время находился рядом: ведь и он видел, как кто-то делал зло своему ближнему и не противодействовал этому» (Старец Паисий Святогорец. «Духовное пробуждение», М., 2007, стр. 24).

Дух воинства Христова, дух сопротивления злу, нависшему над миром, должен сохраняться незыблемым в России, иначе не устоит и мир. А камни православного сознания, уже почти изъятые из оплота нашей Веры, мы обязаны восстановить, вернуть на их законное место, ибо каждый из нас даст ответ Богу за то, что сделал в эти тяжко трудные годы.

Почему терпеть, смиряться и быть в послушании — христианские добродетели?

С детских лет мы слышали злобное определение Православной христианской Веры воинствующим сатанизмом: «религия — опиум для народа». Но если всмотреться в состояние сегодняшнего православного клира, то ему навязывают ныне именно такое Православие. Каждый, кто ходит в храм или смотрит православные телепередачи, или читает книги о Православии, разве не ловит себя на мысли, если конечно, он честен перед собой, что Православие ему моделируют как сладкую сказку, помогающую отвлечься от трудностей сегодняшней жизни, как волшебную грезу, позволяющую забыть о невзгодах своих и Родины. Из Православия часто цинично делают хобби, вроде филателии или моржевания, стояние же в храме и беседу с духовником порой — даже подумать страшно! — уподобляют посещению экстрасенса или гадателя.

В понимании наших молитв, в воспитании христианских добродетелей произошел роковой сдвиг смысла, кто-то упорно и кропотливо трудится над истончением, ослаблением нашей Веры, ловко подменяя подлинные понятия на мнимые.

В молитве *Свете Тихий*, к примеру, слово *тихий* в отношении к Господу давно понимаем по-русски, думаем, что это еле видимый, с трудом различимый нежный свет. А ведь *Тихий Свет* по-славянски значит — Свет утешительный, то есть наполняющий душу смыслом бытия. Ибо *тихий* родственно слову *тешить*, а оно исконно подразумевало *исполнять радостью, правдой, Верой*, — всем, что делает человека светлее и чище, что приводит его к Богу. **Царю Небесный, Утешителю**, — обращаемся мы с молитвой к Духу Святому, разумея, что наитием своим Он исполнит нас правдою Божьей. **Свете Тихий**, — обращаемся к Сыну Божьему, веруя, что Он раскроет нам смысл нашего жизненного пути. Именно такое определение некощунственно приложимо к Господу Иисусу Христу, именуемому в молитве — *Свете Тихий*.

Или вот к Матери Божией обращаемся — *Теплая Заступница рода христианского*, и опять нам неверно внушают, что это значит *нежная, уютная, милая*. Хотя ровно наоборот, *Теплая Заступница* по-славянски означает — горячая защитница наша. Теплота по-славянски — горячность.

Почему и теплохладность — хуже холодности в Вере, ибо, смешивая кипение пристрастия и лед враждебности, получают вязкую жижу равнодушия и безразличия. После таких вот смысловых подмен у церковнославянских слов *тихий* и *теплый* нам говорят, что теплота и тишина — отличительная особенность нашего русского Православия! Господь Иисус Христос предстает в таком истолковании нежным и тишайшим, а Матерь Божия нежной и уютной. Так из Православия изводят его коренную особенность — воинский дух, наполняют нашу Веру одной лишь созерцательностью, тишиной, теплотой, нежностью — одним лишь душевным комфортом.

В то же время страшные болезни духа среди православных и грехами сегодня считать уже не принято. Ну, кто сегодня искренне исповедуется вслед за Святителем Иоанном Златоустом: **Господи, избави мя от всякаго неведения и забвения, и малодушия и окамененнаго нечувствия**. И это страшно! *Неведение* — бессовестность, когда человек не ведает, что творит зло, когда совесть сожжена, один серый пепел в душе. *Забвением* именуется утрата памяти смертной, стертость мысли о том, что за всякий свой поступок придется платить, *забвение* — это когда нет и малости памяти о Страшном суде Христовом. *Малодушие* сегодня не кажется опасным для человека, его толкуют как предтечу трусости, нерешительность в борьбе, не более, но на самом деле *малодушие* должно пониматься буквально, когда в человеке мало души, все существо его занято плотским, телесным, земными страстями, собственным благополучием, когда в малую душу его не вмещается мысль о Боге, любовь к Нему и к ближнему своему. *Малодушие* — когда ищут мелких, эгоистичных выгод в Вере и забывают, что основой и крепью Православия было не одно только обеспечение себя на этой земле здоровьем, богатством и прочими благами. Разве не малодушие, когда мы норовим с помощью Божьей устроить свои делишки и не замечаем при этом, что страна охвачена войной, но ни утрата территорий, ни нашествие иноплеменников нас не удивляют и не трогают, мы все о своем — об исцелении от болезни, о получении квартиры, о хорошей работе, о том, о сем… Но на войне спасаться в одиночку — дезертирство, и чье-то отдельное спасение, а вернее, стремление благоденствовать, когда стонет в мучениях наша страна, — мерзость в очах Божиих.

Нам малюют наше Православие тихим, теплым, уютным, покойным. Нам кроят Православие без Страха Божьего, который есть суть и основа Веры. Вспомним слово Псалмопевца: «**Начало Премудрости — Страх Божий**». Для нас **Страх Божий** — корень русского мужества, православной воинской отваги, основа решимости противостоять неправде. По слову Иоанна Златоуста, «именно Бог, а не другой кто потребует от нас отчета во всех делах наших». Великий святитель уже в свое время видел, как иссякает Страх Божий в христианах: «Но порядок этот извращен. Ибо ныне мы не столько боимся Того, Который некогда воссядет на судилище и потребует от нас отчета в делах наших, сколько страшимся тех, которые вместе с нами предстанут на суд». В этом равны между собой и правитель, и слуга, и судья, и подсудимый, и мучитель, и мученик.

Страх Божий крепит всю русскую жизнь. Ведь спрос на Страшном суде Христове будет жестким, и прежде всего за личное преуспеяние, если оно куплено кровавыми слезами ближних. Именно Страх Божий рождает в русских людях качества, которые в Православии именуются добродетелями и составляют основу характера русского народа.

Смирение, в старину писавшееся так: *смірение*, ныне толкуют как самоуничижение. Неправда! Слово *смірение* самим корнем раскрывает перед нами свой смысл, — состояние *мира и меры* в душе человеческой, какое бывает после горячей исповеди или искреннего раскаяния, добродетель *смирения* по-гречески передается словом *симметрия*, и оно тоже говорит нам о равновесии и мире в человеческой душе. Смирение — это когда *не по нашему хотенью, а по Божьему изволенью*, это когда *не нашим умом, а Божьим судом*. Со смирением наши воины побивали врагов

41

Отечества, со смирением наши монахи молились о сокрушении нехристей-супостатов. Не личные страсти вели их в бой и становили на молитву, а смиренное осознание себя орудием Божьей Воли.

Есть среди русских природных добродетелей *послушание*, но только не стоит понимать его как телячью покорность чужой воле, нет! Изначальное значение слова *послушание* — «свидетельство», христианское *послушание* — свидетельство святости воли Божьей, — святой Воли, которую человек видел и в православном Царе своей страны, и в своем духовном отце, и в своих родителях. Вот такое послушание выше поста и молитвы. Послушание же нечестивым правителям, лжепастырям, одержимым греховными страстями отцу-матери — это не послушание, ибо святости в таких людях нет никакой!

И вот еще *терпение*, оно тоже рождено страхом Божиим. Но только в старину это слово было лишено значения тупой безгласности, покорного безмолвствования в ответ на оскорбления и обиды. Корень слова *терпение* сродни слову *трепет*. В православном понимании *терпение* — это благоговейный трепет перед Господом, Его святостью, и всем, что посылает Господь человеку как испытание. *Терпение* — это готовность принимать Волю Божию, то есть стойкость, ибо сказано в Псалтири: «**Потерпи Господа, и да крепится сердце твое**». А вот терпеть врагов Божиих, то есть благоговейно трепетать перед ними, есть грех великий, а не добродетель. За такое терпение нам еще и отвечать перед Богом придется. Так что ставшее притчей во языцех русское терпение не безропотно. Наше терпение — это наша стойкость, она готовит нас к самому жесткому отмщению врагам Божиим и супостатам, поднявшимся против нашего Отечества.

Смирение — мир и мера в душе христианина.

Послушание — свидетельство о святости Воли Божьей в наших поступках.

Терпение — стойкость православной души.

По сути это три важнейших качества Воинства Христова, устрашаемого только страхом Божьим, и потому не имеющего ни перед кем ни боязни, ни трепета.

Что означают «покаяние» и «прощение»

Когда наступают великопостные дни, мы, православные, читаем ежедневно молитву св. Ефрема Сирина: **Господи и Владыко живота моего, дух праздности, уныния, любоначалия и празднословия не даждь ми, дух же целомудрия, смиреномудрия, терпения и любве даруй ми, рабу твоему. Ей, Господи, Царю, даруй ми зрети моя прегрешения и не осуждати брата моего, яко благословен еси во веки веков. Аминь.**

Что такое *дух праздности*? Слово *праздный* по-славянски не значит одно только *сидящий без дела*, но прежде всего *порожний, опустошенный*, вот и *дух праздности* не означает одно лишь *безделье*, ведь и безделье бывает порой вынужденным, а бурная деятельность подчас может оказаться бессмысленной или во зло. Преподобный Ефрем Сирин говорит в молитве именно об *опустошенности* души, когда в душе нет Бога, и это упраздняет, то есть убивает душу, как обескровленность убивает плоть.

Дух праздности вовлекает человека в *уныние*, избавить от которого молит прп. Ефрем Господа. Уныние не столь безобидно, как нам порой кажется, *уныние* изначально разумело смертную тоску, вопль безысходности, от которого один шаг к отчаянию.

Любоначалие и *празднословие* — повседневные грехи суетной человеческой жизни, *страсть к начальствованию*, верховенство над ближним и *пустословие* — речь, за которой нет ничего доброго для Бога и сердца.

Когда мы избавляемся от этих недугов души, то, по слову Ефрема Сирина, мы проникаемся *духом целомудрия*, а *целомудрие* в славянском языке не означает только девственную чистоту, оно должно быть понято буквально, как постижение полноты христианской истины, это дар Божий, а не наука, и потому целомудрен может быть и неграмотный, нецеломудренным, развращенным, буквально — повернутым спиной к истине, может быть самый ученый богослов.

Завершающие слова молитвы: **Ей, Господи, Царю, даруй ми зрети моя прегрешения и не осуждати брата моего**, — называют призывом к *покаянию* и *прощению* своих ближних.

Но что изначально стояло за этими словами, ведь сегодня *покаяние* — признание вины, а **прощение** — забвение обид, нанесенных ближними и врагами твоими.

В русской христианской традиции принято просить Бога *оставить*, *отпустить грехи* (здесь отражен древнееврейский обычай отпускать в пустыню козла — козла отпущения, возложив на него все прегрешения еврейского народа за год) и еще чисто по-русски принято молить Господа *простить грехи*.

Слово **простить** восходит к прилагательному *простой*, то есть *прямой*. У нас это значение сохранилось в выражении *простой путь*, что значит — прямой, есть еще слово *простоволосый*, когда волосы прямы, расправлены, не убраны под шапку или в косу.

В Евангелии сказано: **Да будет око твое просто** — призыв к тому, чтобы взгляд был прям. На Литургии возглашают: **Премудрость прости. Услышим Святаго Евангелия чтение**. Это означает: при слушании Премудрости *будьте прямы*, то есть примите Св. Писание без искажений.

Итак, **простить** исконно означало *выпрямить, исправить*. И это подсознательно понимает каждый ребенок, который, провинившись, говорит матери: мама, прости, я больше не буду.

Русское Православие понимало *прощение* грехов именно как их *исправление*. В этом, пожалуй, наша национальная особенность. Поэтому когда нашу Веру враги христианства в запале обличения нашей мнимой слабости именуют *всепрощающей*, они напрасно думают, что уязвляют русских. Русское Православие действительно имеет волевое начало и стремление **прощать**, то есть *исправлять грешников, искоренять зло на земле*.

Много сегодня говорят о покаянии, и почти всегда в понимание **покаяния** вкрадывается заблуждение, что *по-*

44

каяться значит *признать вину на исповеди*, не более, скажи только — виноват, батюшка, и в миг свободен и чист. В этом понимании слово **покаяние** поддерживается его греческим соответствием *метанойа*, что значит *перемена мышления*, изменение взгляда на мир. Но русское воззрение на это понятие более глубоко и конкретно, оно основывается на исконном значении корня *кай-* в славянском языке.

В современном русском языке у слова *покаяние*, как и у слова *раскаяние*, как и у слова *окаянный*, как и у слова *неприкаянный*, как и у слова *каяться*, и это все однокоренные речения, — у них почти уже стерт исконный смысл. Давайте восстановим его.

Слово **каять** изначально понималось так — *назначать цену, выкуп за грех*. Вот почему *окаянный* — это человек, который обязан искупить грех, а *покаянный* — это тот, кто уже платит цену за свое преступление. *Неприкаянный* же человек — это не искупивший своей вины, не пришедший к покаянию. Вспомним выражение *ходить как неприкаянный*, оно означает, что человек, не расплатившийся за свою вину, буквально не находит себе места на этой земле. Недаром *цена* (в древнем звучании — *кайна*) и *покаяние* — слова одного корня, хотя сегодня совсем не похожи друг на друга. Итак, *покаяние* есть наша вольная, осознанная плата за грех, выкуп за свое преступление. Но плата и выкуп — вещи конкретные. Тут одной виноватостью не обойдешься. Конечно, если ты обидел друга, приди, повинись перед ним, это будет соразмерной греху платой. Но если ты ограбил человека, твое покаяние — возврат награбленного, а не причитание перед ограбленным или перед священником, виноват, мол, больше не буду. Если убил неумышленно — повинной головой не обойдешься, *искупи* вину — воспитай сирот, поддержи вдову — вот твое покаяние! Когда же убийство с умыслом, злонамеренное, то покаяние преступника именуется казнью, и само слово **казнь**, в старину оно звучало — **ка-я-знь**, есть искупление вины кровью согрешившего.

Вот что такое *покаяние* — **вольное, осознанное искупление нами наших личных грехов не только словом, но**

и делом. Мы, по слову Евангелия, должны принести **плоды покаяния**.

Но есть грехи народные, в которых повинны всем народом, и все вместе несем за них наказание, как потомки, отвечающие за дела своих дедов и отцов. Вот как говорит об этом св. прп. Лаврентий Черниговский: «Русские люди будут каяться в смертных грехах, что попустили жидовскому нечестию в России, не защитили Помазанника Божия Царя, церкви православные и все русское святое. Презрели благочестие и возлюбили бесовское нечестие».

Давайте вдумаемся: если мы, народ русский, согрешили и своими руками разрушили Самодержавие огнем и мечом, а это так, и каждый из нас еще в недавние годы был болен и отрицанием монархии как исконного пути для России, и хулой на св. Царя-мученика, то нашим соразмерным греху *покаянием* должно стать восстановление Русского Царства огнем и мечом, спасение Родины воинским подвигом, искоренение бесовского нечестия в России. Таково должно быть наше подлинное покаяние — вольное и осознанное искупление греха народа православного перед лицем Божиим.

Кто принесет такое покаяние Господу? Афонский схимонах Никодим говорит: «За русский народ, за освобождение его от сатанинской власти недостаточно одних молитв, хотя бы и преусерднейших, — требуется *всенародное покаяние* с глубоким сознанием великого и тягчайшего греха — отвержения Божией власти над собой в лице Помазанника».

Что такое всенародное покаяние? Кто это — весь народ? Нам внушают, что это все жители державы от мала до велика, все без исключения и без изъятья, но если мыслить весь народ так, то всенародное покаяние — вещь недостижимо фантастическая, в нее, что душой кривить, никто и не верит сегодня.

Да и где примеры, когда мы шли на покаяние и побеждали всем, без изъятья населением страны? С Евпатием Коловратом против татар собрались только лучшие, *смелые,* то есть те, *кто посмел воспротивиться игу,* и было их всего тысяча семьсот человек. С Дмитрием Донским на Куликово поле вышли самые отважные, презревшие свой страх и силу врага, и было их не более пятисот тысяч. С князем Дмитрием Пожарским встала калиброванная русская совесть и сила, но так ли многочисленна она была. Даже в Великую Отечественную воевала и работала на войну не вся страна, как сейчас принято думать, а всего 17 процентов населения, остальные, как и сегодня, просто жили, трудились, воспитывали детей, они, конечно, болели душой за победу, но не шли на смерть и жертвы за Отечество. И потому весь народ — это самые лучшие, самые смелые, самые отважные люди, — калиброванная русская сила и совесть, те, кто смеет встать против сегодняшнего инородческого ига. Так что призыв к всенародному покаянию — воззвание не ко всем, воззвание к лучшим из русских, и воззвание не к плачу о грехах, плачем о них уже много лет, а к ратному подвигу. И этой калиброванной русской силы, как в былые времена, хватит для победы!

К покаянию за грехи призывают русский народ и открытые наши враги, для себя разумея под этим плачущего, бьющего себя в грудь, рвущего на себе волосы в сознании вечной собственной вины русского Ивана. **Но мы, русские православные христиане, помним, что действительное всенародное покаяние — это деятельное искупление наших грехов перед Богом и Родиной, мы с вами должны так покаяться, чтобы никому из врагов наших мало не показалось.**

Кто для нас «ближний», «искренний», «друг»?

Две главные заповеди даны нам Господом Иисусом Христом для богоугодной христианской жизни и спасения души. Это заповедь **«Возлюбиши Господа Бога твоего всем сердцем твоим, и всею душею твоею, и всею мыслию твоею».** Вторая же подобна ей: **«Возлюбиши искренняго твоего, яко сам себе»,** так написано в Евангелии от Матфея (Мф. 22, 37, 39). То же читаем и в Евангелии от Луки: **«Возлюбиши Господа Бога твоего от всего сердца** твоего, и от всея души твоея, и всею крепостию твоею, и всем помышлением твоим, и *ближняго* своего яко сам себе» (Лк.10,27). А еще в Евангелии от Иоанна: «**Сия есть заповедь моя, да любите друг друга, якоже возлюбих вы. Больши сея любве никтоже имать, да кто душу свою положит за *други своя*»** (Ин.15, 12-13).

Искренний, ближний, друг — таковы в Русском Православии имена тех, кого Господь призывает любить, за кого мы должны быть готовы на самопожертвование. Значения этих слов ныне размыты, извращены.

Ближним сегодня нам предписано называть всякого встречного-поперечного, любого оказавшегося рядом, «в контакте» с нами — христианами. *Другом* именуется у нас просто хороший знакомый. А слово *искренний* и вовсе вызывает удивление, ведь для нас ныне это означает *откровенный, неложный ответ* на вопрос, не более. И получается, что христианский призыв **возлюбить искреннего, ближнего, друга с**воего понимается нами сегодня неверно, ибо эти слова в русском языке резко изменили свои значения.

Обратимся к исконному смыслу этих слов, чтобы увидеть, кого русский православный христианин должен почитать своим другом и ближним.

Слово *искренний* в славянском языке родственно понятиям *искра* и **корень**, означало — *высеченный из общего кресала*, духовно или кровно *родной* человек, ветвь одного со мною *корня*. Христианство всегда мыслилось единым духовным кресалом для всех, кто, взяв крест свой, идет за Господом Иисусом Христом, и потому понятие *искренний мой* именует только православного христианина, более никого!

Христианское выражение *ближний мой* имеет еще более узкий смысл. Согласно евангельской притче о милосердном самарянине, оказавшем помощь раненному разбойниками человеку, ближний — *оказавший тебе милость*, тот, кто откликается на твой зов о помощи, кто всегда готов быть *близ* тебя, рядом (Лк.10,29-37). На Руси же только родного человека называли *близок*. Вот и духовно родной, близкий — православный христианин — именуется нами ближним.

И совсем строго понималось искони славянское слово *друг*, означавшее только одно — *соратник,* разумело оно, что рядом с тобой *другой такой, как ты.* Други-воины на Руси составляли *дружины.* И слово *друг* родилось как обозначение ратников на поле боя, плечом к плечу отстаивающих свою правду, свою свободу, свою Веру.

Кто же христианину друг? Единомысленный, единодушный, соратник. Более никто! Вот за кого призывает Господь в заповеди **положити душу свою**. И при этом Он властно отделяет нас, христиан, от всех прочих, называя верных Ему **друзи мои**: «**Друзи мои есте, аще творите, елика аз заповедаю вам**» (Ин.15,13).

Но когда сегодня в друзья и ближние православным набиваются все иноверцы и — что невозможно еще недавно было допустить! — даже иудеи, это подрывает основы нашей Веры, выставляемой в виде непотребной женщины, готовой всякого заключить в свои объятия.

Заповедь любви, по слову Христа Бога, состоит в самопожертвовании за своих, в отдании всего себя за спасение жизни и души своих ближних: «**Сия есть заповедь моя, да любите друг друга, якоже аз возлюбих вы. Больши сея любве никто же не имать, да кто душу свою положит за други своя. Вы друзи мои есте, аще творите, елика аз заповедаю вам**» (Ин.15, 12-14). Это правило христианской жизни, на которое русская душа откликается с радостной готовностью, сегодня пытаются замутить ложными толкованиями, навязывающими нам сомнения в правильности слов Господа.

Читаем, к примеру, в Толковой Библии самоуверенные рассуждения некоего богослова: «Господь пока говорит здесь о самопожертвовании для друзей, а не для всех людей (какое Он проявил Сам). Это *ограничение объема самопожертвования* объясняется тем, что Господь жалел своих смущенных предстоящей разлукой учеников и не хотел предъявлять к ним требования, для них слишком тяжелые». За нелепо канцелярскими фразами об «объеме самопожертвования» отчетливо проступает страх этого так называемого богослова, что христианин нового времени вдруг, как в добрые старые времена, станет делить мир на своих и чужих, что он ополчится на чужих за своих. А как иначе понимать эти Христовы слова? Ведь очевидно, что самопожертвование за своих во исполнение заповеди любви к ближнему возможно только, если им грозит опасность от чужих, от врагов. В минуту смертельного риска заповедано православному христианину заступиться за други своя.

Но евангельская любовь к ближнему выдвигает и жесточайшие требования, ибо согрешающий друг или брат твой — живой укор тебе, не пресекающему его грех. Как в дурном воспитании детей виноваты родители, так и в грехе твоего ближнего есть доля твоей вины перед Господом. Господь полагает перед нами правило строжайшего спроса с наших ближних за зло: **«Аще же согрешит к тебе брат твой, иди и обличи его между собою и тем единем... Аще ли тебе не послушает, пойми с собою паки единаго или два, да при устех двою или триех свидетелей станет всяк глагол. Аще ли не послушает их, повеждь церкви** (то есть собранию верующих. — *Т.М.*). **Аще же и церковь преслушает, буди тоебе якоже язычник и мытарь»** (Мф. 18, 15-17).

Христианская любовь к ближнему — не слепое уступничество, а упорное требование к другу и брату твоему отвратиться от зла. Сила любви и мера требовательности в каждом человеке определяется высотой духа человека. Полководец, жертвующий собой во имя спасения Родины, терпящий лишения, превозмогающий собственный страх, не будет жалеть и воинов, следующих за ним, предъявляя им столь же суровые требования, как и к себе.

Сказано Господом: **«Возлюби ближняго своего, яко сам себе»**. Любовь к себе — жертвенность, готовность защищать Веру, милостыня, суровый пост, неустанная молитва — дает право требовать того же от друга и брата, — от искреннего твоего, то есть так же сурово и строго, как себя, любить ближнего. У нас же почему-то принято считать, что любовь к себе — это эгоистическое потакание собственным прихотям, потому и исполняем заповедь любви к ближнему, как плохие няньки, балующие дурное дитя: ни тебе выпороть, ни прикрикнуть, чтобы опомнилось, ни в угол поставить. И когда нам говорят, что в желании спасти Россию надо каждому начать с себя, измениться нравственно, перестать грешить, тогда-де переменятся и все вокруг тебя, а нам кажется эта проповедь неисполнимой, ну, в самом деле, может ли целая страна — сегодня сплошь наркоманы, алкоголики, блудники, — вдруг разом перемениться к лучшему, — мы должны вспомнить, что жесткость и даже жестокость по отношению к грехам самого себя дают нам право быть суровыми и с другими людьми, требовать от них того же, что и от себя. Значит, исправившийся алкоголик должен воевать с этой болезнью в других, бывшие блудники и развратники открывать гибельность этого пути остающимся таковыми. Наркоманы, добившиеся исцеления, во Славу Божию обязаны вызволять коснеющих в страшной болезни. А люди, бросившие вызов безбожной власти сами, вправе звать на этот жертвенный путь других отважных.

В этом смысл личного самосовершенствования ради спасения всего народа, иначе каждая улитка в своей раковинке может сколько угодно заботиться о себе любимой, толку от этого не будет даже для самой улитки.

Наши святые подвижники уходили в пустыни для спасения своей души, но, пройдя жесточайшие испытания, вынеся лишения, получали от Бога благодать требовать с тех, кто приходил к ним за окормлением, исправления грехов, налагать на них прещения, благословлять на подвиги. Мы же ждем сегодня от старцев, чтобы они нас пожалели, несчастненьких, приголубили, напророчили чего-нибудь утешительного, и обижаемся, когда получаем обличение — дескать, не по-христиански как-то. Так вот, любовь к ближнему сурова у тех, кто сам к себе суров, жестока у тех, кто сам к себе жесток, требовательна у тех, кто с себя требует. И только такая любовь, а не слезливая жалость к грехам и немощам есть поистине любовь христианская.

О языке молитвы

Святой Иоанн Златоуст сравнивает молитву с водой, та питает деревья, молитва — душу человека неодолимой крепостью. Еще молитва подобна несокрушимой крепостной

51

стене и непоколебимой страже против сил бесовских. Молитва — свет для души, как солнце — свет для тела. Старца Паисия Святогорца спросили однажды: «Как усиливается Вера?» Он отвечал: «Вера усиливается молитвой. Человек, не возделавший в себе Веру измлада, но расположенный к этому, может возделать ее молитвой, прося у Христа прибавить ему Веру».

Молитва соединяет нас с ангелами, ибо чести говорить с Богом удостоены только ангелы.

Верно сказано, что **картина нашего языка — картина нашего мира**. И покуда в нашем языке есть слова молитвы — наш мир рядом с Богом.

Первое, с чего начинают христиане молитву, это священные слова **Во имя Отца и Сына и Святаго Духа.**

Древняя формула *во имя* сохранилась в русском языке — мы говорим: **во имя чести, во имя славы, во имя детей, во имя дружбы, во имя любви** — что означает **для чести, для славы, для детей, для друга, для любви**, то есть *сделать что-то во имя* — значит принести себя в жертву, причем в жертву в высочайшем смысле этого слова — бескорыстно отдать всего себя. Сознавая, что значит жить во имя чести, во имя славы или любви, мы никогда не признаем жизнь во имя наживы, во имя денег, во имя удовольствий.

Когда мы говорим **Во имя Отца и Сына и Святаго Духа** — мы себя в тот миг полагаем к подножию Пресвятой Троицы, мы себя и жизнь свою осознаем жертвой, такой же, как и жертва Господа Иисуса Христа, во имя тех же ценностей и идеалов. Это очень ответственные и высокие слова, потому с них и начинается Богослужение и молитвенные правила христиан — наши служение и жертва во имя завещанного, заповеданного Богом.

В молитвах своих мы обращаемся к Богу и в именах Божиих выражаем свое познание Творца.

Первое имя Бога — **Сый**, что значит **Сущий и Истинный**, — Бог Истины, существующий вечно и беспредельно, безначально и бесконечно, несотворенно и нетленно.

Сый — вечность и истинность Бога. Потому и взываем в молитве Святому Духу: **Царю Небесный Утешителю, Душе Истины, Иже везде Сый и вся Исполняяй.**

Благий — праведность, святость и благость Его.

Мы величаем Его **Господь и Владыка**, потому что Он господствует в мире. Именуем **Царь и Вседержитель**, потому что Он царствует в мире. Называем **Творец и Создатель**, ибо Он создал все сущее. Он для нас **Пастырь и Спаситель**, потому что опекает созданных Им и как **Учитель** наставляет своих учеников.

Все это — **Господь Вседержитель, Спаситель Всеведущий, Царь Небесный, Всевышний Создатель, Пастырь Добрый, Творец Благий, Владыка Всемилостивый**, — суть имена, отражающие наше понимание Господа, наше отношение к Нему.

А вот имена врага рода человеческого — дьявола люди так часто произносят всуе, не задумываясь о том, что по призыву имени бесовского и входят бесы в человека, чертыхаться — все равно что бесноваться. **Дьявол** — из греческого языка, **сата**на — по имени первого падшего духа Сатанаила — тоже заимствовано нами из греческого языка, а греческим взято из еврейского. И слово **демон** — греческого происхождения.

В славянском языке два наиболее распространенных названия дьявола — **черт и бес. Бес** происходит от глагола *бояться*, слово с этим корнем в других языках означает — *мерзость, гнусность, все отвратительное.* **Бес** — нечто мерзостное, чего следует бояться. Слово **черт** родственно корню *чары*, что значит «делание зла, ненависть», то есть **черт** — ненавидящий и ненавистный одновременно. Беса по-русски и по-славянски называют еще словом **враг**, — тот, кто *извергнут, отвергнут.*

Вот и получается, что бес — мерзость и гнусность в очах Божиих, черт — ненавистный Богу и ненавидящий Всевышнего, враг — извергнутый из Лона Создателя и Творца нашего. Подумайте, как часто мы поминаем эти богопротивные имена, а ведь слова эти еще больше распаляют в нас ненависть, потому что духи злобы поднебесной немедленно откликаются на призыв, приближаются к нам, норовят уловить, ухватить, подхватить.

У дьявольских сил есть и другие имена, которые более отчетливо раскрывают их суть. К примеру, дьявола называют по-славянски **клеветник**. Прямое родство с **клеветой**, а клевета от глагола *клевать, ловить* значит. Сравните: у птицы — клюв, им она ловит добычу, рыба клюет, то есть ловится. И потому **клеветник** — ловец, расставляющий сети клеветы для своей жертвы.

Дьявола еще называют **лжец** или **отец лжи**. Ложь, если вдуматься, — когда на человека возлагают недолжное, для него оскорбительное, обидное. В русском языке до сих пор существует выражение *обложить* непотребными словами. Отец лжи этому способствует. И многие из нас переживали чувство огромной тяжести на сердце от оскорбления словом. Буквально, когда нас обложили черными словами.

Еще дьявола называют **льстец,** ведь **лесть** признается дьявольскими кознями. Сегодня не видит русский язык в этом слове ничего опасного, *льстить* — говорить в лицо человеку приятное, ему не свойственное и не присущее, задабривать его, втираться в доверие. Однако исконно **лесть** от глагола *лить* — то, чем обливают, обволакивают, подобно гусенице в коконе, чтобы в приятной оболочке лести сделать человека нечувствительным к правде, непроницаемым для истины. Не страшным и грозным свойственно сатане завлекать грешника, а именно приятным, заманчивым. *Лесть* и *льстец* — самые подходящие для него слова.

Еще одно сатанинское имя — *лукавый,* в нем выражена суть *искривления прямого пути* к Господу. И последнее в этом ряду бесовских имен — неприязнь. Мы говорим в молитве **«Но избави нас от неприязни».** Неприязнь — *не принявший Бога*, еще одно имя дьявола.

Итак, слова, именующие Господа, имеют великую силу приближать нас к Творцу, делать слышимыми наши молитвы. Сатанинские же имена погружают человека в омут безверия и отчаяния, ибо несут в себе злой дух. Словом, мы сами определяем и выбираем, с кем идем по жизни, — с Богом или с исконным врагом рода человеческого.

Как русский перевод меняет смысл Слова Божьего

Заповеди Закона Божьего мы чаще слышим в русском переводе, но очень часто переводы грешат неточностями в выборе слов и вводят нас в неправильное понимание уже самих заповедей. Давайте сравним Заповеди закона Божьего на церковнославянском языке и на русском.

Первая Заповедь: **Азъ есмь Господь Богъ твой, да не будутъ тебе бози инии разве мене.** — *Я Господь Бог твой, чтобы не было у тебя других богов кроме меня.*

В русском переводе говорится о сонмище богов, среди которых надо выбрать Бога своего. Церковнославянский текст Заповеди говорит только об одном — Боге Истинном, подчеркивает: **Да не будутъ инии бози** — вот подлинный смысл, он в том, что все иное — идолы, силы природы, златой телец, страсти человеческие, словом, все, что склонен обожествлять человек, не является на самом деле божеством. И только **Аз есмь Господь Бог твой.**

Вторая Заповедь: **Не сотвори себе кумира и всякаго подобия елика на земли низу и елика въ водахъ под землею да не поклонишися имъ ни послужиши имъ** — *Не делай себе идола и никакого изображения того, что на небе вверху, что на земле внизу, что в водах под землею, не кланяйся и не служи им.*

Не сотвори себе кумира… Непонятно, зачем здесь понадобился перевод слову **кумир?** Ведь **кумир** — это и есть идол, которому поклоняются как богу. **Всякое подобие** земного, тварного не сотвори для поклонения! — говорит Господь Бог в Заповеди, а в переводе что видим? Вместо **подобия** возникает … *изображение,* — неправильно! **Подобие** — сходство в лучшем, ибо корень **доб-** имеет значение *добро.* Этот корень есть не только в слове *добрый,* но и в бытовых понятиях *удобный, сдоба, удобрение.* Не чужды этому корню и слова, обозначающие высокое, к примеру, — *преподобный.* **Подобие** — это сходство в добром, в благом, вот почему у нас святые именуются преподобными — подобные Всевышнему в добре, во благе, источником которого является Господь. Заповедь предостерегает, чтобы люди не наделяли подобием — добром высшим, свойственным только Богу — земные тварные существа или вещи. А от чего предостерегает русский перевод этой заповеди: *не делай себе никакого изображения... не кланяйся, не служи им.* В числе изображений того, что на земле, наши святые подвижники, того, что на небе — святые ангелы. То есть в русский перевод заповеди подспудно заложена идея иконоборчества, имеющая иудейские корни. Ибо именно иудеи отрицают всякое зримое изображение святости.

Третья Заповедь: **Не приемли имене Господа Бога твоего всуе.** — *Не произноси имени Господа твоего напрасно.*

Всмотримся в слово *всуе*, означает оно запрет поминать имя Божие *в суете*, без молитвы. Русский же перевод подсовывает иной, искажающий смысл, ведь **напрасно** значит *без пользы, зря,* то есть христианами подсознательно усваивается прагматический смысл обращения к имени Господа. Нас убеждают русским переводом, что к Богу надо прибегать не напрасно, а значит только с какой-либо целью. И эта опасная мысль въедается в сознание православных, которые даже молитву начинают воспринимать как торг: мы-де Тебе, Боже, приносим свои моления, а уж Ты нам подай, что просим!

Четвертая Заповедь: **Помни день субботный еже святити его: шесть дней делай ми сотвориши в нихъ вся дела твоя, въ день же седьмый, суббота, Господу Богу твоему.** — *Помни день субботний, чтобы проводить его свято: шесть дней работай и совершай в них все дела твои, а день седьмый — день покоя, да будет посвящен Господу Богу твоему.*

Вот малопонятное выражение: **Помни день субботный еже святити его** — но оно вовсе не означает *проводить день свято,* в переводе к тому же лукаво вставлено — в покое. Ведь тогда мы уподобляемся иудеям, запрещающим в субботу всякий труд, и святое времяпровождение понимающим только как чтение своего талмуда в синагогах, в то время как трудятся за них в этот день гои — иноверцы, уподобляемые евреями животным. **Святити день субботный —** говорит о том, чтобы, как жертву, посвящать этот день Богу. Как русские православные приносят Господу зримые жертвы: святят куличи, урожай, скот, принося, отделяя часть Богови, так и, по крайней мере, один день в неделю человек обязывается уделять Господу — служба в храме, бескорыстное служение ближнему, проповедь Веры христианской, — все то, чем мы можем послужить Богу, а не только себе.

Пятая Заповедь: **Чти отца и матерь твою, да благо ти будет, и да долголетен будеши на земли.** — *Почитай отца своего и матерь свою, чтобы тебе хорошо было и чтобы ты долго жил на земле.*

Церковнославянское **Да благо ти будет** — вовсе не соответствуют русскому переводу — *чтобы тебе было хорошо. Хорошо* бывает за трапезой, на отдыхе, на природе, в бане, наконец. И только *благо* — высшее добро, которого человек удостаивается от Бога. Получается, что этим вот неправильным русским переводом нам лукаво внушается мысль о том, что почитание родителей влечет за собой земные удовольствия, а не благословение Божие. Таков подход к пониманию пятой заповеди можно расценить как вовлечение в жидовство, поскольку стремление человека, чтобы «ему было хорошо», расценивается Православием как греховный эгоизм, а вот иудеи как раз стремление к земному процветанию всячески приветствуют.

Церковнославянское выражение **Да долголетен будеши на земли** — тоже не соответствует русскому *чтобы ты долго жил на земле.* **Долголетие** — это не физическое пребывание наше в земной жизни, а благоденствие нашего потомства из рода в род, долголетие человека на земле, это когда, по слову пророка Давида, **семя твое наследит землю.** Но высокий смысл Пятой Заповеди в русской интерпретации умышленно переводят в личную плоскость — *чтобы ты и только ты, бренный, то есть сотворенный из брения — грязи человек, долго жил на бренной земле!*

Шестая Заповедь **Не убий** по-русски передана без искажений — *Не убей*.

А Седьмая Заповедь **Не прелюбы сотвори** переводится — *Не прелюбодействуй*. **Прелюбы** — если переводить на русский, буквально — измена любви, ведь приставка **пре-** или по-русски **пере-** означает *через*; сотворить *пре-любы* — переступить через любовь. Поэтому Седьмая Заповедь должна быть понята так — *не изменяй любви, не преступай через любовь*. Значение гораздо выше, чем предостережение против одного только прелюбодеяния, супружеской неверности. Нельзя изменять духу любви в дружбе, возбраняется отвращаться от любви к детям, к народу своему, к Отчизне, — ко всему, к чему Господь заложил любовь в природу человека.

Восьмая Заповедь звучит по-церковнославянски: **Не укради**. По-русски же зачастую читаем — *Не воруй*. **Не укради** — даже единократное посягательство на чужое имущество не допускается, а *не воруй* относится только к закоренелому вору.

Девятая Заповедь: **Не послушествуй на друга твоего свидетельства ложна**. — *Не произноси на другого ложного свидетельства*. Эта заповедь против лжи. **Не послушествуй** — не свидетельствуй. *Свидетель* и *послух* означают разные виды свидетельств — через слух или зрение. Интересно вдуматься при этом в слово *послушание*, которое ныне настойчиво объясняют только как повиновение, и требуют от православных беспрекословного *послушания-повиновения* властям, начальству, родителям, духовнику, любому ближнему… К добру ли такое покорство? Полагаем, что изначальный смысл слова **послушание** есть именно *свидетельство*, именно этот смысл высвечивается в Девятой Заповеди. Если же мы проявляем **послушание** в виде повиновения требованию власти, начальства, духовника, родителя, то мы тем самым свидетельствуем о том, что данное нам приказание, требование или совет благие и не противоречат Заповедям Христовым. Здесь единственный раз русский перевод не искажает, а уточняет смысл заповеди.

Десятая Заповедь: **Не пожелай жены искренняго твоего, не пожелай дому ближняго твоего, ни села его, ни раба его, ни рабыни его, ни вола его, ни осла его, ни всякаго скота его, ни всего елика суть ближняго твоего.** — *Не желай жены ближнего своего, не желай дома ближнего твоего, ни поля его, ни раба его, ни рабыни его, ни вола его, ни осла его, никакого скота его, и вообще ничего, что принадлежит ближнему твоему.*

Заповедь против зависти, которая вместе с гордыней самый тяжкий из грехов человеческих, ибо из зависти и гордыни произрастают все остальные грехи. Зависть и гордыня — грехи сатанинские, ими одержим дьявол, посягнувший в самовозношении-гордыне стать выше Господа — Творца и Создателя всего сущего, возжелавший в зависти к Всемогуществу Творца соперничать с Богом.

Заповеди Закона Божьего воспитывают лучшие качества, без которых человек — не человек, так — дрянь и мразь. Четыре Заповеди посвящены Богу — они утверждают боголюбие, верность Имени Божьему, запрет святотатства, утверждение жертвенности. Шесть Заповедей — основа нравственности: почитание предков (по сути — утверждение национализма как нравственного закона человеческой жизни), запрет на убийство ближнего, запрет на присвоение имущества ближнего, заповедь против измены любви, возбранение лжи, отвращение от зависти. Так будем жить по Заповедям Божиим, как понимали их наши предки, читая и осваивая Закон Божий на церковнославянском языке, будем жить, правильно понимая смысл заповедей, отрицая нечестие их новых переводов.

Жжет душу грех

Слова из славянского языка, обличающие наши грехи, от времени и частоты употребления стерты в своих значениях, потому и скользят мимо нашего сознания. Так давайте вдумаемся в их исконный смысл.

Грех — поступок, противный Закону Божию, вина перед Господом. Слово происходит от глагола *греть*, *грех* — это то, что жжет душу, совесть человека. **Совесть** называют гласом Божиим в душе. Потому любой человек, верующий и неверующий, не суть, согрешив, испытывает угрызения совести, совесть буквально грызет душу. Другие названия греховных поступков в церковнославянском языке — **скверна**, то есть мерзость, нечистоты души, **беззакония, душетленные страсти**. Слово **страсть** резко изменило свое значение в русском языке, ныне это *сильная любовь*, безудержное влечение, но славянский язык хранит исконное значение этого слова, связанное с понятием *страдания*, **страсть** по-церковнославянски — именно *страдание*, **страсти Христовы** — нечеловеческие *муки*, которые принял Господь Иисус Христос. Но есть и **страсти душетленные**, страдания души, которые губят ее, ведут к духовной смерти. Если такой человек молится, перед тем не покаявшись, слышит ли его Бог? Больной вопрос, ведь сегодня толпы губителей Отечества и народа, сознательных убийц, воров, грабителей, которые важно стоят в храмах, величаво кланяются и прикладываются к иконам, молятся, наверное… И что? — их молитва, их жертвы, их поклонение угодны Богу? Думать об этом скорбно. Но вот ответ на мучающий нас вопрос у Григория Богослова: «Угодно ли знать отличительные свойства лукавого нрава? Это ненависть, зависть, клевета, это кичливость и гордость, корысть, страстное желание, это недуг славолюбия. Этими чертами отличается образ дьявола. Поэтому если очернивший себя подобными сквернами будет призывать Отца, то какой отец услышит его? Тот отец, что состоит в родстве с призывающим его человеком, а это отец не небесный, но отец преисподний».

Чтобы слышал наши моления не отец лжи, дьявол, а Отец наш небесный, Господь Бог, мы каждый вечер и перед святым причащением исповедуем свои грехи, то есть осознанно, открыто и искренне говорим о них в молитве к Богу. Грехи именуются *вольными и невольными* — то есть совершенными сознательно, по воле человеческой, и нечаянно, невольно. Обратите внимание на названия греховных страстей, когда читаете, к примеру молитву перед святым причащением: слово **гнев** родственно слову *угнетать*, то есть подавлять другого, **печалить** ближнего — *печь*, как на углях, его душу; **гордиться** — значит уподоблять себя *горе*, высящейся над человечеством; **завидеть** — *заглядываться на чужое добро*, зариться на него, и тем **уязвлять**, то есть ранить свое сердце. Среди названий грехов есть редкие, почти забытые ныне слова — **свада** и **нерадение. Свадить** — значит *сталкивать, ссорить* людей, а *не радеть* о молитве или о ближнем означает *не заботиться* о них.

В повседневном исповедании грехов встречаем и другие забытые теперь именования дурных поступков: **многостяжание** — стремление к обогащению, **скверноприбытчество** или как мы сегодня это понимаем — **лихоимство**, доход от злых дел, противных Господу, редкое слово **мшелоимство** значит ростовщичество, ведь древнее речение **мшел** означает *нарост* (сравним слова *мох* — то, чем обрастает что-либо, и *замшелый* — обросший). Вот и мшелоимство по сути есть доход, полученный в результате прироста данных в долг денег.

Помимо житейских грехов, связанных с земным существованием человека, есть болезни духа, которые сегодня подчас грехами и не считаются. Их называет святитель Иоанн Златоуст в своей молитве: **Господи, избави мя от всякаго неведения и забвения, и малодушия, и окамененнаго нечувствия**. Эти грехи можно понять, если вспомнить, какие им противопоставлены добродетели. Что такое **неведение** — бессовестность, отсутствие совестного осознания своих поступков. **Забвением** именуется утрата памяти смертной, той драгоценной мысли о Страшном суде Христовом, которая может остановить даже самых тяжких злодеев. **Малодушие** сегодня не кажется опасным для человека, его толкуют как предтечу трусости, нерешительность в борьбе, не более, на самом деле **малодушие** должно пониматься буквально, это когда в человеке *мало души*, все существо его занято плотским, телесным, земными страстями, собственным благополучием, когда в душу его не вмещается мысль о Боге, любовь к Нему и к ближнему своему. Наконец, *окамененное нечувствие* — страшная духовная болезнь, которая еще именуется *теплохладностью*, — свойственное нашему времени животное состояние людей вне Веры в Бога, вне любви, даже вне страха, когда у человека сохраняются лишь животные рефлексы, когда он уподобляется скотам несмысленным и безропотно покоряется чужой злой воле.

Страшно, что сегодня человечество многие свои богопротивные поступки старается не считать греховными. И хотя совесть наша прекрасно все различает, ее усыпляют лживыми увещеваниями, что безбрачное сожительство, к примеру, — это тоже брак, только гражданский, а вовсе не *блуд*; что работа банкира и жизнь на проценты с банковских вкладов никакого отношения к *мшелоимству* не имеют; что взятки чиновников — нормальная человеческая благодарность, а совсем не *скверноприбытчество*; что милицейский беспредел на улицах — исполнение обязанностей, а не *лихоимство*; что аборт — обычная медицинская операция, а не *детоубийство*... Но как бы нас ни увещевали, ни убеждали в обратном князья мира сего, каждый человек все равно совестью своей чувствует греховность содеянного им, но попуская грехи, он все более и более сжигает свою совесть, ибо, напомню вам, слово *грех* происходит от слова *греть*, не очищенный покаянием грех становится очередным поленом, подложенным в костер, где горит, корчась в муках, наша христианская совесть. И сколько ходит по земле людей, у которых совесть сожжена дотла.

Есть в нашем лукавом мире и другая горькая крайность. Когда убийство или гнев без рассуждения принимаются за лютые грехи. Да так ли это? Как в таком случае понимать слова святителя Иоанна Златоуста о необходимости пресекать святотатство казнью осквернителя Божьего Имени, как исполнять его слова «подойди и освяти руку свою раною», если при тебе хулят Бога Истиннаго. Действительно эти слова великого святителя, творца нашей литургии, противоречат духу мира сего быть толерантными, терпимыми по отношению к осквернителям икон, поджигателям храмов, хулителям нашей Веры. За годы проповеди непротивления злу силой, за время пропаганды ереси толстовства, которую почему-то незаметно присвоили себе многие современные христианские проповедники, мы получили стада православных непротивленцев, не способных не то что Веру свою оборонить от хулы, детей своих не умеющих защитить от поругания, от насилия на улицах, от явного их порабощения иноплеменниками. Да, эти православные непротивленцы не грешат против заповеди *не убий*, их грех страшнее: находясь в состоянии *окамененного нечувствия*, они отступают от первой заповеди Закона Божия, указующей на то, что Един у нас Господь Бог, Ему одному следует служить и поклоняться, а не потворствовать кумирам собственной трусости или малодушия.

РУССКОЕ СЛОВО И РУССКАЯ КРОВЬ

Что нас, русских, объединяет в народ?

В пору всеобщего разделения, когда десятки миллионов русских разбросаны по миру, когда само тело исторической России, ее исконная земля разодрана на четыре части — на ныне суверенные Россию, Украину, Белоруссию и Казахстан, — когда нет у нас единомыслия в государственном строительстве и единодушия в Вере, мы все еще не только называем себя, но и остаемся русскими. Так что же нас объединяет в народ?

Любой народ имеет, во-первых, *общих единокровных предков*. И каждый из нас, русских, числит в своих предках и князя Александра Невского, и купца Кузьму Минина, и полководца Александра Васильевича Суворова, и ученого Михаила Васильевича Ломоносова... Взглянем на их портреты — родные глаза смотрят прямо в наши души. Свои, кровные — наши отцы и деды, не то, что какой-нибудь Наполеон или адмирал Нельсон.

Всякий народ хранит *общие установления и законы*, и наши русские нравственные законы не позволяют нам, как народу, быть жестоким к слабым, отказывать в помощи народам, просящим у нас подмоги, кичиться перед другими нациями своим умом или достижениями.

Каждый народ помнит, что у него *одна на всех история*. И для русских иго татарское, нашествие французское, Первая и Вторая мировые войны, как и сегодняшнее порабощение инородцами, — это наша общая судьба, испытания, данные Богом всему народу, чтобы в освобождении от ига, от беды проявлять свою национальную волю к жизни.

Укорененность в своем Отечестве тоже объединяет нас в народ. Наша Родина поистине является землей отцов, поскольку их прах веками ложился в эту землю и тяга к родной земле такова, что умирающие на чужбине подчас завещают только одно — быть похороненными в земле отеческой или хоть когда-нибудь лечь в нее костьми.

У нас, у русских, как у всякого народа, **один язык** — именно язык определяет наш национальный характер и мировоззрение. Ведь недаром у славян понятие «народ» заключено в слове *язык*. Русский язык — это не одно только средство общения, как нам старательно внушают со школьных лет. Русский язык — это наш общий взгляд на мир, на семью, на государство. К примеру, слово *счастье* исконно означает не безудержное наслаждение жизнью и удовольствиями, *счастье* по-русски — это своя часть, своя доля в земной жизни человека. Эта доля может быть трудной, полной испытаний, но и ее русские признают счастьем. А у китайцев, наоборот, иероглиф счастья — свинья под крышей, то есть теплый хлев и сытость. Ни один русский человек, даже жизнь положивший исключительно на собственное благополучие, это китайское счастье никогда подлинным счастьем не признает.

Прежде русский народ имел еще два важнейших общих установления: **Православную Веру и Самодержавное Царство**. Православие было настолько частью русскости, что в документах государственного образца для жителей России не существовало графы национальность, была графа «вероисповедание», где прописано «*православный*», что практически являлось почти синонимом «*русского*». Самодержавие — объединявшая нас многовековая форма правления — тоже было сплачивающим центром. Царь — военный вождь, организатор славных русских побед и заботливый о подданных Отец, творивший и расправу и милость.

В 1917 году все переменилось. Православие и Самодержавие перестали быть скрепами единства русского народа. Религиозное мировоззрение русских стало мозаичным —

это и православные христиане с самыми разными взглядами не только на бытие, но и на саму Веру, это и атеисты, и язычники, даже мусульмане и католики. Все они называют себя русскими и при этом искренне не любят друг друга за несовпадение взглядов, и на примирение их мировоззрений вряд ли можно надеяться.

Политические пристрастия — демократическая республика, авторитарная диктатура, конституционная монархия, самодержавие — таков обширный спектр взглядов на нашу русскую государственность у русских, и в этом разнообразии тоже нет пока никакой возможности найти согласие.

Две скрепы нашего единства — Православие и Самодержавие — распались, до их восстановления пока далеко, но ведь осталось еще много удерживающих нацию скреп: родная земля и общие русские предки, одна на всех историческая судьба и общие нравственные законы, один на всех русский язык, в котором откристаллизовалось русское самосознание. Неужели этого мало, чтобы несмотря на разногласия и противоречия, быть единым народом, способным отстоять для потомства свое гордое и славное национальное имя?

Оглядитесь: в пылу внутренних споров и распрей мы не замечаем, как уже начали распадаться и эти скрепы русского единения. Землю нашу, пользуясь нашей слабостью осваивают, обживают, скупают другие народы и уже претендуют на нашу Родину как на свое Отечество. Нравственные законы нашей русской жизни исподволь подменяются иудейской моралью вседозволенности. Русский язык становится упрощенным инструментом межнационального общения. Историю русскую переписывают и заставляют нас верить в никогда не бывшее... Да было, было уже подобное в русской истории, но покуда оставались хотя бы две скрепы — русское слово и русская кровь, — те последние вехи, которые труднее всего изничтожить, — нация восставала из пепла погибели.

Чтобы не растерять, не утратить последнего, у нас, русских, есть только один выход: забыть до поры о внутренних спорах и дрязгах, до победы русской национальной власти отложить все вопросы, которые сталкивают нас между собой лоб в лоб. Ведь именно этой междоусобицы добиваются враги России, стремящиеся нас окончательно обескровить. Так не дадим же им воспользоваться нашей бедой! И каждый в собственном мировоззрении пусть найдет то, что не обособит его от инакомыслящих русских, а воссоединит с ними перед лицом угрозы национальной погибели. А я, лингвист, покажу здесь, как живой русский язык и язык славянский, язык Православного Богопознания, крепят нашу национальную стойкость и волю к русской победе на русской земле.

Почему мы называемся славянами и русскими?

Самоназвание народа восходит к различным понятиям, с которыми народ связывает себя, выражая свой идеал совершенства.

В своем имени народ может утверждать: мы — люди, а другие нет. Так марийцы называют себя — *мари*, что значит «человек», цыгане именуют себя — *рома*, что тоже значит — «человек», чукчи называют свою народность — *лыгьоро-ветлян*, то есть — «настоящие люди». И в этом их нельзя укорять, такова древняя психология народа, выбравшего себе такое имя.

Народ может именовать себя и так: мы — свои, другие — чужие; так называются шведы — *свеи*, швабы, в имени которых корень *свои*.

Порой народ принимает на себя имя великого предка, обозначая для себя пример его жизни. По имени легендарного предка прозываются иудеи и чехи.

Есть народы, в имени которых явственно слышится название древней родины, — таковы поляки и итальянцы.

Случается и трагичное, когда вместо родного племенного имени народ принимает на себя прозвище, каким он зовется у других народов, что свидетельствует о духовной исчерпанности национальных сил. Вот мы немцев называем *немцами*, прежде мы всех иностранцев называли немцами, поскольку они не понимали нашей речи и были для нас как бы немые, так вот мы зовем немцев немцами, французы их называют *алеман*, англичане их именуют *джоман*, но сами-то они как называли себя, так и продолжают называть только *дойч*. Нас, русских, латыши и литовцы издревле называют *кривас*, фины столетиями именуют *вене*, но нам и в голову не приходило принять какое-либо из этих названий. Почему же сегодня мы покорно принимаем чуждое для русских имя *россиянин*. Это что, свидетельство нашей национальной исчерпанности?

Мы ведь не только русские, мы еще и славяне. О чем же говорит наше другое племенное имя — *славяне*. Оно связано с понятием речи и слова. Славяне — те, кто *говорит*, говорит понятно и разумно, в отличие от других, то есть славяне — опять же *свои*, разумно говорящие, понятные друг другу, в отличие от чужих. Глагол *слыть*, существительное *слово* — вот корни имени *славянин*. В старину, повторяю, всякий народ заключал в свое имя свой идеал человеческого совершенства. Славяне — народ, оценивший сокровище слова настолько, что принял его в свое имя. И каким же издевательством на фоне ясности смысла нашего племенного имени выглядит псевдонаучное толкование имени славяне, предлагаемое нам некоторыми лингвистами, а именно: «жители влажных долин», короче — болотные обитатели.

Другое наше имя — *русский* — как только ни пытались исказить, корень этого слова кому только ни пытались приписать. Немецкая по своим истокам теория утверждает, что так назывались норманны, пришедшие володеть русскими в X веке, то есть имя наше нам дано якобы чужеземцами. Другая теория, русская по происхождению, говорит, что имя *русский* возникло от названия крохотного притока Днепра — реки Рось (хотя по названиям рек народы никогда себя не прозывали). Неоспоримое решение важнейшего для нас, русских, вопроса дал академик О. Н. Трубачев, который доказал, что имя *русский* восходит к корню славянскому и индоарийскому **рукс- или рокс**-, что значит —

«белый, светлый». То есть *русы* — народ белый, народ Света. Согласно описаниям арабских источников, в которых задолго до появления славянской письменности впервые зафиксировано имя *русы*, это были высокие люди со светлой кожей, светлыми — русыми волосами, синеглазые; в буквальном смысле слова — белый, светлый народ. И сами русы называли свою страну — *Русь* — буквально «белый свет, единственно возможное для жизни место, Родина». Все, что вокруг, не заселенное русами, не обжитое ими, Русью, то есть белым светом, для них не являлось. Может, потому и не заримся мы никогда на чужие благоустроенные до нас земли, а *осваиваем* — делаем *своими*, обжитыми, родными — земли дикие, до того пустынные, трудно проходимые.

Обратите внимание на идеал человеческого совершенства, изначально заключенный в наших племенных именах: *словене* — народ Слова, *русские* — народ Света, племя Белых людей.

Но сегодня мы допустили, что имя наше — **русские** — терпит и гонения, и клевету. Кто только ни кинулся, точно по команде затравщика, с остервенением грызть, рвать наше святое имя. Старый, испробованный прием: там, где славное имя сразу нельзя уничтожить, истребить его можно только с русским народом, имя это нужно оболгать, измарать, обгадить, опошлить, навязать ему чуждые значения, сделать его посмешищем, символом глупости, то есть так отвратить от него умных и запутать невежд, чтобы они с готовностью отказались от него, с радостью приняли другое прозвание, лишь бы не позорить себя причастностью к ошельмованному имени.

Нашим именем *русский*, открыто издеваясь над нами, называют ныне то, что русским никак не является. Как поганые грибы, множатся «*русское лото*», «*русский банк*», «*русский проект*», «*русское радио*», «*русское видео*», и, конечно же, с особым удовольствием смакуют — «*русская мафия*». Сейчас вот появился проект захоронения ядерных отходов под названием могильник «Русь». И явно и символично мечтают *белый свет* похоронить в ядерной грязи.

Многие из тех, кто активно эксплуатирует наше национальное имя, показали себя кто бессовестным обиралой, кто грязным развратником, кто жуликом-проходимцем. А пошерстите хозяев этих «русских заведений», там вы не найдете ни одного русского.

В то же время у действительно русских их национальное имя отнимают, в прессе и в эфире замелькали абсурдные фигуры — татарстанец Иванов, карелец Сидоров, башкортостанец Петров, а все они, вместе взятые, именуются *россияне*, будто подкидыши из никому неведомого племени.

Одни из нас видят в том неприкрытое издевательство, каково русскому человеку изо дня в день слышать: татарин Саитов, чеченец Умалатов... россиянин Кузнецов. Другие усматривают в подмене застарелую болезнь прежде большевистского, а ныне демократического интернационализма, — раньше имя *русский* вытеснялось безродным *советский*, теперь оно изгоняется при помощи безродного *россиянин*. Но все мы понимаем, что тонкая игра, затеянная с нашим национальным именем, есть расчетливая обработка национального рассудка и памяти народа, и многие русские, кто привык к кличке *советский*, очень легко поменяли ее на *россиянин*. Так бездомный, безродный пес откликается на любое прозвище, лишь бы покормили. Нынешней власти и нужны именно россияне, а не русские, потому что русские помнят, что у нас родная земля, единое Отечество, что у нас одна на всех судьба, общая Православная Вера и родной для всех нас язык, и история не раз показывала, что против русских войной идти опасно, непосильно, недаром враги говорили про нас, русских, — «мало убить его, еще и повалить надо». А вот россияне себя в истории никак не проявили — ни славы, ни чести, ни доблести.

Чтобы понять, кто мы — русские, вглядитесь в лица русских детей. Ведь нас почти что отучили любоваться их ясными, светло смотрящими на мир глазами, мы перестали узнавать свою породу в их русоголовых ликах. Ведь ни у одного народа нет таких волос — русых. Неяркие, неброские, они внезапно отливают благородным солнечным светом, как отсвет доброты. Приходит время, когда мы должны с дерзновением исповедовать свою русскость и крепить себя спасительной мыслью о том, что все еще остаемся народом Света.

Надо помнить и детям своим заповедовать, что мы, славяне, — народ Слова, что мы, русские, — племя Света, мы — нация Белых людей. Будем помнить свои высокие имена, быть их достойными и никому не дозволять над ними глумиться.

Ключи русского самосознания

Познать свой народ, разобраться, какие мы на самом деле — дано нам через родной язык. Каждый народ прежде всего и дольше всего сберегает в своей языковой сокровищнице слова, выражения, наиболее для него потребные, ключевые, раскрывающие народное мировоззрение. С ними народ добровольно не расстается всю свою историческую жизнь. Лингвисты подсчитали, что из ста наиболее употребительных слов тех языков, которые имеют многовековую письменную историю, за тысячу лет утрачивается, замещается другими словами только пять процентов. Встреться мы с нашими пра-пра-прадедами, мы бы поняли их, а они — нас! Выходит, мировоззрение народа, а оно выражено в словах, очень устойчиво, жизненный опыт языка сто крат богаче опыта жизни каждого отдельного человека, говорящего на этом языке как на родном. Именно язык учит нас жизни, рисует нам русскую картину мира, подсказывает, как вести себя, как действовать по-русски.

Все народы в своем языковом сознании хранят особые ключевые слова, которые емко определяют взгляд на мир, приоритеты и ценности мировоззрения. В английском языке, согласно новейшим исследованиям, ключевым является выражение *common sense* (здравый смысл), для немецкой языковой картины мира важнейшим словом предсказуемо оказалось *ordnung* (порядок). А вот ключевым, коренным понятием русского национального самосознания было и есть слово *свой*.

Открытие это сделал академик О. Н. Трубачев при реконструкции древнейших понятий славянской культуры, лежавших в основе строительства дома, семьи, государства, Веры. Эти понятия живы в нас и по сей день, они суть идеалы, образцы, установки жизни русского человека. Хотя найдется много желающих поспорить с тем, что идея *своего* как лучшего, доброго и правильного пронизывает всю русскую жизнь. Ведь нам внушают обратное, что русская-де натура широка, всеохватна и всечеловечна. Мы давно привыкли мыслить себя в облике этакого простеца, гостеприимно распахивающего двери в свой хлебосольный дом любому инородцу, настежь открывающего свою душу любому иноверцу, усердно прислуживающего всем им.

Однако язык наш — первый свидетель того, что русские никогда не были настежь распахнуты для чужаков, что они честно и нелицемерно разделяли мир на своих и чужих. *Свои* первоначально были для русских люди одного рода, одной крови, ведь древний корень *suo-* означал «рождать», и, следовательно, *свой* — это *родной*, единокровный. Такое понимание слова *свой* выражено в формулах народной мудрости — «свой своему поневоле брат», «всякая сосна своему бору шумит», «свой свояка видит издалека».

Поскольку *свой* — родной, то из этого смысла вырастало понимание *своего* как всего *Богом установленного*, Богу угодного, правильного. Вот законы русской жизни по-своему, то есть так, как нам Бог положил: «живи всяк своим умом да своим горбом», «всякому зерну своя борозда», «всякая избушка своей крышей крыта».

Понятие *свой* изначально несло в себе мысль о богоустановленности всего, чем богат русский человек в этой жизни, — здоровья, имения, родни, доли. Действительно, в словах *здоровье* (съ-доровье), *счастье* (съ-частье), и даже в слове *смерть* (съ-мьрть) в крохотном обломке древнего *suo-(съ)* хранится память о том, как виделась русским людям телесная крепость — это *свое древо*, отрасль доброго корня, каким представлялось для русских счастье — *своей долей*, частью, отпущенной Богом каждому человеку, и даже смерть русскому представлялась своей, если она была естественной (выражение *умереть не своей смертью* по сей день напоминает нам об этом).

Всегда бывал убежден русский, что *свое* — это подходящее именно для него, то есть *хорошее, доброе, благое,* даже смерть во время свое. Так рождались правила русской жизни, в которой «всякому свое любо-дорого»: «всякая птица свое гнездо хвалит», «свой хлеб сытнее», «свой уголок всего краше», и даже «свой сухарь лучше чужих пирогов».

Поскольку *свое* — это все родное и Богом данное, то русские понимали, что Родина, Отчизна, земля предков тоже — *своя.* Потому и сохранилось в русском языке выражение *во своя си* — к себе домой, в свои пределы, на родину. Потому искони не глянулась нам чужбина: «За морем веселье да чужое, а у нас и горе да свое», «на чужой сторонушке рад своей воронушке».

Замечательно, что именно с пониманием *своего* как родного, богоугодного, правильного связано у русских представление о *свободе,* ведь корень этого слова тот же, что и в слове *свой.* Свободный — это *сам свой,* принадлежащий себе, вспомним, что есть у нас и выражение «сам не свой», то есть подчинившийся чужому — человеку ли, идее, не суть. *Свое* говорит русскому о его свободе: «Своя рука — владыка», «Не князь, не дворянин, а в своем дому господин», «В своем гнезде и ворона коршуну глаз выклюет». Неволя, плен, тягота, несчастье, связывающие свободу человека, именуются по-русски «не свой брат»: и голод не свой брат, и палка не свой брат, а «своя волюшка раздолюшка». И если говорить о самодостаточности земной жизни в представлении русских, — то вся она в словах «свитка сера — да воля своя».

Конечно, пронизавшее все русское сознание понятие *свой* могло рождать и такие уродства, как «моя хата с краю». Это когда взгляд человека выше своей избы и двора не возлетывал. Но все же русские из рода в род берегли коренной, древний смысл этого слова. *Свое* — это Вера, Родина, единокровные и единоверные братья, это свобода жить по законам отцов.

Русская кровь — не миф, а научный факт

Мы постоянно слышим, что русские — не народ, спаянный кровью, родственный по крови, а конгломерат людей, объединенных общностью культуры и территории. Оброненное кем-то из писателей, — «поскреби всякого русского, непременно отыщешь татарина», стало чуть ли не аксиомой в ходу у политиков, размывающих понятие *русский*, а заодно для всякого явилось входным билетом в среду русского народа. Дескать, каких только кровей — татарских, кавказских, немецких, финских, бурятских, мордовских... — в русском ни намешано. Нас усиленно убеждают, что мы, русские, очень разные по крови, что мы не из одного корня проросли, а явились плавильным котлом для многих народов, когда-либо набегавших, заходивших, приблудившихся на нашей земле, и мы всех их принимали, впускали в дом, брали в родню.

Действительно ли мы, русские, представляем собой скопище, сплав, плавильный котел, сборище из сошедшихся на Русь племен, как нас в этом убеждают? Тогда мы вовсе не народ, а население. Ведь *народ* — это нарождающиеся из одного рода, ветви одного корня, искры из одного кресала. Население же — все, кто поселился рядом, без разбору рода-племени. Народ спаян кровью, народ умеет различать своих и чужих, поэтому в каждом старике видит отца, в ровеснике — брата, в девушке — сестру, в старухе — мать, вспомните, еще недавно были в ходу обращения к совершенно чужим, но русским людям — *отец, мать, сестренка, братишка, друг, сынок, дочка*... Эти обращения возможны только в среде своего народа, ведь никому и в голову не придет позвать — дочка! — маленькую китаянку, режьте вас, но вы никогда не обратитесь — матушка! — к пожилой таджичке, у вас язык не повернется сказать — отец! — иудею в хасидской шляпе.

Сейчас эта традиция отмирает, очень опасная примета того, что русский народ постепенно соглашается стать просто русскоязычным населением — «россиянами», сдаться на потребу пришлому чужому люду, раствориться в нем, выродиться в массу смуглявых потомков, исчезнуть как русским с лица земли.

Надо развеять этот миф, разорить бастионы лжи, громоздящиеся на шатких подпорках «поскреби всякого русского...». Давайте поскребем, да не с помощью политического толерантного словоблудия, а обратившись к научным достижениям антропологии, науки о биологических видах человека. Эти знания точны, получены научным экспериментальным путем, постоянно обновляются, и потому не получится у наших противников отовраться тем, что они устарели. Поскребем и увидим, что русский — из поколения в поколение, из рода в род все тот же русский, а не татарин, не печенег, не половец, не скиф, не монгол, он — русский! И вот почему.

Выдающийся антрополог, исследователь биологической природы человека А. П. Богданов в конце XIX века писал: «Мы сплошь и рядом употребляем выражения: это чисто русская красота, это вылитый русак, типично русское лицо. Можно убедиться, что не нечто фантастическое, а реальное лежит в этом общем выражении *русская физиономия*. В каждом из нас, в сфере нашего «бессознательного» существует довольно определенное понятие о русском типе» (*А. П. Богданов*. Антропологическая физиогномика. М., 1878). Через сто лет, и вот современный антрополог В. Дерябин с помощью новейшего метода математического многомерного анализа смешанных признаков приходит к тому же заключению: «Первый и наиболее важный вывод заключается в констатации значительного единства русских на всей территории России и невозможности выделить даже соответствующие региональные типы, четко ограниченные друг от друга» («Вопросы антропологии». Вып. 88, 1995). В чем же выражается это русское антропологическое единство, единство наследственных генетических признаков, выраженных в облике человека, в строении его тела?

Прежде всего — цвет волос и цвет глаз, форма строения черепа. По данным признакам мы, русские, отличаемся как от европейских народов, так и от монголоидов. А уж с неграми и семитами нас и вовсе не сравнить, слишком разительны расхождения. Академик В. П. Алексеев доказал высокую степень сходства в строении черепа у всех представителей современного русского народа, уточняя при этом, что «протославянский тип» весьма устойчив и своими корнями уходит в эпоху неолита, а, возможно, и мезолита. Согласно вычислениям антрополога Дерябина, светлые глаза (серые, серо-голубые, голубые и синие) у русских встречаются в 45 процентах, в Западной Европе светлоглазых только 35 процентов. Темные, черные волосы у русских встречаются в пяти процентах, у населения зарубежной Европы — в 45 процентах. Не подтверждается и расхожее мнение о «курносости» русских. В 75 процентах у русских встречается прямой профиль носа.

«Русские по своему расовому составу, — делают вывод ученые-антропологи, — типичные европеоиды, по большинству антропологических признаков занимающие центральное положение среди народов Европы и отличающиеся несколько более светлой пигментацией глаз и волос. Следует также признать значительное *единство расового типа русских* во всей европейской России». Русский — европеец, но европеец со свойственными только ему физическими признаками. Эти признаки и составляют то, что мы называем — типичный русак.

Антропологи всерьез поскребли русского, и что же отскребли? Никакого татарина, то есть монголоида, в русских нет. Одним из типичных признаков монголоида является эпикантус — монгольская складка у внутреннего угла глаза. У типичных монголоидов эта складка встречается в 95 процентах, при исследовании восьми с половиной тысяч русских такая складка обнаружена лишь у 12 человек, причем в зачаточной форме. Еще пример. Русские имеют в буквальном смысле особую кровь — преобладание 1-й и 2-й групп, что засвидетельствовано многолетней практикой станций переливания крови. У евреев же, например, преобладающая группа крови — 4-я, чаще встречается отрицательный резус-фактор. При биохимических исследованиях крови оказалось, что русским, как и всем европейским народам, свойственен особый ген РН-с, у монголоидов этот ген практически отсутствует (О. В. Борисова. «Полиморфизм эритроцитарной кислой фосфатазы в различных группах населения Советского Союза. «Вопросы антропологии». Вып. 53. 1976). Получается, как русского ни скреби, все равно ни татарина, никого другого в нем не сыщешь. Это подтверждает и энциклопедия «Народы России», в главе «Расовый состав населения России» отмечается: «Представители европеоидной расы составляют более 90 процентов населения страны и еще около 9 процентов приходится на представителей форм, смешанных между европеоидами и монголоидами. Число чистых монголоидов не превышает 1 млн. человек». («Народы России». М., 1994). Несложно подсчитать, что если русских в России 84 процента, то все они — исключительно народ европейского типа. Народы Сибири, Поволжья, Кавказа, Урала представляют смесь европейской и монгольской рас. Это прекрасно выразил антрополог А. П. Богданов в XIX веке, изучая народы России, он писал, опровергая из своего далекого далека сегодняшний миф о том, что русские вливали в свой народ чужую кровь в эпохи нашествий и колонизаций: «Может быть, многие русские и женились на туземках и делались оседлыми, но большинство первобытных русских колонизаторов по всей Руси и Сибири было не таково. Это был народ торговый, промышленный, заботившийся зашибить копейку и затем устроить себя по своему, сообразно созданному себе собственному идеалу благополучия. А этот идеал у русского человека вовсе не таков, чтобы легко скрутить свою жизнь с какой-либо «поганью», как и теперь еще сплошь и рядом честит русский человек иноверца. Он будет с ним вести дела, будет с ним ласков и дружелюбен, войдет с ним в приязнь во всем, кроме того, чтобы породниться, чтобы ввести в свою семью инородческий элемент. На это простые русские люди и теперь еще крепки, и когда дело коснется до семьи, до укоренения своего дома, тут у него является своего рода аристократизм. Часто поселяне различных племен живут по соседству, но браки между ними редки».

На протяжении тысячелетий русский физический тип оставался устойчив и неизменен, и никогда не являлся помесью разных племен, населявших временами нашу землю. Миф развеян, мы должны понять, что зов крови — не пустой звук, что наше национальное представление о русском типе — реальность русской породы. Мы должны научиться видеть эту породу, любоваться ею, ценить ее в своих ближних и дальних русских сородичах. И тогда, возможно, возродится наше русское обращение к совершенно чужим, но своим для нас людям — *отец, мать, братишка, сестренка, сынок и дочка*. Ведь мы на самом деле все от единого корня, от одного рода — рода русского.

Русские, украинцы, белорусы: один язык, один род, одна кровь

Как легче всего ослабить, обескровить народ? Ответ прост и проверен веками. Чтобы ослабить народ — его надо раздробить, раскроить на части и убедить образовавшиеся части, что они есть отдельные, самостийные, сами по себе, даже враждебные народы. В истории известны разделение сербов — на сербов, хорватов, боснийцев, черногорцев; дробление немцев — на австрийцев и немцев… Эти разделения сопровождались государственным дроблением и ослаблением мощи великих европейских народов. Горький опыт разделения нации имеем и мы, русские. В середине XIX века мы беспечно приняли так выгодную полякам, немцам, евреям идею дробления русских на три самостоятельных «народа» — русских, украинцев и белорусов. Новоиспеченным народам — украинцам и белорусам — стали спешно создавать отдельную от русского народа историю. В самостийных украинских учебниках 20-х годов XX века украинцы повели свое происхождение от «древних укров». Украинцам и белорусам изготовили собственные литературные языки — украинский и белорусский, которые подражали польским литературным моделям, хотя в ту пору малорусское и белорусское наречия русского языка, именно так они именуются в словаре В. И. Даля, отличались от русского литературного языка, как диалекты Смоленщины или Вологодчины, и языковеды по сию пору не находят на картах четких границ между говорами русских, белорусских и украинских народов. Народная языковая стихия доказывает их родство, однако ж украинский литературный язык, напротив, стремится отсечь украинцев от русского корня. Исследования выдающегося слависта академика Н. И. Толстого убедительно доказывают, что литературный украинский — искусственное новообразование, на треть состоит из германизмов, немецких слов, на треть — из полонизмов, слов польского языка, и на треть — из варваризмов, наречия поселян Украины.

Зачем же было дробить единый русский народ, рушить его целость? На территории Австрии в XIX веке жило много православных славян, именовавших себя русскими или русинами. Будучи подданными австрийского императора, они сознавали свою причастность к русскому народу, что очень беспокоило австрийскую власть. Ну, как можно было австрийским властям мириться с положением в Галиции, где в русских избах на стенах висели непременно два портрета — австрийского императора и русского Царя, и на вопрос о значении портретов, крестьянин-русин обычно отвечал: «Это его величество австрийский император, а это наш русский батюшка Царь». Австриякам на своих землях да и полякам, чьи территории входили в то время в состав Российской империи и тоже были густо населены русскими, нужно было избавиться от русской «пятой колонны» в собственных пределах. И работа закипела. Идея переделывания русских в «щирых украинцев» была щедро профинансирована австрийским правительством. В городе Львове, входившем тогда в состав Австрии, историк М. С. Грушевский сочинил «Историю Украины-Руси», где князей русских Владимира Святославича, Ярослава Мудрого, Владимира Мономаха поименовали украинскими князьями, писателей Николая Гоголя и Николая Костомарова принялись именовать великими украинскими писателями и переводить их труды на украинский язык, который, в свою очередь, был сотворен из тех самых полонизмов, германизмов и варваризмов так, чтобы ни в коем случае не походил на русский литературный язык. Переводы эти выглядели довольно дикими. К примеру, шекспировская фраза Гамлета «Быть или не быть: вот в чем вопрос?» в так называемом литературном украинском переводе Старицкого получила несвойственную благородному принцу датскому базарную развязность: «Буты чи не буты: ось-то заковыка?»

Поначалу царские власти в России не отнеслись всерьез к этим, казалось, невинным забавам либеральной украинской интеллигенции, подстрекаемой австрийцами и поляками к самостийности, власти сквозь пальцы смотрели на намеренное раздувание обиды малорусов на великорусов за то, что называют себя великими русами, а их, малорусов, — малыми. Но эта обида, как заразная болезнь, прочно укоренялась в сознании многих украинцев, с готовностью отвергавших свое русское имя в силу того, что оно МАЛО-русское, и принявших себе национальное имя в честь Украйны — окраины Руси.

Вот так вредоносная идея, всего-навсего словесная игра, затеянная с национальным именем *русский*, смогла расчленить и ослабить единый народ, породить взаимную неприязнь у единокровных братьев. И сколько теперь нужно усилий, какую громадную гору неприязни и лжи нужно ниспровергнуть, чтобы побороть эту вредоносную идею, а вместе с ней и искусственное разделение русских на три «восточнославянских народа» — русских, украинцев и белорусов.

Ныне, наконец, получило здравое научное объяснение именование Руси — Великой, Малой и Белой. Согласно исследованиям академика О. Н. Трубачева, название Великороссия никакого самовозвеличивания перед другими странами, другими народами не выражает. Как слово Великобритания образует пару с материковой Бретанью — древнейшая колонизация острова шла оттуда, так имя Великороссия образует пару с именем Русь, прежде, в глубокой древности, обозначавшим область Киева, откуда шло освоение русскими земель к северу и востоку. Это типичный случай называния колонизованных земель термином Великий, так в истории известны не только Великобритания, но и Великая Греция, Великопольша и Великая Моравия, все эти территории когда-то были освоены из материнских очагов — Бретани, Греции, Польши и Моравии. Вот почему рядом с Русью Великой появилась Русь Малая — Малороссия, название *малая*, подобно нынешнему *малая Родина*, всегда имело смысл Руси изначальной, материнского очага, вокруг которого образовалась Великая Русь. И никакого уничижения малороссов в этом названии нет, так же как нет никакого шовинизма великороссов в именовании великорусский. Долго сохранялись следы прозывания нынешних украинцев русскими, до сих пор на крайнем западе Украины существует область, которая по-прежнему зовется Подкарпатская Русь, а поляки, немало усилий приложившие, чтобы малорусы звались украинцами, в своей среде до недавнего времени словом Русь обозначали Украину. Так что наши названия Великая и Малая Русь есть объективные указатели широких миграций народа русского, свидетельство освоения русскими огромных пространств, а вовсе не знак столь не свойственных нашему народу кичливости и хвастовства.

Не таит мнимых обид, напротив, указывает на древнее единение русского народа и название Белая Русь — Белоруссия. Это имя, как показали новейшие исследования академика О. Н. Трубачева, является частью древней системы цветообозначения сторон света. В этой системе северная часть страны обычно именовалась **черной** (и в истории сохранилось именование северо-западной части Руси *Черная Русь*), **красным** цветом (по-древнерусски **червонным**) обозначалась южная часть страны (в летописях известна *Червонная Русь*), а **белой** именовалась западная часть Руси. В системе древнего цветообозначения сторон света, согласно реконструкции, было и название для восточной стороны — *Синяя* или *Голубая Русь*. Но ее следов в письменной истории не обнаружено. А вот сохранившееся до сего дня имя *Белая Русь* показывает, что это всего лишь западная часть великой Русской земли, — часть, а не нечто обособленное и независимое.

Даже самое малое внимание к этим вопросам развеивает взаимные обиды и разногласия. Но кому-то очень хочется, чтобы мы, русские братья, по-прежнему вели свары между собой. Скажем, добродушные взаимные прозвища, которые давались украинцами русским, а русскими украинцам, как давались они вятским, пошехонцам, пермякам, да кому только не давались. Русских украинцы звали *москалями* и *кацапами*. Ну и что тут обидного? Как говорится, назови хоть горшком, только в печь не сажай! *Москаль* — всего-навсего москвич. На Украине так называли всех, кто вышел не с Дона и не с Украины. А в Сибири москалями и москвичами величали всех русских, включая украинцев, кто жил за Уральским хребтом, то есть в Европе. *Кацап* — вообще загадочное слово, оно не имеет однозначного истолкования, и именно потому, что его происхождение не понятно, нет причин считать его обидным для русских. Точно так же нет причин для обид при назывании украинцев *хохлами*, это лишь образное подчеркивание особого, свойственного запорожским казакам чуба — клока волос на бритой голове — символа казачьей чести. Только чужак, человек чужой крови и не нашего воспитания, может счесть такие прозвища обидными. Ведь никто не стесняется этих именований в русских и украинских фамилиях и не считает собственные фамилии — Хохлов, Москалев, Кацапенко — неприличными, обидными.

Русские, украинцы, белорусы — суть один народ, ибо рождены из одного русского корня, единокровные братья и братья по Вере. Наречия украинское (малорусское), белорусское и великорусское отличаются друг от друга меньше, чем немецкие диалекты между собой. Потому и русским, и украинцам, и белорусам, помня наше родство, надо уметь пренебрегать ухищрениями врагов русского единства и русской силы, пытающихся нас разделять и ссорить. Формула нашего национального разделения, универсально высказанная в завещании польского русофоба Мерошевского, должна стучать в наши сердца, не давая забывать о том, что русские, украинцы и белорусы есть один язык, один род и одна кровь.

Вот что Мерошевский завещал всем вековечным недругам народа русского: «Бросим огня и бомбы за Днепр и Дон, в самое сердце Руси, возбудим ссоры в самом русском народе, пусть он разрывает себя собственными ногтями. По мере того, как он ослабляется, мы крепнем и растем».

Русский язык — ксенофоб

Словом **ксенофобия** стращают тех, кто недоволен нашествием инородцев на нашу землю. Словно припечатывают позорным клеймом, вменяя им уголовную 282-ю статью — возбуждение межнациональной розни. Подобная статья есть только в российском законодательстве, другие европейские государства не позволяют себе политических преследований из соображений демократических. А у нас изобретено пугало, причем только для русских, именно русским пытаются заткнуть рот Уголовным кодексом, стращают тюрьмой, принудительной работой, штрафами, чтобы в короткие сроки умалить натиском пришельцев наше национальное преобладание в России. И многие русские поддаются страху быть обвиненными в **ксенофобии**.

Что же такого страшного в этом понятии? Ксенофобия — это же самый обычный, естественный для каждого народа страх — *неприятие чужого, отторжение чужого*, чтобы не утратить свою собственную самобытность. И почему, скажите на милость, мы обязаны любить чужие народы? В народах, по меткому замечанию великого русского философа Хомякова, как и в людях, есть страсти, и страсти не совсем благородные. Еще раньше, чем философы и историки, неблагородные страсти чужих народов подметил наш русский язык и навек запечатлел в себе неприятие чужаков. Русский язык за всю историю нашего народа и государства накопил в себе множество ксенофобских слов и выражений. В лингвистике их называют *ксенонимы*. На основе наименований других народов русские творили слова с обобщенным представлением об этих народах. Как правило, с негативной оценкой чужаков, образное обозначение внешних врагов на протяжении всей истории. На основании ксенофобных характеристик лингвисты выяснили, кто из народов мира вредил русским больше всего. Оказалось — татары, тут и чертополох, зовущийся в говорах *татарник*, чирьи и нарывы, именуемые *барин-татарин*. Вспомним и меткое русское выражение о больной голове — *татары в башке молотят*. Не жалует русский язык и немцев. О язвах на коже в Сибири говорят — *немцы сели*, тараканов в России прозывают *прусаками, швабами и немцами*. Саранчу именуют *шведами*. Так отложилось в памяти русского потомства, как татары, немцы, шведы, подобно полчищам насекомых, вторгались на наши земли, уничтожая все на своем пути. Осталась в языке ксенофобская память и о поляках. От имени мазовецких поляков пошло русское прозвище *мазурик*, то есть вор, пройдоха. Помнит русский язык французское нашествие. С тех пор завелось в русском языке слово *шаромыжник*, от французского cher ami — дорогой друг, так голодные французы, скитаясь по холодной России в 1812 году, просили чего поесть. С тех пор это слово означает — шатун и плут.

Русские имеют древнюю привычку хранить имена своих исторических врагов в кличках домашних животных, психологически точно выверенный путь преодоления страха перед врагами. Если именем врага назвать кота или собаку, то враг перестает быть страшным. И впрямь кошачье прозвище *Мурзик* напоминает нам о том, что этих хитрых, умных, ловких животных наши предки метко сравнивали с Мурзой, татарским князем, вековым поработителем русского народа. Или вот в Сибири широко распространена собачья кличка *Кучум*, разумеется, в честь сибирского хана, побежденного Ермаком Тимофеевичем. Собак черной масти, причем исключительно дворовых, в России непременно кличут *Цыган*. А теперь прикиньте, сколько бродит по России рыжих котов по кличке *Чубайс*. Наш язык и по сей день исправно выполняет свою традиционную обязанность — сохранять в народной памяти имена врагов нации.

Татары, шведы, поляки, немцы — с ними все ясно — внешние враги и постоянные приграничные соперники. Но вот что интересно, почему два народа, никогда не ходившие против русских открытой войной, удостоились в русском языке наибольшего количества ксенофобских наименований. Эти два народа — цыгане и евреи. Их именами называют в русском языке вещи, которые похожи на настоящие, но только внешне. Разбавленную самопальную водку называют *цыганское молоко*, козу кличут *жидовской коровой*, луну — *цыганским солнцем*, мелкий короткий дождик, как ни на что не годный, прозван у нас *жидовским дождем*, сильный мороз — *цыганским жаром*. *Жидками* русские зовут кусачих насекомых и домашних муравьев, *жидами* зовут воробьев, которые тучей налетают откуда ни возьмись и сильно вредят крестьянским посевам. *Цыганской рыбой* прозвали головастиков, вроде и рыба, а не настоящая, *жидолкой* зовут мелкую рыбешку гольца, не годящуюся в пищу. Интересно, что этническим названием евреев метят опасные ядовитые растения, физалис, к примеру, зовут *вишня жидовская*. В Малороссии *жидками* именуют поганки, гриб-дождевик русские называют *цыганский табак*. *Цыганское золото, еврейское золото* — всякий поддельный под золото металл. Немалый перечень прилипчивых заразных болезней удостоены той же этнической меты: лишай — *жид-жидовин*, сибирская язва — *жидовка*, озноб — *цыганский пот*.

Что же хотели передать своим потомкам наши предки, закладывая свой жизненный опыт в самую надежную, самую верную, самую крепкую память — язык? Предупреждение, пока не обрели собственного опыта общения с другими народами, быть всегда настороже с опасными для нас, русских, племенами, совет сторониться их. Приведу свидетельство лингвиста Березовича, специально изучавшего проблему лингвистической ксеномотивации и опубликовавшего результаты своих исследований в журнале «Вопросы языкознания» (М., 2007, № 1): «Предсказуем тот факт, что лидерами по количеству вторичных номинаций, по накалу экспрессии в лексике восточнославянских языков, а также целого ряда других европейских языков будут цыган и еврей, обозначения этносов, которые на протяжении многих веков являются чужими среди своих для восточных славян». Я намеренно цитирую научный журнал и в нем научную статью, откуда взяты примеры, цитирую для того, чтобы меня не обвинили все в той же пресловутой ксенофобии. В цитируемой мною научной статье из журнала «Вопросы языкознания» читаем, что не только русские, украинцы и белорусы жалуют евреев и цыган таким неприветливым образом. Другие народы Европы сохранили для своих потомков те же предупреждения. Англичане, например, имеют ксенонимы для своих вековых врагов — шотландцев, ирландцев, голландцев, а также для цыган и евреев. Немцы нарекли ксенонимами поляков, чехов, русских и опять-таки цыган и евреев. Поляки и чехи наградили ксенонимами немцев, чехов, шведов и опять же евреев, цыган. Научный факт, как против него попрешь, однако к немцам, полякам и англичанами у евреев претензий нет, они есть только к русскому народу. Причем вот парадокс: цыгане не заставляют русских отказываться от наших представлений о них и не волокут нас в суд, чтобы заставить изъясняться к ним в любви, и только евреи пытаются принудить нас к тому, причем под угрозой уголовной ответственности.

Беспристрастные лингвистические исследования показывают: ну, не любят русские евреев. Не любят, и точка, и нелюбви этой уже много веков — с времен распятия евреями Христа. Но немало и других с древности поводов не любить евреев. В 60-х годах прошлого века в египетском городе Александрии нашли при раскопках папирусное письмо на древнееврейском языке. Письмо датировано десятым веком, и стало знаменитым потому, что в нем впервые в истории зафиксировано древнейшее упоминание славного города Киева, упоминание его в ту пору, когда у древних русичей письменности еще не было. Но самое замечательное в египетской находке — его содержание, о котором принято умалчивать. В этом письме еврейская община города Киева просила евреев города Александрии дать кров и оказать помощь своему соплеменнику, сбежавшему из древнерусской столицы, чтобы не отдавать долги своим русским заимодавцам. Поди, полюби таких…

Чернословие

Сквернословие — черное, грязное слово, еще недавно бывшее недопустимым в обществе, сегодня затопило страну. Матерная брань, за которую прежде могли впаять пятнадцать суток, как за оскорбление, сейчас вроде бы уже никого не оскорбляет. И не только не коробит, а даже и не удивляет. Это свидетельство опасных сдвигов в жизни народа. Давайте разберемся в истоках русской брани: почему светлый, чистый, совестливый народ наш погряз в словесном безобразии и ныне того даже не замечает?

Чем исконно являлась брань? Обороной, первым словесным предостережением тому, кто тебе угрожает. Сначала оборонялись словом, потом пускали в ход кулаки и оружие.

Наши русские по происхождению бранные слова, я не говорю сейчас о мате, который пришел на нашу землю извне, так вот, почти вся русская брань имеет значение «мертвый». Таков смысл, например, слова *падло*, то есть «падаль». Или *стерва*, опять же буквально «мертвечина». Вспомните, у нас в русском языке есть слово *стервятник* — питающийся падалью.

Значение «мертвого» и в слове *зараза*. Слово это восходит к глаголу «заразить», то есть убить. Так что ругательство *зараза* исконно обозначало убитого. Похожее значение имеет слово *мразь* — погибший от холода. *Сволочь* — также обозначает покойника, видимо, самоубийцу. Все эти ругательства изначально являются предупреждением обидчику: вот что станется с тобой, если сунешься. Вслед за русской бранью могло следовать только истребление врага.

Согласитесь, с таким значением бранные слова естественно применять только к недругам. Совершенно неестественно, когда сволочью, то есть самоубийцей, или заразой, то есть убитым, или падлой, то есть мертвецом, называют друг друга пусть и поссорившиеся, но все же родные люди, вовсе не имеющие намерения убить друг друга. Но ведь слово само по себе имеет силу, энергию. И называть живого мертвым без последствий не получается. Так чего ж удивляться, что после таких слов наши дети, отцы, мужья, жены болеют, хиреют... Немудрено. Сами мы в семейной брани накликиваем на них беду, словом нарекаем их мертвыми.

Страшнее того для души матерная ругань. Это, во-первых, открытое именование детородных органов, что издревле в человеческом обществе считалось признаком наглости, нечистоты. Само слово *наглый* означало человека, способного обнажиться, явиться нагим на людях. Наглого русские с брезгливостью сторонились, как нарушившего завет целомудрия. Во-вторых, матерная брань — намеренное оскорбление человека клеветой. Это объявление в нецеломудрии не только его самого, но и его близких, родных. Нас часто пытаются убеждать, что матерщина-де возникла в глубокой древности и не имела оскорбительного смысла. Что-де люди были просты как дети. Их плотские отношения были беспорядочны. И это зеркально отразилось в языке. Ложь, намеренная ложь с целью порушить в человеческих душах остатки чистоты!

На протяжении тысячелетий отношения в семье у славян и русских были основаны на строгой верности. Блуд наказывался лютой смертью или в лучшем случае битием. Блуд являлся несмываемым позором для всего рода. И потому до сих пор сохранилось оскорбительное наименование *ублюдок*, то есть рожденный в блуде. Даже намек на блуд — оскорбление. А матерщина — это уже не намек, это обвинение, это бесчестие семье и роду оскорбляемого.

Разумеется, и сегодня мы с вами не позволим никому открыто назвать блудниками наших родителей. А вот матерную ругань, которая означает то же самое, только в наглой, вызывающей, грязной форме, мы почему-то переносим равнодушно. Утешаем себя тем, что сквернословцы ругаются по привычке, что они без мата не могут, просто не умеют разговаривать. Дескать, запретив мат, мы рискуем отучить людей говорить. Так пусть лучше вообще не разговаривают, чем ежечасно оскорбляют друг друга, поносят, клевещут, грязно ругаются над самым сокровенным и дорогим для каждого человека. Отстранение от матерной брани есть наша национальная самооборона, сохранение семьи, детей, близких в чистоте и целомудрии.

Есть еще одна категория скверных слов, которые принято называть жаргоном. На самом деле это специальное наречие преступного мира, скрывающего за непонятными для непосвященных словами свои тайные, опасные для окружающих намерения и планы. Такой жаргон называется блатным. А кто себя именует *блатными*? Сегодня это уголовный мир России без разбору народов и сословий, но само слово *блат* имеет давнюю историю. Оно ведет свое происхождение из идиша, еврейского жаргона немецкого языка. *Блат* означает *кровь*. Так с советских времен сохраняются у нас выражения *доставать по блату* или *у него там блат*. *По блату достать* — когда твои единокровные, евреи то есть, тебе помогают добыть желаемое, а *иметь блат* — это когда в нужном месте в нужное время встречаешь своего, опять же еврея, и он тебе помогает. Когда уголовников называют блатными — тоже понятно, ведь они повязаны между собой кровью, только не собственной, а кровью своих жертв. Из блатного жаргона пришли в русский язык многие слова, которые сейчас кажутся вполне безобидными, на самом же деле они имеют оскорбительный смысл. Так из блатного жаргона мы восприняли слово *быдло*, польское по происхождению, означает — *скот, приготовленный к убою*. Жаргон вбросил в употребление и слово *лох*, оно тоже заимствовано из польского, где «льоха» означает *свинья*. Ребятишек на жаргоне называют *пацаны*, в переводе с идиш — *рабы, слуги*. Попытка унизить и оскорбить, причем совершенная в тайне от непосвященных. Блатной жаргон — не только и не столько язык, недоступный непосвященным, сколько тайное оскорбление непосвященных, к примеру, чужих для евреев народов, в данном случае — русского. Тайно оскорбить, издеваться за глаза — повадка подлая, трусливая, низкая. И она, как нельзя ярче, отразилась в карточной игре. Наиболее популярна карточная игра в так называемого «дурака», а кто дурак? В этом надо разобраться. Игральные карты созданы специально для поругания Христа со стороны самих же не ведающих о том христиан. Вся символика карт — христианская символика, знаки мученичества и смерти Господа нашего Иисуса Христа на кресте. Сам святой Крест в картах именуется *крести* или *трефа*, причем *трефный* на идиш означает *скверный*. Знак *бубны* — символ четырехугольных римских гвоздей, которыми пригвоздили Господа к кресту. *Пики* — символ римского оружия, которым было пронзено Святое Тело Господа на кресте. Знак *черви* — образ губки, смоченной уксусом и желчью, той, что пытались напоить Спасителя во время его смертных мук. А мы, христиане, в это «играем», да еще крест называем, прости Господи, *трефой*, не ведая, что это означает, да еще *козырем*, то есть *кошерной* картой (*кошерный* означает — *очень хороший, годный именно для евреев*), «побиваем», то есть подвергаем поруганию крест. Такое тайное поругание Христа в обычае у сил зла. Сейчас жаргон вбросил в русский язык новое словцо для обозначения выходцев с Кавказа, преимущественно мусульман: *хач* или *хачик*. Но *хач* по-армянски означает крест, *хачик* — это армянское имя *христианин*, и мы, русские христиане, с брезгливостью и раздражением именуя мусульман, заселивших русские города и села, *хачами*, невольно ругаем **крест** и христианство, исполняя тайный замысел, с которым вброшены эти слова в русский обиход.

Так что выбирайте, люди русские, как говорить и что говорить. И думайте, прежде чем говорить. Ибо слово наше строит нашу судьбу, направляет к добру и ко злу, а отстранение от сквернословия, матерщины, жаргона — наша национальная самооборона.

Христианские истоки русской психологии

Какое чудо нам досталось в наследство — русский язык! А в нем кладезь премудрости — поговорки. Ведь пословицы и поговорки — формулы жизненного уклада народа, премудрость, сверкающая в кристаллах слов.

Как учили, к примеру, ребенка трудолюбию? Разве многократными нудными уговорами — работай, трудись, многого добьешься? Нет. Ясным, единожды услышанным, легко и на всю жизнь запоминающимся правилом — *без*

труда не выловишь и рыбку из пруда. *Любишь кататься —*
люби и саночки возить! Внуку запоминалось дедово раз-
думчивое, вперемежку с воспоминаниями о своей жизни —
деньги могут многое, а правда — все! Вот так и воспитывали — заветами, оставленными в пословицах, которые
детская восприимчивая душа хватает на лету, вбирает в
пытливую память, а затем, спустя годы, дорастает до смысла
осевшего в сердце неосмысленным прежде грузом.

Весь опыт многотысячелетней жизни скапливает народ
в пословицах, чтобы потом этот опыт постигал каждый
из нас самостоятельно — на сколько хватит ума и разума.
Потому и говорят ученые-лингвисты, что опыт языка многократно богаче личного опыта человека. Надо только ус-
певать вбирать, впитывать этот опыт.

В русских пословицах прежде всего отразилась наша искренняя Вера в Бога. Все великое, праведное, доброе и пре-
красное в человеке пословицы относили к действию Божьей
силы. Это правильное воззрение до сих пор живо во многих
из нас. Чистая совесть именуется у русских гласом Творца:
«Совесть добрая есть глас Божий». Крепкое упование на
Божий покров над Православной Русью выразилось в по-
говорке *«русский Бог велик».* И мы, изучая свою историю
от принятия христианства до 1917 года, времени отступ-
ничества от Бога и Царя, можем многократно убедиться в
этих словах. Вера русских в премудрость, всемогущество
и благость Промысла Божия сохранилась в старинных ре-
чениях: *«Бог все свое строит».* *«Богат Бог милостью».*
«Бог — старый чудотворец». Причем каждый русский непременно верил, что обиженный на суде человеческом или
притесняемый сильной рукой будет отмщен Судом Божиим,
и это отразилось в немстительности русского характера:
«Люди с лихостью, а Бог с милостью», *«Бог видит, кто кого
обидит»*, *«Бог долго ждет, да больно бьет».*

Утешительная надежда на Божию милость вела к искренней преданности русских Божьему Промыслу. Мы говорили и говорим: *«На Бога положишься — не обложишься»*,
«Бог даст день — даст и пищу», *«Бог дал живот — даст
и здоровье».* И вообще про любую потерю, даже если это

потеря близкого человека, у нас говорится примиряюще утешительно: *«Бог дал — Бог и взял»*. Но вдумайтесь, как мудр русский человек, ведь такая безоглядность на потери и несчастья не обернулась для нас беспечностью или нерадением. Мы себя всегда остерегаем: *«На Бога надейся, а сам не плошай.»*, *«Богу молись, а сам к берегу гребись»*, *«Береженого Бог бережет»*.

И вот как сложилось: русский человек мог быть неграмотен, мог редко захаживать в церковь, хотя бы потому, что на громадных просторах России церкви отстояли друг от друга, бывало, и далековато, но, живя по этим пословицам, как по заповедям, русский был и благочестив, и нравственен. Ведь пословицы — это тоже своего рода заповеди, повторяемые дедом и бабкой малышу-внуку, потом полученные в молодости как благословение от родителей и уже в зрелости передаваемые собственным детям: *«Хваля Бога не погибнешь, а хуля — не воскреснешь»*, *«За Богом молитва, а за царем служба — не пропадают»*, *«Молиться — вперед пригодится»*. Уверенность во всемогуществе Творца и чувство истинности Православной Веры сказывались у русских в том, что никакое дело не начиналось и не оканчивалось без Бога, все освящалось непоколебимым убеждением: *«Без Бога не до порога»*. И за всякое доброе дело до сих пор принято у нас благодарить — *«Спаси Бог»*, так что даже и неверующие русские люди, когда благодарят, говорят — *«Спасибо»*, — поминают Господа и желают спасения оказавшему им милость.

Тысячелетний наш путь русского православия оказался настолько созвучен душе народной, что книги божественной премудрости «Иисуса, сына Сирахова», сборники «Луг духовный» и «Цветник», труды Иоанна Златоуста вошли в народные поговорки. Вслушаемся в чтения Св. Писания и в русское эхо Св. Писания: *«Начало премудрости — страх Господень»*. Так говорится в Книге притчей Соломоновых. А в русской пословице *«В тревогу и мы к Богу, а по тревоге — забыли о Боге»*; *«Жив Бог — жива душа моя»*.

«Милостыня и вера да не оскудевают в тебе», — так говорит Св. Писание, а русская пословица ему вторит: *«Пост*

приводит к вратам рая, а милостыня отворяет их»; «Не хлебом живы, молитвою»; «Вера и гору с места сдвинет». А вот чисто русский упорный взгляд на веру: «Без веры Господь не избавит, а без правды Господь не исправит». И это коренное наше основание жизни. Разве не так?

Есть в книге Притчей замечательное утешение всякому страждущему человеку «Его же любит Господь — наказует, биет же всякаго сына, его же приемлет». Ах, как это по-нашему, по-русски, ибо все мы, проходя испытания, не унываем, как правило, а утешаемся русской пословицей, отголоском святых книг: «Кого Бог любит, того испытывает»; «Кушанье познается по вкусу, а святость по искусу».

Правда, правда и еще раз правда, — вот что крепит надеждой жизнь подлинно русского человека. Крепит так, будто он каждый день твердит себе строки из Божественных книг: «Не погубит гладом Господь душу праведную, живот же нечестивых низвратит». И это краеугольный камень нашей надежды, который мы на все лады перепеваем и переговариваем, как заклинание, как заговор на счастье: «Кто добро творит, тому Бог отплатит»; «Бог отымет, Бог и подаст»; «За худое Бог плательщик». Как это страшно, согласитесь, как ужасно ожидать расплаты — от Бога! — за все сотворенное тобой худое.

Вспомним наше родное «Не стоит город без святого, а селение без праведника»! Слова эти, рожденные вроде бы опытом жизни многих русских поколений, оказываются извлеченными из Святого Писания: «В благословении правых возвысится град, усты же нечестивых раскопаются».

Свет премудрости, — сказать бы превыспренно об этих словах, да только русский язык всю выспренную багряницу и золотой шелк славянской речи умеет переодеть в свою рогожку. И как по-домашнему хорошо брести в этой рогожке дорогами жизни, помнить, что она скроена по меркам багряницы Священного Писания. Сравните. Из книги Притчей слова: «Господь гордым противится, смиренным же дает благодать». Ну-ка, переберем наши рогожки: «Во всякой гордости черту много радости»; «Сатана гордился — с неба свалился; фараон гордился — в море утопился, а мы гордимся — куда годимся?». Гордыня в великом неуважении у русского человека: «Эх, *раздайся, грязь, навоз плывет*»; «*Не чванься, квас, — не лучше нас*». Да и само слово *чваниться* происходит от славянского слова *чван*, что значит — кувшин, этакий крутобокий, с двумя гнутыми ручками. Оттого и чванятся гордецы, когда подобно кувшину-чвану голова — кверху да руки — в боки.

Есть в Св. Писании и такие премудрости, которых без русской поговорки, вылепленной по образцу книжной притчи, не понять. Вот, поди пораздумай, чему учит Св. Писание: «*Не обличай злых, да не возненавидят тебя. Обличай премудра и возлюбит тя*». А русская пословица, осмыслив эти слова раньше нас, задолго до нас, готовит всякого православного к тяготам служения правде Божьей: «*Правдой жить — от людей отбыть, неправдой жить — Бога гневить*».

Правда и ложь — два важнейших понятия. Русские всегда стремились выстроить свою жизнь по меркам добра. И ведь не все из миллионов наших предков читали премудрость Св. Писания: «*Иже утверждается на лжах, пасет ветры, той же поженет птицы парящия*». А кто и читал, не всегда понимал, что такое *пасти ветер*, или *пасти птиц, в поднебесье парящих*. Зато все мы внимаем слову какого-то неведомого нам русского мудреца, который, прочитав и поняв, выразил это для нас русским слогом «*Неправдой свет пройдешь, да назад не воротишься*».

И уж совсем для нас сегодняшних, кто позабыл свое, родное, добротное, верное, сказано в Писании: «*Из источника чуждаго не пий, да многое время поживеши и приложатся тебе лета живота*». Сколько сегодня таких, льнущих к чужому: к чужим дальним странам, к чужим суевериям и обольщениям, к чужому достатку. Это для них из глубины веков, из глубины тысячелетий звучит: «*Из источника чуждаго не пий!*» А кто не усвоил, тому напомнят русские прапрапрадеды в генной глубине всплывающими в нашей памяти присловьями: «*В чужих руках ломоть велик*»; «*На чужое добро руки чешутся*»; «*Не дери глаз на чужой квас*»; «*На чужой каравай рта не разевай, а пораньше вставай да* свой затевай»; «Чужим хлебом да чужим умом недолго проживешь»; «Эх, чужая одежа не надежа».

Вот опора наша — сокровища Св. Писания и народная премудрость русских пословиц — идущие рука об руку, а мы ищем философов, ученых, политологов, президентов, премьер-министров, чтобы они нам объяснили, как нам жить.

Да это не они, а мы должны им объяснять, как им, беззаконным, жить и как спасаться от гнева Божьего. Это мы им должны напоминать слова книги Притчей: *Не пользуют сокровища беззаконных, правда же избавит от смерти*. Это мы им должны говорить, что «*заработанный ломоть лучше краденого каравая*», что «*хоть гол, да прав*», что «*на Руси еще не все честные люди повымерли*».

И хотя не спросишь их по-славянски, потому что не поймут: «*Аще праведный едва спасается, нечестивый и грешный где явится*», зато по-русски мы можем им надежно пообещать — «*быть вам в раю, где горшки обжигают*».

Русский крепок на трех сваях: «авось», «небось» и «как-нибудь»

Еще Достоевский в своем «Дневнике» сетовал, что иностранцы не хотят и не могут понять России и русского народа. И поныне преподаватели русского языка как иностранного всегда жалуются на трудность разъяснения носителям западноевропейских языков — английского, немецкого, испанского — русского понятия *совесть*. Слова, имеющего аналогичное значение, в этих языках нет. *Self-consciousness* — самосознание — не передает того, что вкладывается в значение *совести* русскими. А если нет слова, нет и понятия, которое стоит за этим словом. Так что западноевропейцев можно считать по сравнению с нами, русскими, абсолютно бессовестными.

В украинском языке, который сегодня претендует на тысячелетнюю историю, отдельную от истории русского языка, существует весьма своеобразное слово для русского понятия *благородство*. По-украински благородство — это *шляхетство*, очевидное польское заимствование. С точки зрения щирого украинца, *благородный* — это шляхтич, происходящий из богатого и знатного сословия, не более. А по-русски *благородство* — это состояние души, так можно сказать только о человеке, происходящем из благого, то есть доброго, благочестивого рода, чем определяется красота внутреннего мира благородного человека. Украинец, знающий, что помимо польского *шляхетства* есть еще русское *благородство*, духовно выше своих самостийных сородичей, ибо среди человеческих достоинств признает не только знатность происхождения, но и благочестие семьи и рода.

Взглянем на наши различия в языке с восточными соседями. В русском языке есть слово *счастье*, оно этимологизируется как *своя часть*, как доля, выпадающая каждому человеку от Бога. Доля эта может быть трудной, полной испытаний и невзгод, но с точки зрения русского человека — все равно счастье, ибо дарованная от Бога судьба — твоя часть общего земного пути, пройденного твоим народом. А вот в Китае иероглиф счастья — *свинья под крышей*. То есть в понятие счастья китайская языковая картина мира вписывает материальное благополучие, сытость, богатство, что для русского языкового сознания неприемлемо.

Когда мы говорим о своеобразии русского самосознания и русской картины мира по сравнению с другими народами, то речь идет не о матрешках, спутниках, водке и прочих номинациях русского своеобразия материальной культуры или техники. Мы, русские, интересны остальному миру другим — своим духовным взглядом на бытие, именно эта духовность отражена в ключевых словах нашего языка — *совесть, счастье, благородство*. Контакты с этим, неведомым иностранцам миром притягивают всякую личность, задумывающуюся о смысле жизни. Не зря у нас существуют хоть и редкие, но примеры, когда люди иных национальностей и совершенно чуждых культур становились русскими святыми подвижниками. И первый тому образец — американец о. Серафим Роуз, святые сестры Александра и Елизавета Федоровны, немки по происхождению, но подлинные русские святые.

Еще в 1937 году Иван Александрович Ильин предложил различать понятия культура и цивилизация. Цивилизация — совокупность бытового, внешнего, материального. Культура — явление внутреннего, духовного. Культура и цивилизация различаются словарем. К цивилизации Ильин относит жилище, одежду, пути сообщения, технику; к культуре — человеческие добродетели: «Пусть в немецком городе чистота и орднунг, пусть сверкает блеском кухня немецкой фрау, но расчетливому немцу явно недостает русской доброты, душевной мягкости, христианского смирения».

Вот примеры разных национальных типов поведения. Выдающийся русский лингвист А. А. Шахматов, получив письмо от своих земляков, крестьян Саратовской губернии, о царящем там голоде, отказался от места адъюнкта Российской Академии наук и уехал на родину, чтобы помочь крестьянам преодолеть голод и эпидемию. С другой стороны, великий Гегель, получив приглашение работать в престижном университете, живо откликнулся письмом к ректору: «А сколько кулей полбы я буду получать за свои услуги университету?» И все это естественно отражается в языке: в русском мы знает формулу владения — *у меня есть*. Это данность, естество, это не завоевывается, это то, что дано, и точка. А в немецком формула владения — *Ich habe*, в английском — *I have*. Хочу обратить Ваше внимание, что у нас этот глагол представлен в форме *хапать*, а еще в жаргонном — *хавать*. Завоевательность, напор, стремление заполучить любой ценой кроются в корне этого слова, не зря в русском языке оно получило столь пренебрежительный оттенок.

А что, в самой России ее власть, ее интеллигенция, они что, понимают русский народ? Власть желает управлять народом так, как ей вздумается, управлять как скотом, как быдлом, а интеллигенция, главным образом, художественная, научная, желает угодить власти, и в угодливом раже старается «понять народ», найти общий язык с народом, представить властям положение народа, но так, чтобы образ мысли народа в ее выводах был угоден работодателям из

97

Кремля. Поэтому на протяжении многих лет русский характер изображался русской интеллигенцией не иначе как слабый и безвольный, русский труд, как вечная халтура: *авось сойдет*, русское воинство, как непомерное пролитие крови, как пушечное мясо: *небось одолеем*. Вечные страдания, нытье, пустые разговоры — вот неизменный облик русского мужичка в нашей литературе, в великой русской литературе.

И поговорку нашу русскую воспринимали мы всегда с шутливо-скептической ухмылкой по отношению к самим себе: «Русский крепок на трех сваях — авось, небось да как-нибудь». Только ухмыляться тут не над чем, просто давно позабыт истинный смысл этих удалых слов. Нет у нас более точной и более меткой русской поговорки о русском народе. Ведь что такое **авось**. Это сложное слово, возникшее из словосочетания, точно так же, как родились наши исторические сочетания слов — *ахти, восвояси*. Вот и **авось** когда-то состояло из трех слов — *а — во — се*, что значит «а вот так»! То есть восклицание **авось!** означало: человек крепко, упорно, уверенно стоит на своем и поколебать его очень трудно.

Небось тоже состояло когда-то из трех слов: *не — бо — се,* и значит оно буквально — «*нет, не так!*» или «*как бы не так!*» — отчетливое стремление действовать наперекор — врагам ли, обстоятельствам жизни, трудностям природы, — не суть. Таковы две сваи русского характера: **авось** — «а вот так!» сделаю, как задумал, как считаю верным, настою на своем; и **небось** — «как бы не так!» сделаю наперекор всему! Верно сказано: русский крепок на трех сваях — авось (а вот так!), небось (как бы не так!). Третья свая русского характера — **как-нибудь**. Слово **как-нибудь** не имело прежде значения ущербного разгильдяйства, лености или халтуры. *Как ни будь* означало — любым способом достигнуть цели, дойти до нее даже наперекор здравому смыслу, как бы то ни было, чего бы это ни стоило, во что бы то ни стало. *Как ни будь*!

Вот он истинный смысл очищенной от лживой коросты, от всего наносного, напридуманного, очень точной русской поговорки «*Русский крепок на трех сваях — авось (а вот так!), небось (как бы не так!) и как-нибудь (во что бы то ни стало!)».*

И разве не оправдал наш народ этой поговорки в истории, упорной борьбы за свое не только духовное, но и физическое существование. Разгромив хазарский каганат, монгольскую империю, турецкую империю, польское королевство, шведское королевство, наполеоновскую французскую империю, гитлеровский третий рейх, народный характер наш прошел такую школу, которой не знал ни один народ в мире, мы уже инстинктом, нутром чуем необходимость испытаний как горнила, закаляющего тело и душу: *«Не терт, не мят — не будет калач!»*

Наша русская жизнь — всегда ход против течения, отсюда и поговорка — *«по течению плывет только дохлая рыба».* Всякий раз, когда случается на Руси беда, а *беда* по-русски означала исконно *иго, порабощение,* так вот при нашествии беды нам всякий раз приходилось доказывать и врагам нашим, и самим себе, что мы не мертвые, а живые, что плыть по течению не в наших обычаях, что мы от меча и тягот никогда не бегали и бегать не собираемся.

Вот грянула на Русь новая беда — иго жидовское, а это значит, что пришло время снова доказывать, что *русский крепок на трех сваях — авось, небось и как-нибудь*, и пусть враги думают вокруг, что-де этот легкомысленный, ленивый, привыкший все терпеть и все сносить народишко склонит выю под очередной грабеж и разор. Благо наша творческая интеллигенция их в этих иллюзиях не разубеждает. Это даже и хорошо, что наши писатели, политологи, социологи, журналисты видят русских жалкими Акакиями Акакиевичами, созерцательными Алешами Карамазовыми, вот Гитлер и Розенберг тоже изучали Россию по произведениям русских писателей, и, разумеется, не узрели там ни силушки богатырской, ни волюшки молодецкой, ни стойкости, ни подвига, а времена Ильи Муромца да Тараса Бульбы почли за давно минувшие. Вот сочли Гитлер с Розенбергом этот наш критический реализм за настоящую правду, да и поговорку про авось, наверное, внимательно изучили, как пример русской слабости, и положили свои выводы в основу плана «дранг нах остен». Каково же было их изумление, когда встретили немцев в России не Смердяковы и Свидригайловы, и не Платоны Каратаевы, а настоящие русские воины, разглядеть которых русская литература до сих пор не удосужилась. И хорошо! Неожиданность, как известно, обезоруживает врага. А русские воины на Руси не перевелись. И русские *авось, небось и как-нибудь* в их подлинном смысле до сих пор живы в нас.

Авось выстоим — вопреки невзгодам и предательству, продажной бессовестности властей.

Небось не замаешь — наперекор наглому оккупанту и грабителю.

Как-нибудь эту напасть переможем — любой ценой силу вражию своей поистине богатырской мощью одолеем.

ФАЛЬШИВОМОНЕТЧИКИ ОТ ИСТОРИИ

Государь не отрекался от престола

В 1865 году умер наследник Престола Николай Александрович, старший сын Императора Александра II, и это большое русское горе неожиданно вызвало злую радость не только вне России, но и в самой России. Потрясенный Федор Иванович Тютчев отозвался на злобное ликование странно звучавшим стихотворением:

> О, эти толки роковые,
> Преступный лепет и шальной
> Всех выродков земли родной,
> Да не услышит их Россия, —
>
> И отповедью — да не грянет
> Тот страшный клич, что в старину:
> «Везде измена — Царь в плену!»
> И Русь спасать Его не встанет.

Пророческий смысл тютчевских строк обнажился только полвека спустя, в 1917 году. Пленённый своими же генералами, понятно, что изменниками, но от этого не легче, в поезде под Псковом, Русский Император Николай II, покинутый Церковью, преданный народом, пишет в своем дневнике горько и точно: «Кругом измена и трусость и обман». Генералы Рузский, Алексеев, Эверт, Брусилов и думские масоны требовали тогда у Царя отречения от Престола в пользу Наследника.

Исчисление событий, непосредственно связанных с отречением Государя, надо вести с 14 февраля 1917 года, когда недовольные скудостью жизни военного времени толпы вышли на улицы Петрограда с лозунгами «Долой войну!», «Да здравствует республика!». 17 февраля стачечная зараза охватила крупнейший Путиловский завод и чумовой волной покатилась по всему городу. Рабочие громили хлебные лавки, избивали городовых. 23 февраля бастовало уже 128 тысяч человек. 26 февраля восстала распропагандированная революционерами 4-я рота запасного батальона Павловского гвардейского полка, которая открыла огонь по полиции, пытавшейся пресечь беспорядки. Начался переход Петроградского гарнизона на сторону толпы... К этому времени уже весь Петроград захлестнули демонстрации рабочих, требовавших хлеба, преступным умыслом не подвозимого в город, намеренно не продаваемого в лавках. Начался народный бунт, спровоцированный масонским заговором. Масонам мало было Государственной думы, они рвались к всевластию в России. Им мешал монархический строй, преградой на их пути стоял Государь.

Государя Николая Александровича и до того нельзя было упрекнуть в нерешительности, а в те мятежные дни жесткость его приказов на подавление предательского бунта в столице была поистине диктаторской. Вечером 25 февраля генерал Хабалов получает приказ Государя о немедленном прекращении всех беспорядков в столице — там громили магазины, грабили лавки, избивали и убивали городовых. В помощь Хабалову Государь посылает из Ставки корпус генерала Иванова. Считая и это недостаточным, едет поездом к командующему Северным фронтом генералу Рузскому, чтобы направить в Петроград подтянутые с фронта войска. Не медля Царь подписывает Указ о приостановке на месяц работы Государственной думы и Государственного совета. Деятельность думских говорунов объявляется незаконной. По замыслу Государя власть сосредотачивается в его руках и в руках его правительства с опорой на верную Царю армию.

Но события развиваются вопреки воле Государя. Его приказы не выполняются. Генерал Иванов не доводит свой корпус до Петербурга. Солдаты петербургских полков отказываются подчиняться генералу Хабалову. Дума противится указу Государя, организует Временный комитет, а затем на его основе Временное правительство... Будь у Государя в тот момент хотя бы триста солдат, преданных ему, присяге и закону, способных исполнить железную волю Царя, Россию можно было удержать на краю разверзшейся пропасти: думский Временный комитет разогнать, Советы «рачьих и собачьих депутатов», как их тогда называли умные люди, расстрелять. Но в Пскове Государь встретил от командующего Северным фронтом генерала Рузского не верности себе, присяге и крестоцелованию, а... требование отречения. Генерал-адъютант (одно из высших воинских званий в царской России) Рузский, исполняя порученную ему Временным комитетом роль, предложил Государю Николаю Второму «сдаться на милость победителя». Генерал царской свиты Дубенский вспоминал потом: «С цинизмом и грубой определенностью сказанная Рузским фраза «надо сдаваться на милость победителю» с несомненностью указывала, что не только Дума, Петроград, но и лица высшего командования на фронте действуют в полном согласии и решили произвести переворот».

Стремительная измена не только Рузского, который два месяца спустя похвалялся в газетных интервью о своих «заслугах перед революцией», но и всего поголовно командования армии. Вот свидетельство самого Рузского: «Часов в 10 утра я явился к Царю с докладом о моих переговорах. Опасаясь, что он отнесется с моим словам с недоверием, я пригласил с собой начальника моего штаба генерала Данилова и начальника снабжений генерала Саввича, которые должны были поддержать меня в моем настойчивом совете Царю ради блага России и победы над врагом отречься от Престола. К этому времени у меня уже были ответы Великого князя Николая Николаевича, генералов Алексеева, Брусилова и Эверта, которые все единодушно тоже признавали необходимость отречения».

«Кругом измена и трусость и обман», — записал Государь в своем дневнике.

Одни сознательно изменяли — Алексеев, Рузский, Брусилов, Корнилов, Данилов, Иванов…; другие трусливо покорялись изменникам, хоть и проливали слезы сочувствия Императору, — его свитские офицеры Граббе, Нарышкин, Апраксин, Мордвинов..; третьи, вырывая у Императора отречение, лгали ему, что это делается в пользу Наследника, на самом деле стремясь к свержению монархии в России. Зловещие фигуры Временного комитета Государственной думы Родзянко, Гучков, Милюков, Керенский, Шульгин — разномастная и разноголосая, но единая в злобе на Русское Самодержавие свора подлецов и предателей России…

* * *

1 марта 1917 года Государь остался один, плененный в поезде, преданный и покинутый подданными, разлученный с семьей, ждавшей и молившейся за него в Царском Селе. Оставшись один, Николай Александрович берет себе в совет и в укрепление Слово Священного Писания, читает, подчеркивает избранное. Эта книга сохранилась, и первое, что непреложно встает из государевых помет в Библии — твердая вера Императора в Божий Промысел, убежденность, что Господь с ним: **«Не бойся, ибо Я с тобой»**(I Быт. 26,24), **«Не бойся, Я твой щит»** (I Быт. 15,1), **«Бог твой есть Бог благий и милосердый, Он не оставит тебя и не погубит тебя»**(Второзак. 4, 31).

Государь поступил единственно возможным в тех обстоятельствах образом. Он подписал не **Манифест**, какой только и подобает подписывать в такие моменты, а лишь **телеграмму в Ставку** с лаконичным, конкретным, единственным адресатом «начальнику штаба», это потом ее подложно назовут «Манифестом об отречении», но уже подписывая телеграмму, кстати, подписывая карандашом, и это единственный государев документ, подписанный Николаем Александровичем карандашом, Государь знал, как знало и все его предательское окружение, что документ этот незаконен. Незаконен по очевидным причинам: во-первых, отречение Самодержавного Государя да еще с формулировкой «в согласии с Государственной думой» не допускалось никакими законами Российской империи, во-вторых, в телеграмме Государь говорит о передаче наследия на Престол своему брату Михаилу Александровичу, тем самым минуя законного наследника царевича Алексея, а это уже прямое нарушение Свода Законов Российской Империи. Телеграмма Государя в Ставку, подложно названная «Манифестом об отречении», была единственно возможным в тех обстоятельствах призывом Государя к своей армии. Из телеграммы этой, спешно разосланной в войска начальником штаба Ставки Алексеевым, всякому верному и честному офицеру было ясно, что над Государем творят насилие, что это государственный переворот, и долг присягнувшего на верную службу Царю и Отечеству повелевает спасать Императора, чего, однако, не случилось. Войска сделали вид, что поверили в добровольное сложение Государем Верховной власти. Клятвопреступники, они не услышали набата молитвенно произнесенных когда-то каждым из них слов присяги: «Клянусь Всемогущим Богом, пред Святым Его Евангелием, в том, что хочу и должен Его Императорскому Величеству, своему истинному и природному Всемилостивейшему Великому Государю Императору Николаю Александровичу, Самодержцу Всероссийскому, и Его Императорского Величества Всероссийского Престола Наследнику, верно и нелицемерно служить, не щадя живота своего, до последней капли крови... Его Императорского Величества Государства и земель Его врагов, телом и кровью ... храброе и сильное чинить сопротивление, и во всем стараться споспешествовать, что к Его Императорского Величества верной службе и пользе государственной во всех случаях касаться может. Об ущербе же его Величества интереса, вреде и убытке... всякими мерами отвращать... В чем да поможет мне Господь Бог Всемогущий. В заключение же сей моей клятвы, целую Слова и Крест Спасителя моего. Аминь».

Не встала армия спасать Царя! Хотя никакой документ об отречении, пусть даже всамделишный Манифест об отречении, не освобождал воинство от присяги и крестоцелования, если об этом в документе не говорилось напрямую.

Год спустя, когда Император германский Вильгельм отрекался от Престола, он специальным актом освободил военных от верности присяге. Такой акт освобождения от присяги всех, присягавших перед Крестом и Св. Евангелием Императору и Его Наследнику, должен был подписать и Государь Николай Александрович, если бы он действительно мыслил об отречении…

По сей день не только историков озадачивают непостижимые факты, как могла Красная Армия, в основе своей состоявшая из дезертиров, из кромешного сброда, стаей воронья слетевшегося на лозунг «Грабь награбленное», возглавляемая прапорщиком Крыленко, в Первую мировую войну бывшим лишь редактором-крикуном «Окопной правды», руководимая беглым каторжником Троцким, не имевшим и малейшего, даже прапорщицкого военного опыта, предводительствуемая студентом-недоучкой Фрунзе, юнкером Антоновым-Овсеенко, лекарем Склянским, как могла вот эта Красная Армия теснить Белую Гвардию, громить Корнилова, Деникина, Врангеля, Колчака, лучших учеников лучших военных академий, опытнейших военачальников, умудренных победами и поражениями японской и германской войн, собравших под свои знамена боевых, закаленных на фронтах офицеров, верных солдат-фронтовиков… Почему вопреки неоспоримым преимуществам, очевидному перевесу сил, опыта, средств, Белая Армия под началом лучших офицеров России потерпела поражение? Да потому что на каждом из них, и на Корнилове, и на Деникине, и на Колчаке, равно как и на каждом солдате, прапорщике, офицере лежал тяжкий грех клятвопреступника, предавшего своего Государя, Помазанника Божьего. Для православного ясно: Бог не дал им победы.

Трагичные, жуткие судьбы генерала Алексеева, это он держал в руках нити антимонархического заговора, генерала Рузского, пленившего Государя и требовавшего от него отречения в псковском поезде, генерала Корнилова, суетливо явившегося в Царское Село арестовывать Августейшую Семью и Наследника Престола, которому он, как и Царю, приносил на вечную верность присягу, генерала Иванова, преступно не исполнившего Государев приказ о восстановлении порядка в Петрограде, адмирала Колчака, командовавшего тогда Черноморским флотом, имевшего громаднейшую военную силу и ничего не сделавшего для защиты своего Государя, и судьбы этих генералов, как и печальные судьбы тысяч прочих предателей Царя свидетельствуют о скором и правом Суде Божьем. Рвавшиеся уйти из-под воли Государя в феврале 1917 года, жаждавшие от Временного правительства чинов и наград и предательством их заработавшие, уже через год, максимум два, они расстались не только с иудиными сребрениками, с жизнью расстались, — такова истинная цена предательства. Генерал Рузский, бахвалившийся в газетных интервью заслугами перед Февральской революцией, зарублен в 1918 году чекистами на Пятигорском кладбище. Генерал Иванов, командовавший Особой Южной армией, которая бежала под натиском Фрунзе, умер в 1919 году от тифа. Адмирал Колчак расстрелян большевиками в 1920 году, успев прежде пережить, сполна испить чашу горечи измены и предательства. Генерал Корнилов погиб в ночь перед наступлением белых на Екатеринодар. Единственная граната, прилетевшая в предрассветный час в расположение белых, попала в дом, где работал за столом генерал, один осколок — в бедро, другой — в висок. Священный ужас охватил тогда войска, Божью кару узрели в случившемся солдаты. Судьба наступления была роковым образом предрешена.

Грех клятвопреступления стал трагической судьбой всей Белой Армии, от солдат до командующих.

* * *

... Государь прощался с армией в Могилеве. «Ровно в 11 часов, — вспоминал генерал Техменев, — в дверях показался Государь. Поздоровавшись с Алексеевым, он обернулся направо к солдатам и поздоровался с ними негромким голосом... «Здравия желаем, Ваше Императорское Величество», — полным, громким и дружным голосом отвечали солдаты... Остановившись, Государь начал говорить...

Он говорил громким и ясным голосом, очень отчетливо и образно, однако, сильно волнуясь... «Сегодня я вижу вас в последний раз, — начал Государь, — такова воля Божия и следствие моего решения». Император благодарил солдат за верную службу Ему и Родине, завещал во что бы то ни стало довести до конца борьбу против жестокого врага, и когда кончил, напряжение залы, все время сгущавшееся, наконец, разрешилось. Сзади Государя кто-то судорожно всхлипнул. Достаточно было этого начала, чтобы всхлипывания, удержать которые присутствующие были, очевидно, не в силах, раздались сразу во многих местах. Многие просто плакали и утирались... Офицеры Георгиевского батальона, люди, по большей части несколько раз раненные, не выдержали: двое из них упали в обморок. На другом конце залы рухнул кто-то из солдат-конвойцев. Государь не выдержал и быстро направился к выходу...». Так армия прощалась со своим Царем — рыдая, вскрикивая, падая в обмороки, — о воинской присяге, от которой Государь не освободил свое воинство, о клятве защищать Императора «до последней капли крови» не вспомнил никто.

Армия не встала спасать Самодержца, явив собой скопище, как и предсказывал Тютчев, «всех выродков земли родной». И как ни больно признавать, но это русская армия по приказу самозваного масонского Временного комитета арестовала Императора, хотя если бы отречение являлось законным, кому был бы опасен гражданин «бывший царь». Это русская армия бдительно охраняла царственных пленников в Царском Селе, в Тобольске и требовала снять погоны с Царя, запретить прогулки Его детям, отказать Семье в возможности ходить в церковь. Это русская армия, подняв белое знамя сопротивления против большевизма, начертала на нем не имя Монарха, а противные монаршему строю демократические лозунги, вовсе не помышляя об освобождении Императора, находившегося в то время в екатеринбургском заточении. А ведь русской армии давалась от Бога последняя возможность спасти Царя и очистить себя от греха клятвопреступления. В Екатеринбурге пребывала тогда Российская Академия Генерального штаба! По соседству с большевиками и с заточенным ими Царем беспрепятственно работали, обучались кадровые военные бывшей царской армии, имевшие опыт наступательных операций, диверсионной, разведывательной служб, здесь были высочайшего уровня профессионалы своего дела, но не оказалось верных Государю и присяге воинов. На одно только и хватило слушателя старшего курса Академии гвардии капитана Малиновского со товарищами: «У нас ничего и не вышло с нашими планами за отсутствием денег, и помощь Августейшей Семье, кроме посылки кулича и сахара, ни в чем не выразилась».

Предав своего Императора, порушив закон и присягу, армия — вся, и в этом состоит ответственность перед Господом всех за грехи многих — понесла заслуженное наказание — разделение на белых и красных, гибель и отступничество вождей, крушение воинского духа. Армии, не вставшей спасать своего Царя, Бог не даровал победы.

За трагедией армии встает трагедия Русской Православной Церкви. Почему ее, единую, с почти тысячелетней историей, мощную, родившую на рубеже веков великих святых — преподобного Иоанна Кронштадтского, преподобных оптинских старцев, преподобного Варнаву Гефсиманского, прославившую в одном только начале XX века мощи семи угодников Божиих, открывавшую в те годы новые храмы, монастыри, семинарии, духовные училища, — этот нерушимый, казалось, оплот Православной Веры и Самодержавного Царства вдруг в одночасье поразил гибельный пожар раскола, внутренних распрей, жестоких гонений со стороны безбожников и иноверцев. Что сталось с православными, не с горсткой новомучеников, исповедавших Христа и верность Государю Императору и с именем Христовым на устах погибших, а с массой русских христиан, «страха ради иудейска» отвергшихся от своего христианского имени и все-таки попавших под мстительный меч репрессий. Где были их прежние духовные вожди и наставники, кто бы остановил повальное богоотступничество?

Коренное зло было совершено в Церкви 6 марта 1917 года, когда Церковь в лице Святейшего Синода не усомнилась в законности Царского отречения. «Поразительнее всего то, что в этот момент разрушения православной русской государственности, когда руками безумцев насильно изгонялась благодать Божия из России, хранительница этой Благодати Православная Церковь в лице своих виднейших представителей молчала. Она не отважилась остановить злодейскую руку насильников, грозя им проклятием и извержением из своего лона, а молча глядела на то, как заносился злодейский меч над священною Главою Помазанника Божия и над Россией...», — писал о тех днях товарищ обер-прокурора Святейшего Синода князь Николай Жевахов, который еще за неделю до псковского пленения Императора умолял митрополита Киевского Владимира, бывшего в Синоде первенствующим членом, выпустить воззвание к населению, чтобы оно было прочитано в церквах и расклеено на улицах. «Я добавил, что Церковь не должна стоять в стороне от разыгрывающихся событий и что ее вразумляющий голос всегда уместен, а в данном случае даже необходим. Предложение было отвергнуто».

Пока Святейший Синод в дни с 3-го по 6 марта 1917 года раздумывал и медлил, решал, молиться ли России за Царя — страшное, к краю гибели подводящее решение — в синодальной канцелярии ужасающей грудой накапливались телеграммы: «Покорнейше прошу распоряжения Святейшего Синода о чине поминовения властей», «Прошу руководственных указаний о молитвенных возношениях за богослужениями о предержащей власти», «Объединенные пастыри и паства приветствуют в лице вашем зарю обновления церковной жизни. Все духовенство усердно просит преподать указание, кого как следует поминать за церковным богослужением»... Под многочисленными телеграммами подписи Дмитрия, архиепископа Таврического, Александра, епископа Вологодского, Нафанаила, епископа Архангельского, Экзарха Грузии архиепископа Платона, Назария, архиепископа Херсонского и Одесского, Палладия, епископа Саратовского, Владимира, архиепископа Пензенского... Они ждали указаний, забывши тысячелетний благодатный опыт русского Православия — опыт верности Царю-Богопомазаннику, опыт, благословенный патриархом Гермогеном, святым поборником против первой русской смуты: «Благословляю верных русских людей, подымающихся на защиту Веры, Царя и Отечества, и проклинаю вас, изменники».

5 марта 1917 года в Могилеве, не убоявшись гнева Божия, не устыдившись присутствия Государя, штабное и придворное священство осмелилось служить литургию без возношения Самодержавного Царского имени. «В храме стояла удивительная тишина, — вспоминал позже генерал-майор Дубенский. — Глубоко молитвенное настроение охватило всех пришедших сюда. Все понимали, что в церковь прибыл последний раз Государь, еще два дня тому назад Самодержец Величайшей Российской Империи и Верховный Главнокомандующий русской Армии. А на ектеньях поминали уже не Самодержавнейшаго Великаго Государя Нашего Императора Николая Александровича, а просто Государя Николая Александровича. Легкий едва заметный шум прошел по храму, когда услышана была измененная ектенья. «Вы слышите, уже не произносят Самодержец», — сказал стоявший впереди меня генерал Нарышкин. Многие плакали». Это свершилось в присутствии великой русской православной святыни — Владимирской иконы Божией Матери, привезенной в Ставку перед праздником Пресвятой Троицы 28 мая 1916 года. Икона, благословившая начало Русского Царства, нерушимое многовековое Самодержавное Стояние его, узрела в тот час, как Россия перестала открыто молиться за Царя.

Уже назавтра этот самовольный почин был укреплен решением Святейшего Синода: «Марта 6 дня Святейший Синод, выслушав состоявшийся 2-го марта акт об отречении Государя Императора Николая II за себя и за сына от Престола Государства Российского и о сложении с себя Верховной Власти и состоявшийся 3-го марта акт об отказе Великого Князя Михаила Александровича от восприятия Верховной Власти впредь до установления в Учредительном собрании образа правления и новых основных законов Государства Российского, приказали: означенные акты принять к сведению и исполнению и объявить во всех православных храмах... после Божественной литургии с совершением молебствия Господу Богу об утишении страстей, с возглашением многолетия Богохранимой Державе Российской и благоверному Временному Правительству ея». Так Синод благословил не молиться за Царя и Русское Царство. И в ответ со всех концов России неслись рапорты послушных исполнителей законопреступного дела: «Акты прочитаны. Молебен совершен. Принято с полным спокойствием. Ради успокоения по желанию и просьбе духовенства по телеграфу отправлено приветствие председателю Думы».

Кто в Церкви в те дни ужаснулся, кто вздрогнул в преддверии грядущей расплаты за нарушение одного из основных Законов Православной Российской империи: «Император яко Христианский Государь есть верховный защитник и хранитель догматов господствующей Веры и блюститель правоверия и всякого в Церкви Святой благочиния... В сем смысле Император... именуется Главою Церкви»? В Св. Синоде не оказалось ни одного верного своему Главе иерарха за исключением митрополита Петроградского Питирима, арестованного 2 марта вместе с царскими министрами, а 6 марта Постановлением Св. Синода уволенного на покой.

4 марта 1917 года архиепископ Арсений (Стадницкий) ликовал на первом при Временном правительстве заседании Св. Синода: «Двести лет Православная Церковь пребывала в рабстве. Теперь даруется ей свобода. Боже, какой простор! Но вот птица, долго томившаяся в клетке, когда ее откроют, со страхом смотрит на необъятное пространство… Так чувствуем себя мы, когда революция дала нам свободу от цезарепапизма».

Так случилось, что большие люди Церкви возомнили себя больше Царя, а следовательно, больше Господа. Они забыли, а может, и не знали предупреждения о. Иоанна Кронштадтского о грядущем цареотступничестве: «Если мы православные, то мы обязаны веровать в то, что Царь, не идущий против своей облагодатствованной совести, не погрешает». Но тогда большие люди Церкви в несомненно дьявольском наваждении рассудили, что Царь грешен, немощен, недалек, и «для завоевания гражданской свободы» они призвали русских православных христиан «довериться Временному Правительству». Они обосновали переворот богословскими доводами, внушая верующим мысль о «богоустановленности» новой власти, как это делал епископ Рыбинский Корнилий после прочтения Акта об отречении Императора: «Сейчас мы слышали об отречении Николая II. Крестом для России, для русского народа было его царствование: сколько крови пролито во время японской и настоящей войны!.. И не стерпел этих унижений русский народ... он взял теперь власть в свои руки под водительством нового Богом данного правительства, ибо «несть власть аще не от Бога, сущие же власти от Бога учинены суть» (Рим. 13,1). Теперь народ будет защищать свои права и мощно будет отражать врага… Для ускорения желанной победы мы должны все от мала до велика искренно и нелицемерно соединиться под властью нового правительства и помогать ему всеми своими силами».

Горько сегодня читать эти строки, ибо мы знаем о том «счастье» и о той «славе», которые ждали Россию без Царя, а потому и Россию без Бога. Когда большие люди Церкви благословили цареотступничество, маленькие люди Ее, верные чада, промолчали. Маленькие люди посчитали себя слишком маленькими, чтобы отстоять Русское Царство.

Не встала Православная Русь спасать своего Белого Царя. Отшатнулись от Императора те из духовных, кто по долгу своему должны были ни на шаг не отступать от Него. Заведующий придворным духовенством протопресвитер Придворных соборов Александр Дернов смиренно испрашивал указаний Синода «относительно того, как будет в дальнейшее время существовать все Придворное духовенство», чем ему кормиться и кому подчиняться. Из 136 человек причта придворных соборов и церквей — протоиереев, священников, протодьяконов, дьяконов, псаломщиков ни один не последовал за Государем в заточение, ни один не разделил с Ним его мученического креста. Что говорить, были среди пошедших на крест за Императором дворяне, и дворянин доктор Е. С. Боткин писал из екатеринбургского заточения: «Я умер — умер для своих детей, для друзей, для дела.., чтобы исполнить свой врачебный долг до конца». Дворянин генерал-адъютант И. Л. Татищев вспоминал о своем решении на просьбу Государя поехать с ним в ссылку: «На такое монаршее благоволение у кого и могла ли позволить совесть дерзнуть отказать Государю в такую тяжелую минуту». Были среди верных слуг Царевых крестьяне и мещане, и камердинер Государыни крестьянин Волков о своей верности Царю говорил просто: «Это была самая святая чистая Семья!» Были у Семьи и верные слуги из иностранцев и иноверцев — англичанин Гиббс и француз Жильяр. Духовных лиц среди последовавших за Царем в заточение не было.

Епископ Екатеринбургский Григорий, поведший с большевиками примирительно-соглашательскую политику, имел возможность не только облегчить положение узников, а если бы желал, и помочь их спасению, однако ничего для этого не сделал. Уже после злодейского убийства на допросе у Соколова он даже не выразил сочувствия мученикам. Екатеринбургский священник о. Иоанн (Сторожев) трижды служил обедницу в Ипатьевском доме, был рядом с Государем накануне Его смерти, но и обмолвиться словом не решился. Страшно было, как же, на обеднице присутствовал сам комендант Юровский, «известный своей жестокостью». Зато с этим иудеем-палачом священник нашел время поговорить о своем здоровье, кашель-де одолел. Но именно этому человеку, носившему звание священнослужителя, Волею Божией довелось приуготовить Государя и Семью Романовых к последнему смертному пути, причем сам он понял это уже много позже свершенного убийства. Следователю Соколову сам о. Иоанн Сторожев об этом рассказывал так: «Став на свое место, мы с дьяконом начали последование обедницы. По чину обедницы положено в определенном месте прочесть молитвословие «Со святыми упокой». Почему-то на этот раз дьякон, вместо прочтения, запел эту молитву, стал петь и я, несколько смущенный таким отступлением от устава (а поют «Со святыми упокой» на отпевании и панихиде. — *Т. М.*). Но, едва мы запели, как я услышал, что стоявшие позади нас члены семьи Романовых опустились на колени. Когда я выходил и шел очень близко от бывших великих княжон, мне послышались едва уловимые слова: «Благодарю».

Царская семья, с изумлением отмечал Сторожев, выражала «исключительную почтительность к священному сану», при входе в зал священника отдавали ему поклон. Сам же Сторожев не имел воли выразить почтительность к священному сану Царя и лишь «молчаливо приветствовал» Семью. «Молчаливо приветствовал»! Какое страшное признание в цареотступничестве стоит за этими словами. Еще недавно он дерзнуть не мог помыслить даже о чести оказаться вблизи Помазанника Божия, а теперь «молчаливо приветствовал» Его Величество, то есть кивал ему головой, отвергая в страхе иудейском голос совести, что Царь остался Царем, что воля людская, отвергшая Его Самодержавие и презревшая Его Помазанничество — ничто в очах Божиих.

Такие, как Сторожев, спешно собирали соборы и собрания в уездах и губерниях, чтобы засвидетельствовать свою поддержку «новому строю», а на самом деле, чтобы предать поруганию Царство. «Духовенство города Екатеринодара выражает свою радость в наступлении новой эры в жизни Православной Церкви...», «Омское духовенство приветствует новые условия жизни нашего Отечества как залог могучего развития русского национального духа», «Из Новоузенска. Отрекаясь от гнилого режима, сердечно присоединяюсь к новому. Протоиерей Князев», «Общее пастырское собрание города Владивостока — оплота далекой окраины Великой России приветствует обновленный строй ее», «Прихожане Чекинской волости Каинского у. Томской губ. просили принести благодарность новому Правительству за упразднение старого строя, старого правительства и Воскресение нового строя жизни. От их имени свящ. Михаил Покровский», «Духовенство Чембарского округа Пензенской епархии вынесло следующую резолюцию: В ближайший воскресный день совершить Господу Богу благодарственное моление за ниспосланное Богохранимой державе Российской обновление Государственного строя, с возглашением многолетия Благоверным Правителям. Духовенство округа по собственному своему опыту пришло к сознательному убеждению, что рухнувший строй давно отжил свой век», «Тульское духовенство в тесном единении с мирянами, собравшись на свой первый свободный епархиальный съезд, считает своим долгом выразить твердую уверенность, что Православная Церковь возродится к новой светлой жизни на началах свободы и соборности», «Из Лабинской. Вздохнув облегченно по случаю дарования Церкви свободы, собрание священно-церковнослужителей принимает новый строй»...

Духовенство всей России — от Витебска до Владивостока, от Якутска до Сухума — представлено в таких вот телеграммах. Как затмение нашло на этих облеченных долгом людей, доверившихся революционной пропаганде, начитавшихся газетной травли, напитавшихся крамольным духом демократии, в безотчетности, что нарушают присягу, принесенную ими при поставлении в священнический сан на верность Государю Императору, которую Государь Император для них не отменял:

«Обещаюсь и клянусь Всемогущим Богом пред Святым Евангелием в том, что хощу и должен Его Императорскому Величеству, своему истинному и природному Всемилостивейшему Великому Государю, Императору Николаю Александровичу, Самодержцу Всероссийскому, и законному Его Императорского Величества Всероссийского Престола Наследнику верно и нелицемерно служить и во всем повиноваться, не щадя живота своего до последней капли крови... В заключение сего клятвенного обещания моего целую Слова и Крест Спасителя моего. Аминь».

Как можно было не ведать православному священству, что нарушение присяги, принесенной ими на Евангелии, что осквернение ими крестоцелования навлекут на них страшные бедствия, ведь отречение от Царя Помазанника Божьего являлось отречением от самого Господа и Христа

Его. Но это в тот час никого не пугало, одна за другой летели в Святейший Синод телеграммы: «Обер-прокурору Св. Синода. 10.3. 1917. Из Новочеркасска. Жду распоряжений относительно изменения текста присяги для ставленников. Крайняя нужда в этом по Донской Епархии. Архиепископ Донской Митрофан». Чудовищно, но к ставленнической присяге священника Царю отнеслись как к устаревшему и должному быть упраздненным обычаю, не более…

Март 1918-го. Убит священник станицы Усть-Лабинской Михаил Лисицын. Три дня водили его по станице с петлей на шее, глумились, били. На теле оказалось более десяти ран и голова изрублена в куски. Это отсюда, из Лабинской, неслось в Синод приветствие собрания священнослужителей новому строю.

Апрель 1918-го. В Пасху, под Святую заутреню, священнику Иоанну Пригоровскому станицы Незамаевской, что рядом с Екатеринодаром, выкололи глаза, отрезали язык и уши, за станицей, связавши, живого закопали в навозной яме. Духовенство Екатеринодара всего год назад выражало радость от наступления новой эры в жизни Церкви.

Весной 1918-го в Туле большевики расстреляли крестный ход из пулеметов. Совсем недавно тульское духовенство «в тесном единении с мирянами» надеялось на возрождение Церкви «к новой светлой жизни на началах свободы и соборности».

Июль 1919-го. Архиепискокой Донской и Новочеркасский Митрофан сброшен с высокой стены и разбился насмерть. Это он четыре месяца назад торопил Синод с изменением текста присяги для ставленников.

Март 1920-го. В Омской тюрьме убит архиепископ Сильвестр Омский и Павлодарский. Это подчиненное ему духовенство одобряло телеграммой новые условия жизни Отечества…

Армия и Церковь — две организованные русские силы, которые согласно Законам Русского Царства и приносимой каждым из служащих присяге обязаны были защищать Русское Царство, Государя и Его Наследника до последней капли крови, нарушили и закон, и присягу и понесли за это наказание, узрев в лицо, что есть чудо гнева Божия. Не видеть Божьего воздаяния за нарушение клятвы и за свержение Царя (именно за свержение, а не добровольное отречение!) в последовавших за этим революционных событиях — в большевистском восстании, в Гражданской войне, в гонениях против Церкви — значит ничего не понимать в русской истории, совершающейся по Промыслу Божию.

Судьбы армии и Церкви явились предтечей судьбы всего русского народа, который не мог не ответить за Цареотступничество, весь народ ответил за грех многих из него. Именно в нарушении клятвы — Соборного Постановления 1613 года на вечную верность русских царскому роду Романовых — причина нескончаемых русских бед.

Государя убила горстка «выродков земли родной», но грех Цареубийства лег на всех русских и будет лежать, отягощая нас Божьими казнями, доколе соборно не покаемся в содеянном. Ведь и Христа убили немногие иудеи, но грех Богоубийства лежит на всем еврейском народе и будет лежать печатью богоотверженности до скончания веков. Наш же грех подобен иудейскому во всем, ведь иудеи прогнали Господа, а мы прогнали Царя, на котором благодатно пребывал Господь. Мы уподобились богоненавистникам-иудеям в том, что поверили иудейской лжи о черных делах Императора и Его Семьи, не Иоанну Кронштадтскому поверили, говорившему: «Царь у нас праведной и благочестивой жизни», а газетным клеветам и вымыслам, умело внедряемым в сознание «читающей публики» еврейскими идеологами, которые две тысячи лет назад Господа Нашего Иисуса Христа оклеветали, «ложью схватили и убили» (Мф.26,4). Как когда-то евреи-богоубийцы «заплевали лице Христа и пакости Ему деяли» (Мф.26,67), ведомому на крестную смерть, так и русские выродки, обвиняя Царя и Царицу в измене, требовали расправы и даже останавливали на путях поезд, везший Семью в Тобольск, кричали: «Николашка, кровопийца, не пустим!». Превыше сил человеческих Царю терпеть поношение от своего народа, но Он, как Христос, терпел и молчал. Из Тобольска в Екатеринбург Его, Государыню и великую княжну Марию везли на телегах, устланных соломой, взятой от свиней. «Режим Царской Семьи был ужасен, их притесняли... Княжны, по приезде в Екатеринбург, спали на полу, не было для них кроватей». А Государь и Государыня говорили, скорбя и терпя: «Добрый, хороший, мягкий народ. Его смутили худые люди в этой революции. Ее заправилами являются жиды. Но все это временное. Это все пройдет. Народ опомнится, и снова будет порядок». Так говорил Сам Христос: «Отче, отпусти им, не ведают бо, что творят» (Лк.23,34).

Вторя еврейской пропаганде, мы называли Царя Кровавым, хулили Его матерными ругательствами в надписях на стенах Ипатьевского дома. Поносные слова на Царя и Царицу писали так, чтобы их видели царские дети, похабные частушки распевали так, чтобы их слышали царские дети. Мучители особенно любили издеваться над детьми Императора, ведь это больнее всего сердцу родителей. Один из убийц, Проскуряков, на допросе у Соколова показал: «А раз иду я по улице мимо дома и вижу, в окно выглянула младшая дочь Государя Анастасия, а Подкорытов, стоявший тогда на карауле, как увидал это, и выстрелил в нее из винтовки. Только пуля в нее не попала, а угодила повыше в косяк».

Мы подобно иудеям-богоборцам участвовали в убиении своего Богоносного Царя. Говорю «мы», потому что на нас сегодняшних лежит вина за грех предков, даже если бы подручными убийц были лишь рабочие Екатеринбурга, но ведь вся многочисленная русская челядь рядом с Юровским и Голощекиным, все эти охранники, водители, чекисты были извергнуты в Екатеринбург из разных концов России: Якимов — из Перми, Путилов — из Ижевска, Устинов — из Соликамска, Прохоров — из Уфы, Осокин — из Казани, Иван Романов — из Ярославля, Дмитриев — из Петрограда, Варакушев — из Тулы, Кабанов — из Омска, Лабушев — из Малороссии...

Да, в Тобольске заправилами царского заточения были руководители местного совдепа Дуцман, Пейсель, Дицлер, Каганицкий, Писаревский, Заславский, но непосредственная охрана царственных узников была почти сплошь русская! Да, это Свердлов, Ленин, Белобородов, Голощекин, Сафаров, Радзинский приговорили Царя к смерти, да, это Юровский первым выстрелил в Государя, но рядом с ним стоял и стрелял в русского Царя русский Павел Медведев, сысертский рабочий, первый подручный Юровского. Да, уничтожать тела царственных мучеников, замывать их кровь на полу и стенах, грабить их вещи приказывали Юровский, Голощекин, Войков, Никулин, Сафаров, Белобородов.., но исполняли все это, не противясь и совестью не мучаясь, русские Леватных, Партин, Костоусов, Якимов, Медведев... Да, в Екатеринбургской «чрезвычайке» были Горин, Кайгородов, Радзинский, Сахаров, Яворский, но это русская нежить Медведев говорил следователю Соколову: «Вопросом о том, кто распоряжался судьбой Царской Семьи и имел ли на то право, я не интересовался, а исполнял лишь приказания тех, кому служил... Я догадался, что Юровский говорит о расстреле всей Царской Семьи и живших при ней доктора и слуг, но не спросил, когда и кем было постановлено решение о расстреле».

Это мы, русские, предали Царя иноплеменникам, это мы, русские, стреляли в Его жену, в Его детей, и за верную службу иудеям получали свои сребреники, уподобясь Иуде-предателю, вопрошавшему у архиереев платы за Христа: «что мне дадите, и я предам Его» (Мф.26,15). Вот документ-расписка через три дня после убийства: «20 июля 1918 года получил Медведев денег для выдачи жалованья команде дома особого назначения от коменданта Юровского десять тысяч восемьсот рублей».

Христос сказал об Иуде: «Добро бы было если бы не родился человек тот» (Мф.26,24). Лучше бы было не родиться и тем русским медведевым, что убили Государя, а после убийства «разделили ризы Его» подобно Христовым одеждам, растащили, как расклевали, скромное царское имущество: старые брюки с несколькими заплатами и датой их пошива на пояске «4 августа 1900 года», принадлежавшие Государю; кожаный саквояж, суконные перчатки, пуховые носки, два серебряных кольца великих княжон; бинокль; три вилки, термометр, рашпиль; гребешок, мыльницу, детские игрушки Наследника — оловянных солдатиков, пароходик, лодочку... Ботинки Государыни и сапожки великих княжон чекисты роздали своим женам и любовницам, пуховая подушка откочевала к комиссаровой жене. Не тронули иконы и книги. На полке остались стоять Новый Завет и Псалтирь, Молитвослов Императора, «Великое в малом» Нилуса, «Лествица» Иоанна Лествичника с пометами Государыни и ее же книга «О терпении скорбей». С иконы Феодоровской Божьей Матери содрали золотой венчик и звезду с бриллиантами, обобранную оставили стоять на столе рядом с Богородичной иконой «Достойно есть», где в руках Богомладенца свиток со словами «Дух Божий на Мне ради Помазанничества Моего благовествуется смиренным, следующим за мной».

Троекратно отверглись мы Государя-Богоносца. Впервые — когда поверили мнимому царскому отречению. Другой раз — когда допустили заточение и гибель Государя. Ведь даже когда специально созданная комиссия Временного правительства не обнаружила за Семьей и Государем никаких преступлений (им ли было судить Его!), пленение продолжилось и жить Семье стало еще тяжелее. Вспомним Пилата, не нашедшего в Словах Господа «ничего достойного смерти», и толпу иудеев, усилившую после того свой голос с требованием распятия (Лк.23). Русские люди отверглись Царя и в третий раз — когда промолчали в ответ на известие о Его смерти. И даже панихиды по Нему и Семье, отслуженные в Добровольческой Армии по приказу А. И. Деникина, вызвали, если верить словам генерала, «жестокое осуждение в демократических кругах и печати». А ведь большевики боялись народного восстания в ответ на готовившееся ими убийство Царя. Они прежде запустили в газеты несколько ложных сообщений о расстреле Николая Второго в ожидании того, «что скажет на это русский народ». Русский народ не сказал ничего. И действительная гибель Государя и Его Семьи не повлекла за собой даже глухого ропота толпы. Неверующая Марина Цветаева, которую трудно заподозрить в симпатиях к монархии, с изумлением писала, как люди, слыша на улицах крики газетчиков о расстреле Царя, равнодушно отворачивали глаза, спешили по своим делам...

«И Русь спасать Его не встала»... Не встали русские люди спасать своего Царя, а должны были, обязаны были по долгу принесенной в 1613 году Соборной клятвы на вечную верность роду Романовых, по долгу христианской совести с ее природным монархизмом, по долгу национального стояния русских за русского Императора перед скопищем захвативших власть иноплеменников и иноверцев. Так стоит ли нам удивляться и сетовать при нахождении на Россию и ее народ нескончаемой череды национальных бедствий и безбожных правителей, нам, русским, отягощенным по сей день наследным грехом наших предков — грехом отречения от своего природного Царя!

Были и небыли о царствовании Николая II: кому нужна мистификация истории

В 2000 году Государь Император Николай Александрович, Его Семья и претерпевшие с Ним до конца Его слуги были канонизированы Русской Православной Церковью, и христиане, молившиеся им келейно, служившие со стесненным сердцем им панихиды, готовились радостно исповедать их святость в соборных службах и молебнах. Но удивительное затишье почитания святых Царственных мучеников возникло в церковном обществе. Смолкли покаянные панихиды по злодейски убиенным Царю и Царице, по их безвинно умученным детям, но так и не стало слышно ни служб, ни молебнов, редко поются торжественные акафисты. Словно канонизацией остудили пыл горячих почитателей Государя: раз просите — дадим вам страстотерпцев, а далее — испуганное замалчивание.

Что же остановило еще недавно вздымавший Россию неустрашимый покаянный вал народного почитания Царственных святых, молитвенного стояния перед Их чудотворными мироточивыми иконами, победного порушения в сердцах и умах столетие внушаемой неприязни и ненависти к Царю? Может, двоедушие членов Синода, таких, как митрополит Нижегородский Николай. Проголосовав за канонизацию, они не постыдились заявить о неправомочности канонизации Царской Семьи, а иные, как митрополит Ювеналий, сразу после принятого Синодом решения о канонизации, развели руками перед миллионами телезрителей: «Фигура Царя политически сложная, вопросов много, но... чудеса, но... мироточивая икона...» Или, может быть, Московскую Патриархию устрашила Антидиффамационная лига, сразу после канонизации Царя опубликовавшая заявление, которое вернее назвать ультиматумом, настолько явственны были в нем угрозы: «Антидиффамационная лига выражает надежду, что решение Русской православной церкви о канонизации Николая II и членов его семьи будет способствовать *развенчанию* бытующего среди определенной части верующих и священнослужителей *антисемитского мифа о ритуальном характере убийства царской семьи.* Для еврейской общины не может пройти незамеченным тот факт, что в процессе изучения возможности канонизации последнего императора комиссия РПЦ *сняла с повестки дня вопрос о ритуальном убийстве.* АДЛ полагает, что, сделав этот шаг, церковь выразила свое отношение к длящимся не одно десятилетие *спекуляциям по поводу «иудейского следа» екатеринбургской трагедии 1918 года.* Сам факт трагической кончины царской семьи, широко обсуждаемый в последние годы, *не должен заслонять реальной исторической фигуры и поступков царя и его окружения, в том числе и их неприкрытый антисемитизм.* Нам хочется верить, что решение о канонизации Николая II, принятое на основании факта его смерти, *не будет истолковано православной общественностью как одобрение руководством церкви всех особенностей жизненного пути и личности монарха.* Очень важно, чтобы решение о канонизации *в том виде, в каком оно было принято Собором,* стало известно самому широкому кругу мирян и священнослужителей...» («Международная еврейская газета». — 2000, №30 (311).

Почему вдруг иудеи, потомки, единоверцы, единоплеменники тех, кто ритуально, жестоко, мученически истребил правящую Россией династию, удовлетворены решением Русской православной церкви о прославлении тех, чья кровь на еврейских руках, и почему они считают нужным подчеркнуть, что удовлетворены не просто решением о канонизации, а именно в том виде, в каком оно было принято Собором, да при этом считают важным (важным для себя!), чтобы особенность принятого решения была растолкована самому широкому кругу православных мирян и священнослужителей. Что же такого сокрытого, не сразу очевидного даже священнослужителям может быть в решении Собора о канонизации Царской семьи?

Иудеи удовлетворены тем, что Царская семья Романовых возведена в сонм *страстотерпцев*, не мучеников, обратите внимание, а именно страстотерпцев. В чем разница? Чин мученика есть подвиг смерти за Христа от рук иноверных. Страстотерпцами признаются те, кто принял мучение от своих, единоверных христиан. По страстотерпческому чину канонизации получается, что Государь с Семьей умучены своими же единоверными христианами. Вот если бы Архиерейский Собор признал очевидное, что Царь умучен до смерти иноверцами, иудеями-богоборцами, тогда бы он был не страстотерпцем, а великомучеником. Вот чем удовлетворены евреи, вот что они имеют в виду, когда предъявляют Московской Патриархии ультиматум: «Очень важно, чтобы решение о канонизации *в том виде, в каком оно было принято Собором*, стало известно самому широкому кругу мирян и священнослужителей».

За всю тысячелетнюю историю христианства в России немногие святые прославлены в чине страстотерпцев. «Исторически страстотерпцами именуются святые, принявшие мученическую кончину не от гонителей христианства, но от своих единоверцев» (*Русские святые. — М., 2001, с.14*). Среди них святые Борис и Глеб, убиенные слугами своего брата-христианина Святополка, святые отроки Иаков и Иоанн Менюжские из Новгорода, убитые разбойниками из христиан... Государя с Семьей прославили в чине страстотерпцев, обособив их от сонма новомучеников — митрополита Владимира, митрополита Серафима, митрополита

Петра, алапаевских мучеников и многих, многих других. Выходит, Царскую семью убивали свои православные христиане, а остальных страдальцев за Веру и Христа убивали чужие — иноверцы и безбожники? Или Государь умер не за Христа? Да что гадать, притворяться незнающими, когда очевидно, что надо было угодить иудеям, отвести от них страшную вину в убийстве Помазанника Божьего Русского Православного Царя, заставить нас забыть об этом их злодейском преступлении. Не случайно же Правительственная комиссия во главе с Немцовым, решавшая судьбу останков, обнаруженных на окраине Екатеринбурга, отказалась рассматривать вопрос *о ритуальном убийстве Царской семьи*, и по этой же причине торопилась захоронить чьи-то останки, выдавая их за Царские, игнорируя все сомнения о принадлежности их царствующим Романовым, решив, что чем скорее уйдут в могилу екатеринбургские останки, тем быстрее вместе с ними уйдут и все разговоры о ритуальном убийстве Царской Семьи. Не случайно же еврейская Антидиффамационная лига выражает надежду, что решение Русской православной церкви о канонизации Николая II и членов его семьи, *в том виде, в каком оно было принято Собором*, будет способствовать *развенчанию* бытующего среди определенной части верующих и священнослужителей *антисемитского мифа о ритуальном характере убийства Царской семьи*. Но если это так, то прославление Царской Семьи в том чине, какой принят Архиерейским Собором, есть хула на святых Царственных мучеников и злонамеренное искажение их подвига во славу Христа Бога.

Вот и екатеринбургские останки выдали за царские, как хотели, и как хотели торопливо захоронили их, и даже канонизированы Царственные мученики не по чину их подвига, чего же врагам Государя все неймется? Почему злобные клеветы на святого Иоанна Кронштадтского, смолкли тотчас по его канонизации, все же опасное это дело — кидать грязью в святых, а здесь визгливый лай газет со ссылками на «многочисленные источники», свидетельствующие о Государе как о «бесхребетном, переменчивом, несмелом монархе», становится все яростнее, все злее, издаются «обнаруженные» вдруг мемуары, появляются все новые якобы свидетельства, и все это не исторической правды ради, а лишь для того, чтобы продолжать чернить святой образ, уничтожать святость дорогого для нас имени, преуменьшать число верных Царю людей. Да потому что верность святому Государю, по слову преподобного Серафима Саровского, есть залог освобождения России от почти уже столетие длящегося ига, «агарянского и ляшского злейшего». Вот эти слова: «Когда правая за Государя стоявшая сторона получит победу и переловит всех изменников, и предаст их в руки правосудия, тогда уж никого в Сибирь не пошлют, а всех казнят — и вот тут-то еще более прежнего крови прольется, но эта кровь будет последняя, очистительная кровь, ибо после этого Господь благословит люди своя миром...» (Письмо Мотовилова Императору Николаю I // Серафимово послушание. — М., 1996).

Кто и как создал миф об «отречении» Государя

Круг свидетельств Царствования Государя Николая Александровича, а именно саму державную деятельность Императора ставят Ему в вину хулители святой Семьи, этот круг источников очень велик. Кажется, все, кто ни соприкасался Царю и выжил после большевистского переворота, оставили свои записки, мемуары, отзывы. Немало свидетельств и дореволюционных лет. Самое ценное, что дошли до наших дней собственной руки Государя, Царицы, Великих Княжен дневники, переписка, пометы в книгах и документах, выписки из них. Мы читаем их сегодня опубликованными, преодолевая чувство неловкости вторжения в частную жизнь Царской Семьи — не для нас в письмах и дневниках поминается ими пережитое, но все же читаем, так как и письма, и дневники, и книжные заметки свидетельствуют о чистоте помыслов Государя лучше, чем любое измышление последующих летописцев, глубокомысленные опусы историков-комментаторов с осуждением того или иного поступка, политического решения Государя. Как же редки чистые, незамутненные издания, посвященные Государю, Его Семье, такие, как публикация писем святых Царственных мучеников из заточения (*СПб, 1998*). Чаще же тексты писем и дневников искажены, дополнены измышлениями недобросовестных составителей, переводчиков или заведомо враждебных публикаторов, наглядный пример тому многотомная переписка Их Императорских Величеств (Центрархив. Переписка Николая и Александры Романовых. — М.- Л., 1923-1924).

Рассмотрим же, кто берется свидетельствовать о царствовании Императора Николая Александровича. Среди свидетелей много сановников, бывших когда-то рядом с Государем, но служивших не Ему, не России, — служивших одному лишь своему тщеславию, заботившихся лишь о собственной карьере. Корыстью руководствовались они, хуже того, проводя политику иудо-масонства, противостояли Государю, искажая суть Его решений, противодействуя Его воле, а удаленные за это из правительства, из окружения Царя, в утешение уязвленного самолюбия, в оправдание себя, клеветали на Государя, приписывая ему то скрытность, хитрость, непомерную жестокость, то, напротив, бессилие, безволие, бесхребетность.

Таков, к примеру, начальник Канцелярии Двора генерал Мосолов, до конца своих дней не избывший личных обид на Императора и Императрицу, жестко ограничивших его властные амбиции, а потом и вовсе отдаливших его от Двора. Мщеньем, неприязнью, злобой пропитаны все его мемуары, ставшие, однако, для многих исследователей авторитетным первоисточником: «Со дня заболевания Государя (в 1902 году Николай Александрович болел тифом в Ливадии. — *Т.М.*) Императрица явилась строгим цербером у постели больного, не допуская к нему не только посторонних, но и тех, которых желал видеть сам Государь… Увы. Горизонты мысли Государыни были много уже, чем у Государя, вследствие чего ее помощь ему скорее вредила» (6, с.190). Насколько Мосолов объективен в своих оценках, можно судить по его же собственному признанию, как в 1916 году он пытался подкупить Григория Ефимовича Распутина, чтобы тот помог укрепить его, Мосолова, пошатнувшиеся позиции в глазах Императора. Затея не удалась, Мосолова удаляют от Двора и направляют посланником в Бухарест. Через несколько лет, уже в эмиграции, себе в оправдание Мосолов внесет свою лепту в историографию правления последнего Романова: «Он увольнял лиц, даже долго при нем служивших, с необычайной легкостью. Достаточно было, чтобы начали клеветать, даже не приводя никаких фактических данных, чтобы он согласился на увольнение такого лица... Менее всего склонен был Царь защищать кого-нибудь из своих приближенных... Как все слабые натуры, он был недоверчив» (*Мосолов А. А. При дворе последнего Российского императора. — М., 1993*).

Еще более откровенен в своей злобе на Государя, сполна выплеснутой в мемуарах, священник Георгий Шавельский, по должности протопресвитера русской армии и флота он виделся с Императором в Ставке в 1915-1917 годы. Сколько он мог видеть Государя, сколько времени наблюдал его, чтобы позволить себе судить о Государе, ко времени написания мемуаров уже убиенном в Екатеринбурге вместе с Семьей, тоном снисходительной «объективности»: «Сам государь представлял собою своеобразный тип. Его характер был соткан из противоположностей. Рядом с каждым положительным качеством у него как-то уживалось и совершенно обратное — отрицательное» (*о. Георгий Шавельский. Из воспоминаний последнего протопресвитера русской армии и флота // Государственные деятели России глазами современников. Николай II. Воспоминания. Дневники. — СПб., 1994*). Каждое качество Государя оценено! Ведь так и пишет Шавельский — каждое! Спрашивается, когда же успел протопресвитер армии и флота так досконально изучить Государя, уж не за зваными ли обедами и завтраками, на которые он удостаивался чести быть приглашенным и которые в деталях описал (и что подавали, и как сервировали, и что суп был всегда плох), но ведь именно эти доверительные подробности усыпляют бдительность скептически настроенного читателя и заставляют его без всякого отпора принимать и явную клевету, замаскированную под свидетельства очевидца, и даже абсурдные, противоречащие друг другу утверждения о якобы не замечаемом Императором кризисе в России и попытках его, Шавельского, открыть на это Государю глаза.

А сколько ссылок на Шавельского! Как же, как же — свидетель, очевидец, на самом же деле — лжесвидетель, лжеочевидец. Видев лишь дважды Распутина, и то издалека, Шавельский уверенно повествует о его пьянстве в церковном доме «Трапеза», о том, как затем в квартире Вырубовой Императрица «подошла к его креслу, стала на колени и свою голову положила на его колени. «Слышь! Напиши папаше, что я пьянствую и развратничаю, развратничаю и пьянствую», — бормотал ей заплетающимся языком Распутин» (там же). В красках представленная сцена сопровождается невинной ремаркой Шавельского: «Меня так поразила тогда нарисованная о. Васильевым картина, что я забыл спросить, **кто именно** рассказывал ему о происходившем в квартире Вырубовой». Такие вот мемуары, «свидетельства эпохи»: кто-то сказал кому-то, а тот, кто это якобы передал, — священник Александр Васильев, ко времени появления сочинения Шавельского уже скончался.

Как Шавельский разбирается в людях, насколько прозорлив и непредвзят, можно судить по описанному им самим разговору его с Царем о митрополите Питириме. «Самое ужасное в том, что на Петроградском митрополичьем престоле сидит негодный Питирим…» — убеждал Государя Шавельский. «Как негодный! У вас есть доказательства для этого?» — «Я более года заседаю с ним в Синоде и пока еще ни разу не слышал от него честного и правдивого слова. Окружают его лжецы, льстецы и обманщики. Он сам, Ваше Величество, лжец и обманщик. Когда трудно будет, он первый отвернется от вас». Митрополит Питирим оказался единственным членом Синода, не изменившим Государю, а Георгий Шавельский сразу отрекся от Царя, после октября 1917 года стал лидером «церковного большевизма», преобразованного в «обновленчество».

Стремление выгородить себя, очернив Императора, очевидно и в мемуарах великого князя Александра Михайловича. Понятна была его обида на Государя, который

129

в соответствии с династической традицией Романовых жестко пресекал любые попытки политического влияния своих родных, поощряя их только к военной службе: «Я не могу позволить моим дядям и кузенам вмешиваться в дела управления» (В. кн. Александр Михайлович. Книга воспоминаний // Николай II. Воспоминания. Дневники. — Спб., 1994). Но в. кн. Александр Михайлович был неудачником и во всех военных начинаниях. Его официальная записка о реформе русского военного флота, поданная Императору в дни восшествия Его на престол, привела Александра Михайловича к немедленной отставке, так как предложенные великим князем проекты вели к разрушению морских сил. Второй попыткой «послужить Отечеству» явилась для Александра Михайловича организация «так называемой «крейсерской войны», «имевшей целью следить за контрабандой, которая направлялась в Японию» во время русско-японской кампании 1904—1905 годов. Своими неуклюжими действиями Александр Михайлович едва не спровоцировал тогда вступление в войну Англии и Германии. Наконец, назначенный в революционном 1905 году командующим флотилией минных крейсеров Балтийского флота, этот великий князь-флотоводец едва не стал заложником у взбунтовавшихся матросов собственного флагманского крейсера. И что делает великий князь? Бежит в 1905 году из России! В пору тяжелейших для России испытаний пребывает с семьей во Франции — отдыхает, путешествует, развлекается с женщинами. «Я должен бежать. Должен». Эти слова как молоты бились в моем мозгу и заставляли забывать о моих обязанностях перед престолом и родиной. Но все это потеряло для меня уже смысл. Я ненавидел такую Россию».

Все это не помешало потом Александру Михайловичу, которому наскучили европейские «ежегодные программы», на правах ближайшего родственника (зять Царя!) явиться к Государыне и потребовать от нее ни много ни мало — «установления конституционной формы правления»: «В течение двадцати четырех лет, Аликс, я был твоим верным другом. Я и теперь твой верный друг, но на правах такового я хочу, чтобы ты поняла, что все классы населения настроены враждебно к вашей политике... Я убежден, что если бы Государь в этот опаснейший момент образовал правительство, приемлемое для Государственной думы, то это уменьшило бы ответственность Ники и облегчило его задачу» (Николай и Александра. Любовь и жизнь. — М., 1998).

Великий князь Александр Михайлович — изменник, и, чувствуя за собой грех, он выгораживает себя в воспоминаниях, обвиняя в разрушении Самодержавия Царскую Семью и Самого Императора. Чего стоит его мемуарная выдумка о «робости», «нерешительности», «слабости» Николая Второго, о его якобы признаниях в нежелании управлять Россией. Эти никогда нигде никем и ничем не подтвержденные слова Александр Михайлович не без удовольствия приписал Государю, и пошли они гулять из одного исторического сочинения в другое — невозможные в устах Наследника Престола, 17 лет готовившегося к Верховному управлению. Глупая трусливо-просительная, но заискивающая по отношению к Александру Михайловичу фраза: «Сандро, что я буду делать! Что будет теперь с Россией? Я еще не подготовлен быть царем! Я не могу управлять империей. Я даже не знаю, как разговаривать с министрами. Помоги мне, Сандро!» (В. кн. Александр Михайлович. Книга воспоминаний // Николай II. Воспоминания. Дневники. — Спб., 1994). И какое самодовольство «воспоминателя», мстительно тешившего свое самолюбие неудачника: «Я старался успокоить его и перечислял имена людей, на которых Николай II мог положиться, хотя и сознавал в глубине души, что его отчаяние имело полное основание и что мы все стояли перед неизбежной катастрофой».

Александр Михайлович — один из многих членов Царской фамилии, открыто предавших своего Царя. Их последующая судьба — изгнание и забвение — закономерный, Богом данный конец за отношение к Трону. Их воспоминания и оценки Государя, власть которого они подгрызали из зависти, уязвленной гордости, притязаний на власть, а потом эту желчь, неудовлетворенное самолюбие сполна выплеснули в своих писаниях, такие их воспоминания не имеют документальной ценности, они лишь свидетельство низменности предательских натур, хоть и императорской крови. Одна лишь Ольга Александровна, младшая сестра Государя, решилась впоследствии произнести покаянные слова о вине всей Царской фамилии: «Я снова скажу, что мы все заслуживаем порицания... Не было ни одного члена семьи, к которому Ники мог бы обратиться... Какой пример мы могли дать нации?» (Николай и Александра. Любовь и жизнь. — М., 1998).

Не могут считаться достоверными и воспоминания царских генералов, которые, искажая правду, предавая истину, выгораживают себя, оправдывая свою измену Трону и присяге. Вина армии, как и вина священства, и членов царской фамилии, — все они особо присягали на верность Государю и Его Наследнику перед Крестом и Св. Евангелием, — уже в первые дни после отречения была столь очевидной, и затем так явно была осознана русскими в эмиграции, что многие офицеры-клятвопреступники и изменники-генералы поспешили оправдаться в мемуарах, но оправдываться они решили только одним — чернить Императора и Императрицу, возлагать на них ответственность за гибель Империи. Начальник Штаба главнокомандования Северным фронтом в 1914—1917 гг. генерал Ю. Н. Данилов опубликовал в Берлине свои мемуары, где попытался доказать, что отречение явилось не в результате заговора главнокомандующих во главе с Алексеевым и революционного Временного комитета Госдумы, т.е. «не в качестве принудительного революционного действия», но отречение Императора — это «лояльный акт, долженствовавший исходить сверху и казавшийся наиболее безболезненным выходом из создавшегося тупика» (*Данилов Ю. Н.* Мои воспоминания об императоре Николае II и в. кн. Михаиле Александровиче // Государственные деятели России глазами современников. Николай II. Воспоминания. Дневники. — СПб., 1994).

Этот генерал, по отзывам сослуживцев, «крайне властный, самолюбивый, с очень большим о себе мнением», в бытность великого князя Николая Николаевича верховным главнокомандующим занимал должность генерал-квартирмейстера Ставки и в дни успехов на фронте «изображал из себя чуть ли не гения, великого полководца, и это было уж слишком» (*Кондзеровский П.К.* В Ставке Верховного. — Париж, 1967). При смене командования, когда Верховным стал Государь, Данилова не оставили в Ставке, ему предложили дивизию, чем «гений» полководческого искусства был страшно обижен, упросил дать ему корпус, но очень скоро поместился в удобной и престижной должности начальника Штаба командования Северным фронтом, однако злобу на Государя затаил и в феврале 1917 года ее сполна выместил.

Смута, поднятая изменой генералитета армии, и генерала Данилова в том числе, разметала Императорскую Россию в клочья, и Данилов хотел, рвался оправдаться, силился показать, доказать, что в дни отречения, а Данилов присутствовал на всех переговорах Императора с Рузским, Гучковым, Шульгиным, «не было ни измены, ни тем более предательства» (*Данилов Ю. Н.* Мои воспоминания об императоре Николае II и в. кн. Михаиле Александровиче // Государственные деятели России глазами современников. Николай II. Воспоминания. Дневники. — СПб., 1994). Слова Государя Николая Александровича «кругом измена, и трусость, и обман» бередили совесть многих предателей. И, чтобы снять с себя обвинение в тяжком преступлении, Данилов утверждает, что отречение Государя было добровольным, потому что, во-первых, «с ночи на 1 марта в царских поездах не существовало настроения борьбы и в ближайшем к царю окружении только и говорили о необходимости «сговориться с Петроградом», во-вторых, начальник Штаба Верховного главнокомандующего Алексеев, равно как и главнокомандующие фронтами вовсе не понуждали Государя к отречению, они лишь представили «честно и откровенно свои мнения на высочайшее воззрение», и ни слова о наглом предложении изменника Рузского Царю — «сдаться на милость победителя», напротив, Данилов сетует на «людскую клевету и недоброжелательство».

Данилов лжет, что генералы Алексеев и Рузский, и он, Данилов, лишь «присоединились» к мысли об отречении, «высказанной по этому поводу М. В. Родзянкой», а Алексеев «передал ее на заключение командующих фронтами». На самом деле телеграмма Алексеева командующим содержала вопрос с уже подсказанным ответом: «Обстановка, по-видимому, не допускает иного решения». Впрочем, в воспоминаниях А. А. Брусилова есть еще одна интересная подробность «запроса» Алексеева к главнокомандующим: «Временное Правительство ему объявило, что в случае отказа Николая II отречься от Престола оно грозит прервать подвоз продовольствия и боевых припасов в Армию, поэтому Алексеев просил меня и всех главнокомандующих телеграфировать Царю просьбу об отречении» (*Брусилов А. А.* Мои воспоминания. — М., 1929). Поскольку Брусилов в своих воспоминаниях не оправдывался за отречение (он писал их в 1922 году для большевиков), можно доверять этому свидетельству о преступном шантаже Алексеевым главнокомандующих фронтами. И, прислав эти изменнические «воззрения», «невинный» Алексеев следом шлет «проект манифеста на случай, если бы Государь принял решение о своем отречении в пользу цесаревича Алексея» (*Данилов Ю. Н.* Мои воспоминания об императоре Николае II и в. кн. Михаиле Александровиче // Государственные деятели России глазами современников. Николай II. Воспоминания. Дневники. — СПб., 1994). А Рузский спешит заставить Государя поверить в безвыходность положения, лжет о движении на Псков броневых автомобилей с восставшими солдатами, лжет о восстании гвардейских полков, посланных Императором на усмирение Петрограда (это генерал Алексеев запретил генералу Иванову, которому Царь лично приказал идти на Петроград, выполнять приказ Монарха). Рузский пытается запугать Царя возможным кровопролитием в Царском Селе, тем что Москва охвачена революцией…

Но главное, что придумали себе в оправдание заговорщики, и Данилов в том числе, стремясь подчеркнуть официальный характер происшедшего, а не насильственное закулисное выкручивание рук Императору, — ложь о том, что Государем был составлен и подписан **Манифест об отречении от Престола**.

История с так называемым Манифестом об отречении Государя Николая II крайне запутана всеми свидетелями этого страшного для России события именно потому, что все они соучастны в клятвопреступлении, в насильственном сведении Императора с Трона. Пленившим Государя во Пскове изменникам-генералам и думским масонам нужно было добиться от Царя именно Манифеста об отречении, чтобы создать видимость добровольной сдачи страны революционерам. Причем Манифест задумывался заговорщиками с передачей власти наследнику — маленькому Алексею Николаевичу, которого легко потом устранить, заменить, наконец, уморить, сославшись на неизлечимую болезнь ребенка. Николаю Александровичу была памятна судьба царевича Димитрия, якобы наткнувшегося на нож в припадке болезни. Государь ломает масонский «сценарий» переворота, заявив о передаче Престола брату Михаилу. Государь намеренно поступает противозаконно, имитируя передачу Царской власти, минуя законного Наследника. Он легко соглашается подписать незаконный документ, который все «свидетели отречения» называют Манифестом, но который на самом деле представляет собой телеграмму в Ставку единственному адресату — генералу Алексееву. Текст этой телеграммы под видом Манифеста торжествующий Алексеев спешно разослал в войска, и трагедия армии в том, что она не услышала призыва Государя к войскам — спасти Трон.

Что данная телеграмма Алексееву не является Манифестом об отречении, сразу бросается в глаза. В ней *отсутствует целый ряд полагающихся Манифесту формальных признаков*. Вот как, к примеру, был оформлен Высочайший Манифест об объявлении войны Германии: *Вступление*: «Божиею Милостию, Мы, Николай II, Император и Самодержец Всероссийский, Царь Польский, Великий Князь Финляндский и прочая и прочая, и прочая. Объявляем всем верным Нашим подданным...» — далее следует текст Манифеста, *и заключение*: «Дан в Санкт-Петербурге, в двадцатый день июля, лето от Рождества Христова тысяча девятьсот четырнадцатое, Царствования же нашего в двадцатое». В телеграмме отсутствует формальная *контрассигнация, необходимая для Манифеста*: «На подлинном Собственною Его Императорского Величества Рукою подписано: НИКОЛАЙ». Даже сама подпись Государя на телеграмме, выдаваемой за Манифест об отречении, *сделана карандашом*, хотя и залакирована верниром, но не по форме удостоверена министром Двора Фредериксом, причем эта подпись графа Фредерикса на документе почему-то не сохранилась.

Подлинный Манифест *мог вступить в силу только после его опубликования в соответствующем виде и в официальной печати*. Понимая это, генерал Рузский до приезда Гучкова и Шульгина на вопрос Фредерикса, как оформить детали, связанные с актом отречения, ответил, что «присутствующие в этом некомпетентны, что лучше всего Государю ехать в Царское Село и там все оформить со сведущими лицами» (*Саввич С.С.* Принятие Николаем II решения об отречении // Отречение Николая II. Воспоминания очевидцев. — Л., 1927). Однако уже Гучков настоял на немедленном подписании отречения, словно не замечая его незаконной формы, — плотный телеграфный бланк со странным для всенародного обращения покидающего Трон Императора адресом: «Ставка. Начальнику Штаба». Изменники торопились, до Царского Села далеко, там, глядишь, сыщутся верные Царю генералы, офицеры и войска, ведь признавали потом, после большевистского переворота, генералы-клятвопреступники: «Враги Рузского говорят, что он должен был... указать Родзянке, что он изменник, и двинуться вооруженной силой подавить бунт. Это, как мы теперь знаем, несомненно бы удалось, ибо гарнизон Петрограда был не способен к сопротивлению, Советы были еще слабы, а прочных войск с фронтов можно было взять достаточно» (*Рузский Н. В.* Беседа с ген. Вильчковским о пребывании Николая во Пскове 1 и 2 марта 1917 года // Отречение Николая II. Воспоминания очевидцев. — Л., 1927). Торопясь, хватают Гучков с Шульгиным телеграфный бланк, оставив дубликат, — такой же бланк с таким же текстом на хранение Рузскому, и мчатся в Петроград — объявлять о своей победе.

Словом, так называемое «отречение» Николая Второго — незаконный документ, намеренно составленный Императором с нарушением законов и по содержанию, и по форме. И многочисленные свидетельства о его законности и о добровольном сложении Государем Николаем Александровичем своих Царских полномочий есть сознательная фальсификация истории нарушившими долг и Присягу участниками событий. Вот почему генерал Данилов упорно твердит о двух экземплярах именно **Манифеста**! Ему очень нужно создать эту легенду о Манифесте, чтобы все, что натворили Рузский и Гучков, он и Шульгин, имело бы хоть малую видимость законности. Уже 2 марта 1917 года Данилова очень тревожила «юридическая неправильность» содеянного: «Не вызовет ли отречение в пользу Михаила Александровича впоследствии крупных осложнений ввиду того, что такой порядок не предусмотрен законом о престолонаследии?» (*Шульгин В. В.* Дни // Отречение Николая II. Воспоминания очевидцев. — Л., 1927). Дальнейший сценарий гибели Трона при передаче его Наследнику Алексею Николаевичу был четко прорисован В. В. Шульгиным, еще одним преступным организатором трагедии под названием «отречение»: «Если придется отрекаться и следующему — то ведь Михаил может отречься от престола... Но малолетний наследник не может отречься — его отречение недействительно. И тогда что они сделают, эти вооруженные грузовики, движущиеся по всем дорогам? Наверное, и в Царское Село летят — проклятые... И сделались у меня: «Мальчики кровавые в глазах» (там же). Вот что замышлялось революционерами, вот от чего спасал своего Сына и Трон Государь. Недаром Императрица Александра Федоровна безоговорочно приняла такое решение мужа: «Я вполне понимаю твой поступок... Я знаю, что ты не мог подписать противного тому, в чем ты клялся на своей коронации. Мы в совершенстве знаем друг друга, нам не нужно слов, и, клянусь жизнью, мы увидим тебя снова на твоем Престоле, вознесенным обратно твоим народом и войсками во славу твоего Царства. Ты спас царство твоего сына, и страну, и свою святую чистоту, и... ты будешь коронован Самим Богом на этой земле, в своей стране» (Николай II в секретной переписке // *Олег Платонов*. Терновый венец России. — М., 1996).

Недаром и Керенский, и Милюков, и Родзянко были так огорошены неожиданным текстом Царской телеграммы в Ставку и постарались спрятать ее, не объявлять, не публиковать, пока не получат «отречение» от великого князя Михаила Александровича. Милюков говорил: «Не объявляйте Манифеста... Произошли серьезные изменения... Нам передали текст... Этот текст совершенно не удовлетворяет...» (*Шульгин В. В.* Дни // Отречение Николая II. Воспоминания очевидцев. — Л., 1927). А вот свидетельство о том же генерала Вильчковского: «В пятом часу утра Родзянко и князь Львов вызвали к аппарату Рузского и объявили ему, что нельзя опубликовывать манифеста об отречении в пользу великого князя Михаила Александровича, пока они это не разрешат сделать.., для успокоения России царствование Михаила Александровича «абсолютно не приемлемо» (*Рузский Н. В.* Беседа с ген. Вильчковским о пребывании Николая во Пскове 1 и 2 марта 1917 года // Отречение Николая II. Воспоминания очевидцев. — Л., 1927).

Замысел Государя верно понял Шульгин и позже объяснял это, заодно выгораживал себя и выставлял себя чуть не соратником Императора: «Если есть здесь юридическая неправильность... Если государь не может отрекаться в пользу брата... Пусть будет неправильность! Может быть, *этим выиграется время*... некоторое время будет править Михаил, потом, когда все угомонится, выяснится, что он не может царствовать, и *престол перейдет к Алексею Николаевичу*» (*Шульгин В. В.* Дни // Государственные деятели России глазами современников. Николай II. Воспоминания. Дневники. — СПб., 1994).

Итак, документ, содержащий якобы «отречение» Императора Николая Второго, намеренно составлен Государем с нарушением Законов Престолонаследия, это сознавали и враги Императора — участники заговора. С какой целью Государь составил этот незаконный документ, подложно названный Даниловым, Шульгиным, Гучковым и другими заговорщиками «манифестом»? Во-первых, незаконная передача власти, минуя Наследника Престола, должна была призвать армию исполнить присягу и восстановить Самодержавие. Во-вторых, следующий свой удар революционеры должны были обрушить не на законного Наследника Престола — Алексея Николаевича, а на Михаила Александровича, который по призыву своего брата обязан был принять бой, оттянуть время, пока накал петроградской уличной стихии не стихнет, недаром были потом признания: «нас раздавил Петроград, а не Россия» (там же). Толпа, как известно, бунтует не долго и скоро растекается по домам, к женам, детям, к привычному труду. Но Михаил Александрович подчинился не воле Брата, а заговорщикам, которые ему угрожали. Они торопились «сломать» волю и без того неволевого Михаила, не понявшего ни в тот момент, ни потом своей жертвенной роли, предначертанной ему Царственным братом для спасения России и Самодержавия. Он испугался угроз Керенского, который, истерически заламывая руки, и было отчего паниковать Керенскому, в случае возвращения законного Царя — Керенского-Кирбиса ждала петля, и этот присяжный поверенный кричал великому князю, «каким опасностям он лично подвергнется в случае решения занять Престол: «Я не ручаюсь за жизнь вашего высочества…». В-третьих, Государь спасал не Сына, не Себя, составляя этот документ. Император спасал Свое Самодержавие и Свой Трон. Он должен был вернуться на этот Трон, возвращенный на него народом и верной присяге армией. Допустить цареубийства Государь не мог из сострадания к своему народу, который бы весь подпал под клятву Собора 1613 года…

В 1927 году большевики опубликовали все изданные к тому времени воспоминания о свержении монархии под названием «Отречение Николая II», сопроводив их предисловием еврейского публициста Михаила Кольцова, который злорадно, но очень точно написал об этих днях: «Нет сомнения, единственным человеком, пытавшимся упорствовать в сохранении монархического режима, был сам монарх. Спасал, отстаивал Царя один Царь. Не он погубил, его погубили» (*Кольцов М.* Кто спасал Царя // Отречение Николая II. Воспоминания очевидцев. — Л., 1927).

Как бы мемуаристы-лжесвидетели ни старались затушевать свое участие в уничтожении Императорской России, перекладывая вину за падение Трона на Государя, сочиняя небылицы о его характере, манерах, воспитании, поступках, плетя паутину ложных фактов, но преступный образ их мысли, зависть или просто возбужденная врагом рода человеческого ненависть к святому Царю выдает их с головой и подрывает историческую достоверность их воспоминаний.

Череда прошедших здесь лиц — неудовлетворенный карьерным ростом царский чиновник (сколько их было, спешно покидавших Александровский дворец в те горькие мартовские дни 17-го года), священник, не верующий в святость Помазанничества Божия, а стало быть, и в Самого Господа (отрекшиеся от Царя попы не редкость, а правило в 17-м году), завистливый и неудачливый зять — член Императорской фамилии (среди родственников предательство и осуждение Царя было поголовным), наконец, уязвленный отстранением от высокого поста армейский генерал (все командующие фронтами и флотами были повинны греху цареборчества). Сколько их, присягавших Государю и Наследнику клятвопреступников, взялось потом оправдывать себя. А теперь их заведомую ложь мы именуем «документами эпохи» и верим этой лжи больше, чем свидетельствам людей, оставшихся верными присяге. Дескать, верные царские слуги любили Царскую Семью, были ей обязаны своим благоденствием и из любви и благодарности приукрашивали факты, умалчивая о недостойном. А эти — «свидетели», относившиеся к Государю и Государыне «критически», — высказывают-де «непредвзятые мнения». Но в том-то и дело, что суждения о Государе изменников и предателей, завистников и карьеристов (в большинстве своем масонов, сознательных участников заговора против Самодержавия в России) — самые что ни на есть предвзятые, они высказываются лишь с одной целью: переложить на Царя вину за собственные грехи перед Богом и перед Родиной.

Древнее православное правило «прежде смерти не блажи никого» только сейчас дозволяет оценить низость измены и клеветы этих свидетелей. Смерть грешников люта. Это псаломское слово свято исполнилось надо всеми, преступившими Царскую присягу.

Уже в 1918 году погиб генерал-предатель Рузский. Масон, он вскоре после Февральской революции похвалялся в газетных интервью своим деятельным участием в свержении Царя. Нераскаявшийся изменник, Рузский умер страшной смертью: изрубленный в куски красногвардейцами, полуживым зарыт в землю на кладбище Пятигорска.

Начальник штаба Верховного главнокомандующего генерал-изменник Алексеев, тот, что собирал от командующих фронтами согласие на переворот, что составлял текст «манифеста» об отречении и затем, когда Государь прибыл в Ставку, арестовал Его, тот самый Алексеев, терзаемый безуспешностью попыток создать боеспособную Добровольческую Армию, выпрашивавший по копейке деньги на ее оснащение, безрезультатно пытавшийся собрать в кулак бывших генералов Царской Армии, умер мучительной смертью от болезни почек в том же 1918 году.

Генерал-предатель Корнилов, назначенный февралистами на должность командующего Петроградским военным округом и собственноручно наградивший унтер-офицера Кирпичникова Георгиевским крестом за убийство офицера, и провозглашавший в штабе Верховного главнокомандующего, что «русскому солдату нужно все простить, поняв его восторг по случаю падения царизма и самодержавия» (*Воейков В. Н.* С Царем и без Царя. Воспоминания последнего дворцового коменданта Государя Императора Николая II. — М., 1994), он взял на себя дерзость арестовать в Царском Селе Семью Государя и, главное, Наследника Престола, которому, как и Царю, присягал на верность. Корнилов тоже погиб в 1918 году.

Адмирал Колчак и адмирал Непенин, командующие Черноморским и Балтийским флотами, как изменники присяги погибли страшно. Непенин, еще до всякого алексеевского опроса главнокомандующих славший в Ставку телеграммы о том, что «нет никакой возможности противостоять требованиям Временного комитета», был убит восставшими матросами в 1917 году. Колчак избежал этой участи только потому, что сбежал, бросив флот, в Петроград, а затем в Америку — учить американцев «морской минной войне». Вскоре, вернувшись в Россию, он пытался возглавить белое сопротивление в Сибири, провозгласил себя Верховным Правителем и, уже «на своей шкуре» испытав горечь измены, был выдан своими же соратниками и расстрелян в 1920 году.

В том же 1920 году умер от тифа генерал Н. И. Иванов, тот, что намеренно не выполнил приказа Государя о приведении гвардейских полков в бунтующий Петроград усмирить разбушевавшуюся чернь. Спустя неделю после «отречения» Государя Иванов поспешил заверить Гучкова в «своей готовности служить и впредь отечеству, ныне усугубляемой сознанием и ожиданием тех благ, которые может дать новый государственный строй».

Карающая десница Божия не миновала и членов Императорской фамилии, в безумстве зависти и в масонском раболепстве подготовлявших революцию своими интригами. Великие князья Михайловичи, Николай и Сергей, расстреляны, один — в Петропавловской крепости, другой — в Алапаевске. Николай Михайлович, активный масон, обратившийся к Государю с письмом, в котором требовал (что за обыкновение было у подданных Его Величества — требовать!): «огради Себя от постоянных систематических вмешательств этих нашептываний через любимую Твою Супругу» (там же), за свою откровенно антимонархическую деятельность был выслан Государем в имение. Сергей же Михайлович уже после свержения Императора, нисколько ему не сочувствовавший, пишет в письме своему революционно настроенному брату: «Самая сенсационная новость — это отправление полковника (это об Императоре!) со всею семьею в Сибирь. Считаю, что это очень опасный шаг правительства — теперь проснутся все реакционные силы и сделают из него мученика…» (там же). Клятво-преступление, которое братья совершили, отрекшись от присяги, приносимой каждым членом Императорского Дома перед Крестом и Св. Евангелием на верность Царст-вующему Императору и Его Наследнику, могло ли остаться неотмщенным?

И великий князь Павел Александрович, расстрелянный в 1918 году в Петропавловской крепости, внешне бывший столь преданным Царской Семье, ведь это его Государыня призывала для помощи во всех трудных вопросах во время последнего пребывания Императора в Ставке, также был сознательным изменником Трона. Именно у Павла во дворце, с его участием и участием начальника и юрискон-сульта канцелярии Дворцового Коменданта 25 февраля был составлен проект конституции Российской Империи. И уже 21 марта 1917 года в петербургской газете «Новое время» было помещено письмо Павла Александровича, где он «пре-клонялся» перед «волей русского народа», «всецело присое-диняясь к Временному правительству» (там же).

Череда главных изменников скоро сошла в могилу. А мы все перебираем оставшиеся от них мемуарные листки лжи, которыми они пытались обелить себя.

Как сотворили образ «царицы-изменницы»

У Анны Ахматовой есть стихотворение «Наследница», посвященное Царской Семье, — единственное у нее, ро-весницы старших царских Дочерей, жившей в одно время с ними в Царском Селе и даже ходившей в ту же гимназию, где великих княжон Ольгу и Татьяну обучали ставить фи-зические и химические опыты. Имена святых Царственных мучеников в стихотворении не упоминаются, но мы по-нимаем, что эти слова об отречении от Них:

Казалось мне, что песня спета
Средь этих золоченых зал,
О, кто бы мне тогда сказал,
Что я наследую все это.

143

Фелицу, лебедя, мосты.
И все китайские затеи,
Дворцов сквозные галереи
И липы дивной красоты…

Вот чем купили торжествующую чернь на улицах в феврале 1917 года, дышащие ненавистью толпы, среди которых, искренне признается Анна Ахматова, была и она, и вместе со всеми верила, «что песня спета», и вместе со всеми жаждала войти в права наследования дворцами и парками, — всей Россией, отвергнувшей Самодержавного Хозяина земли Русской. Но вот только дальше в этом стихотворении есть горькие слова признания, что, вступив в права наследства, мы получили и другое — непраздничное бремя, мы унаследовали не только царское имущество:

И даже собственную тень,
Всю искаженную от страха,
И покаянную рубаху,
И замогильную сирень…

Вот так: сначала страх, от которого русские должны, наконец, освободиться, а потом покаяние за безумство отречения от Государя и за клевету на всю Царскую Семью и скорбное поклонение их мученическому подвигу, — вот наше нынешнее наследство. Но чтобы вступить в права этого наследства, нам необходимо полностью очистить имена святых Царственных мучеников от клеветы, и первая, перед кем мы виноваты, — святая Царица-мученица.

Императрица Александра Федоровна злобно оклеветана, и клевета эта не имеет видимых мотивов. Если на Императора Николая Второго могли копить обиды подданные, кого коснулись, к примеру, военно-полевые суды и казни террористов, кого задели неудачи Русско-японской войны, кто устал от тягот германской, то Государыня Александра Федоровна не несла на себе ответственности за «ужасы царизма», какими Император более двадцати лет удерживал Россию от революционной заразы, тем не менее злоба людская, возбужденная дьявольской ненавистью ко всему святому и чистому, сопровождала Государыню всю ее жизнь.

Поначалу это была отчужденность Двора, вызванная и непонятной здравому смыслу ревностью Императрицы-Матери, и предубежденностью дворцовых кумушек к выбору Цесаревичем немецкой принцессы, и общей завистью к тому, что такая юная и притом чужачка, не обжившаяся в дворцовых покоях, уже русская Императрица и их повелительница. Отсюда закурившийся в великосветских гостиных шепоток обвинений молодой Царицы в горделивой замкнутости, высокомерной холодности, в то время как христианская скромность и благодатный дар природной застенчивости ограждали юную Аликс от блестящей, но грешной светской мельтешни. И то была не забитость провинциалки, попавшей в сверкавшие роскошью столичные дворцы, а потрясающая своей прямотой позиция, запечатленная в дневниковых записях Государыни: *«Смысл жизни не в том, чтобы делать то, что нравится, а в том, чтобы с любовью делать то, что должен».*

Государыня с юности видела свой долг в семье и любимом муже, чего ей было искать в череде парадных дворцовых приемов и балов. К этому стали постепенно привыкать в великокняжеских дворцах и смирились было, но, оказывается, злоба к святому имеет свойство не растворяться совсем, а закваской попадать в новую среду и опять вспучивать ее пузырями ненависти. Во второй половине Царствования зародились и стали шириться новые клеветнические обвинения, Императрицу Александру Федоровну стали упрекать в религиозной экзальтации, в истерическом поклонении старцам и юродивым. Обвинения эти из великокняжеских дворцов быстро перепленулись в гостиные пересуды досужей интеллигенции, в газетные жидовские сплетни, в полупьяные гнусные намеки ресторанных завсегдатаев. Лицемерам и сплетникам, зараженным вирусом безверия, косившим тогда русское образованное общество, Православная Вера представлялась сплошной истерикой, прямота и простота человеческих отношений — экзальтированностью натуры, но Сама Государыня отмечала для себя в дневнике, а вот выходило, что писала о себе: «Основа благородного характера — абсолютная искренность».

Экзальтация, истеричность — это еще не все слухи, что смрадной пеной расплескивались в петербургских салонах. В 1915 году, накануне революции, злонамеренной рукой в общество была вброшена новая закваска лжи: в разгар войны с Германией Императрицу Александру Федоровну стали открыто обвинять во вмешательстве в государственное управление, в шпионаже и измене Родине, в попытке отстранения Государя от власти и учреждении собственного регентства над Наследником Цесаревичем. Глупость, бред, но тысячекратно повторенная осведомленными вроде бы людьми глупость эта, растиражированный десятками тысяч уст и газет бред, звучавший даже и с думской трибуны, получали тем самым достоверность факта. И только близкие не сомневались в искренней убежденности Царицы служить своему венценосному Мужу и Родине-России, и никто не знал, не читал в ту пору страниц ее дневника, написанного не в оправдание себя — для Истории, а для собственного укрепления: *«Только та жизнь достойна, в которой есть жертвенная любовь… Служение — это не что-то низменное, это Божественное… Если бы мы научились так служить, как Христос, то стали бы думать не о том, как получить какую-то помощь, внимание и поддержку от других, но о том, как другим принести добро и пользу…»*

И, наконец, когда свершилось черное дело революции и глазам алчущих царской крови революционеров, кинувшихся расследовать «измену в Царском Селе», предстала святая чистота Императора и Императрицы, в оправдание собственной злобы эти вершители зла обнесли Царицу новым валом непроницаемой клеветы, рисуя Ее беспомощной жертвой «распутинщины», изображая одержимой горем, обезумевшей безвольной женщиной, ради спасения жизни смертельно больного, обреченного Сына готовой пуститься «во все тяжкия». А Она всю свою жизнь другое растила в себе — умение мужественно терпеть скорби и горе побеждать твердой, как сталь, Верой, что все испытания посланы нам Богом для нашего спасения: «*Во всех испытаниях ищи терпения, а не избавления, если ты его заслуживаешь, оно скоро к тебе придет… Я счастлива: чем меньше надежды, тем сильнее Вера. Бог знает, что для нас лучше, а мы нет. В постоянном смирении я начинаю находить источник постоянной силы*».

Прошло много лет, но клеветнические бастионы не порушены, не расшатаны, не разобраны, а, напротив, их стены укрепляют, нагромождая каменья новой лжи, постоянно обновляя память о старых клеветах. Мы же ловимся на крючки хитро продуманных сплетен и не подозреваем, что услужаем дьяволу, ибо он и есть главный клеветник, а «клевета» значит *ловушка* и происходит от слова «*клевать*», то есть либо *ловить*, либо самому *попадаться в сети*, ловко расставленные клеветником. И еще множество людей сегодня в России шарятся в путах этих гнусных клевет-ловушек, с негодованием на святую повторяют гадости, слухи, сплетни об Императрице, не замечая того, как все эти мерзости противоречат друг другу по смыслу — холодность и истеричность, исступленное поклонение и расчетливое предательство — не сочетаемые в человеческом характере вещи, и только наваждением можно объяснить то, что на них кто-то по-прежнему «клюет». Государыня хорошо понимала истоки этой лжи и о себе записывала в своих дневниковых тетрадках: «*Есть люди, которые как будто призваны постоянно переносить недоброе к себе отношение. Они не могут изменить свое положение. Даже в собственном доме у них атмосфера недружелюбия. Всегда в их жизни присутствуют обстоятельства, которые могут ожесточить. К этим людям относятся несправедливо и нечестно. Они вечно слышат резкие слова. И только пока они хранят в сердце любовь, до той поры они неуязвимы*».

Чтобы не попасть в тенеты клеветников, не согрешить неприязнью к святой Царице-мученице — есть надежное средство — самим испытать источники наших знаний о последней русской Императрице, испытать их на правду и искренность.

Есть же среди документов бесспорно достоверные свидетельства о подлинной Александре Федоровне — ее дневниковые записи, время от времени заносимые Государыней в тетрадки для укрепления своего духа: «*Будь мужественной — это главное… Делай то, ради чего стоит жить и за что стоит умереть… Страдать, но не терять мужества — вот в чем величие… Куда бы ни вел нас Бог, везде мы Его найдем, и в самом изматывающем деле, и в самом спокойном размышлении… Неси с радостью свой крест, тебе его дал Господь…*»

Государыня знала цену словам о кресте, уж ее крест был едва ли по плечу кому-либо из современниц.

В письмах, адресованных своему Царственному мужу, Государыня очень обыденно, скупо рассказывает о своих военных буднях: «Сейчас должна встать и отправиться в лазарет — мне предстоят две трудные перевязки… Потом я должна ехать на открытие лазарета для детей-беженцев…» «Мы ходили в церковь при лазарете, так как там служили рано, и мы могли после церкви сделать перевязки…». «Мы идем в церковь, а оттуда в лазарет на операцию…». «Бедный старик-полковник очень плох, но я надеюсь, что с Божьей помощью мы сможем его спасти. Я предложила ему причаститься, что он и исполнил сегодня утром, — мне это постоянно придает надежду…». «У нас была масса работы в лазарете, я перевязала 11 вновь прибывших, среди них много тяжелораненых…». «Лазарет — мое истинное спасение и утешение. У нас много тяжелораненых, ежедневно операции и много работы, которую нам надо закончить до нашего отъезда…». «Очень много дел в лазарете, очень тяжелые случаи, ежедневно операции…».

Или иному свидетелю мы будем согласны довериться — медицинской сестре, что ежедневно была рядом с Государыней, видела все Ее труды, весь Ее подвиг — через силу, с пренебрежением к собственным мучительным недугам, с которыми работать операционной сестрой была сплошная боль, но вот знавшая все это, разделявшая труды с Александрой Федоровной медсестра, хоть и видит великое снисхождение царское к своим подданным, но не понимает его ничуть и не удерживается, чтобы не засвидетельствовать в дневнике своем, тоже ведь не для истории, а для себя написанном... сплетни и слухи! И каждый день, видя Государыню в лицо, она не глазам своим доверяет, а все тем же сплетням и слухам, иначе зачем же их с такой старательностью заносить в дневник? Эта свидетельница — Валентина Чеботарева, дневник которой, опубликованный ныне, — постыдная картина низменности человеческой души его автора, не сумевшего разглядеть рядом с собой чистого и искреннего, притом любившего ее человека. Сердце обливается кровью, когда читаешь гнусные вымыслы вокруг имен Государыни и Григория Ефимовича Распутина, ладно бы о незнакомом человеке шла речь, но ведь Чеботарева-то видела и слышала Александру Федоровну ежедневно, и вот, на тебе! — гнойная человеческая душа не выдерживает чистоты рядом с собой, а брызжет на святость всем своим гноем: «2-го января было освящение Вырубовского лазарета. Освящал Питирим. Григорий присутствовал, приехал открыто в экипаже (сама Чеботарева этого не видела. — *Т. М.*). Сегодня уверяли, что Григорий назначен лампадником Феодоровского собора (естественно, ложь. — *Т. М.*). Что за ужас! А ненависть растет и растет не по дням, а по часам, переносится и на наших бедных несчастных девчоночек. Их считают заодно с матерью...».

В чем заодно? — спросить бы эту глупую головушку, что дерзала, как действительное, пересказывать полный бред, обдумывать его, не подвергая ни малейшему сомнению: «За эти дни ходили долгие, упорные слухи о разводе, что-де Александра Федоровна сама-де согласилась и пожелала, но, по одной версии, узнав, что это сопряжено с уходом в монастырь, отказалась, по другой — и Государь не стал настаивать. Факт, однако, — что-то произошло. Государь уехал на фронт до встречи Нового Года, недоволен влиянием на дочерей, была ссора (это ложь, о чем свидетельствует переписка Государя и Государыни в новогоднюю разлуку 1917 г. — *Т. М.*). А ведь какой был бы красивый жест — уйти в монастырь. Сразу бы все обвинения в германофильстве отпали, замолкли бы все некрасивые толки о Григории, и, может быть, и дети, и самый трон были бы спасены от большой опасности».

Святыни Императрицы — Трон, Родина, Семья для этой женщины — сцена, где пострижение в монастырь и то всего лишь красивый жест, театральные подмостки, где можно праздно обсуждать «версии» спасения Трона, хотя спасение Трона заключалось тогда в одном-единственном для всех подданных — затворить уста, затворить слух для сплетен и вымыслов и служить Царю. Но этого не делали даже самые близкие, и жили рядом с Александрой Федоровной в предательском двоедушии, вот еще строки из этого позорного дневника, подтверждающие горькое обвинение: «Вчера у Краснова Петра Николаевича был генерал Дубенский, человек со связями и вращающийся близко ко Двору, ездит все время с Государем, уверяет, что Александра Федоровна, Воейков и Григорий ведут усердную кампанию убедить Государя заключить сепаратный мир с Германией и вместе с ней напасть на Англию и Францию...» Многократно потом опровергнуты эти слухи и расследованием Чрезвычайной комиссии Временного правительства, и воспоминаниями Воейкова, и публикацией Переписки Св. Царственных мучеников, но дошло ли хоть перед смертью до этих клеветников — Дубенского, придворного историографа, который их распускал, генерала Краснова, который их у себя допускал, до Чеботаревой, их переносившей, что они этим разрушали Империю и Царскую власть? К чему такие мысли и вопросы в дневнике, когда ты, медицинская сестра, каждодневно рядом с Царицей и на тебя обращено ее милостивое внимание? Так спроси, если сомневаешься, возмутись в глаза, если веришь, моли объяснить, что происходит, предупреди о лжи, если сознаешь, что это клевета. Нет, перед Матушкой-Царицей — лицемерная учтивость и почтительное внимание, а зловещее шипение — у Государыни за спиной... «Все тот же беспросветный мрак. Пуришкевич говорит блестящую речь, громит Государственный Совет, призыв к объединению, когда Отечество в опасности. Гурко просит борьбы с темными силами, играющими на лучших святых побуждениях и чувствах, на религиозной впечатлительности». Вернулись из Ставки полны тревоги. 26-го это ненужное появление с Государыней и Наследником на Георгиевском празднике. Настроение армии — враждебное, военной молодежи также. «Как смеет еще показываться — она изменница». Это твердит гвардейский полковник К.: «Иначе как за двадцать лет жизни в России не понять, что стране нужно. Вмешиваться в дела, назначать людей, только губящих все дело...».

В те же самые дни, когда заносила в дневник бездумная рука нечестивой слуги эти подлые строки, Александра Федоровна, словно зная об этом, вписывала в свою тетрадку: *«Добром за добро воздаст любой, но христианин должен быть добрым даже к тем, кто обманывает, предает, вредит. ...Наш Господь хочет от нас, чтобы мы не предавали верности. Верность — великое слово. «Буди верен даже до смерти и дам ти венец живота» (Ап. 2,10). Наполните любовью свои души. Забудьте себя и помните о других. Если кому-то нужна ваша доброта, то доброту эту окажите немедленно, сейчас. Завтра может быть слишком поздно. Если сердце жаждет слов ободрения, благодарности, поддержки, скажите эти слова сегодня. Беда слишком многих людей в том, что их день заполнен праздными словами и ненужными умолчаниями...»*

Вот и Валентина Чеботарева, неуемная сплетница, удостоилась и не раз и благодарности, и ободрения, и поддержки от Той, о которой так безумно и праздно злословила и перед которой трусливо умалчивала о недостойном, причем свидетельсвует об этом медицинская сестра все в том же злополучном дневнике: «жили в атмосфере их забот (Государыни и старших Дочерей. — *Т. М.*). Очень сблизило, что в день отъезда нашли свободных пять минут... В дорожных платьях всех обошли, приласкали и на поезд». И ей, Валентине Чеботаревой, Государыня и Дочери много писали из ссылки, писали в уверенности, что их понимают, им сочувствуют. Но черная зависть не дозволяла несчастной душе, как и душам миллионов ей подобных царских подданных, дорасти до любви прекрасной, чистой женщины, Матери их Отечества, и зависть толкала подданных даже после февральского переворота на такие несправедливые слова: «У Курис много разбирали вопрос об отношении к народу всей Императорской Семьи. Как они далеки были от жизни, были только ласковы, трогательны и никогда не помогали фактически. И ведь это правда, горькая, жестокая правда. Это был своего рода принцип — никогда не помочь денежно или устроить на место определенного отдельного человека. Вспомнили эпизод, когда на операции в их присутствии объявили солдату, что нужно отнять правую руку. Отчаянным голосом он закричал: «Да зачем, да куда же я тогда гожусь, убейте лучше сейчас, Христа ради убейте!» Татьяна, вся в слезах, кинулась: «Мама, мама, скорей поди сюда!» Она подошла, положила руку на голову: «Терпи, голубчик, мы все здесь, чтобы терпеть, там, наверху, лучше будет». Это и убеждение ее, и жизненное кредо. А насколько популярнее бы она стала, пообещав ему тут же взять на себя заботы о семье, и бедняга бы успокоился. Елена Кирилловна Курис говорила, со слов отца Афанасия, что во время богослужения… Она холодна и непроницаема — «гордыня прежняя».

Малодушные люди, малодушные в том смысле, что в них мало оставалось души, настолько мало, что невмоготу им было понять небесную высоту христианского терпения, все в них было занято плотским, телесным, они не понимали твердыни мужества Александры Федоровны, которое запечатлелось в дневниковой записи Императрицы в том страшном 1917 году: *«Перед лицом дьявольской вражды мы должны проявлять выдержку, терпение, показывать презрительное равнодушие, но никогда не должно быть покорного молчаливого согласия, а, наоборот, должна быть, по силам нашим, непримиримая брань… Мы можем пострадать сами, но не можем позволить, чтобы страдала истина. Когда мы это осознаем и подчиняем этому свои личные чувства, не так трудно переносить враждебность. В человеке с сильной верой это вызывает решимость. Он идет своим путем среди мира, враждебного ему, как победитель… и, конечно, победит».*

Она победила в страшной брани с дьявольской ненавистью, с которой восстали на Нее Ее подданные — по сути, Ее дети, и простила нас, ибо только простившая вражду могла писать в предсмертные дни из заточения: «Чувствую себя Матерью этой страны...». Однако почему такая мстительная злоба к Ней по-прежнему обуревает нас, потомков подданных, возводивших на Государыню напраслину и ложь? Так и хочется сказать — остановитесь, вглядитесь в ее жизнь, не для себя, — для Бога, для России прожитую чисто и мужественно, вчитайтесь в Ее слова, не для нас, потомков, — для укрепления себя и ближних писанные и заповеданные. Добро бы этому не было веры, а только равнодушие к святости, но почему тогда есть пламенное доверие и пылкий интерес к злобой людской рожденной клевете на Нее? Подтверждение — публикация в православном журнале «Благодатный огонь» (2005, № 13) так называемых документальных свидетельств под заголовком — «Канонизация Распутина — канонизация блуда». В самом заголовке умело слепленный ком грязи, нацеленный на прославленную в лике святых Государыню. Ведь Она почитала Григория Ефимовича Распутина, а, следовательно, должна была быть, да простит меня Господь за необходимость произнести эти слова, почитательницей его якобы «блудных подвигов». Все уважение к Императрице, вся наша боль и вина перед Нею вмиг затуманиваются, уступая в душе место липким, привязчивым картинам «распутинских оргий», подробно расписанных якобы свидетелями. И кто тогда Александра Федоровна, свято доверявшаяся молитвам такого «негодяя» — ответ один: слабая, изверившаяся жертва гипноза, волхования и дьявольского наваждения, а если подвластна была наваждению, — какая же Она после этого святая. И Царю-де внушала почитание старца — и внушила! Какой же Он после того святой, если дьяволу покорился?..

Так, извилистой тропкой сомнений входит в потомков подданных, отрекшихся от Царя и Царицы, такое же отречение, но теперь уже от святых, от мучеников, жертвенно павших за нас всех. Разве этот последний грех не страшнее первого?

Давайте же выпутываться из ловушек клеветников, внимательно рассмотрев, что за сети нам расставлены. Вот первое же «документальное свидетельство», перепечатанное журналом «Благодатный огонь» — отрывок из воспоминаний о Г. Е. Распутине писательницы В. А. Жуковской (1914—1916 гг.), воспоминаний, что, по словам автора, представляют собой «записки, составленные по дневникам», плод «трехлетнего знакомства с Р.». Записки созданы с прямой идеологической целью, автором жестко обозначенной и лукавыми издателями, выдающими себя за православных, как бы не замеченной: «Всякий, кто прочтет эти записки, так или иначе почувствует весь кошмар последних дней русской монархии и жизни ее «высшего света». Так что «воспоминания» нацелены против Императора и Императрицы, к чему Жуковская не раз возвращается в таких словах: «полнейшее разложение высших правящих кругов», «о близости к нему (Распутину. — *Т.М.*) Царицы и о его диких оргиях под шумок говорил весь город», «слабый волей последний царь умирающего старого строя, окруживший себя косноязычными юродивыми, а помощь и поддержку находивший у Гр. Распутина, отвергнутого хлыстами за то, что он свел учение «людей божиих» на служение своей неистовой похоти...», «Царица со своим безумным страхом за жизнь наследника...».

Но вот вопрос: кто и что «вспоминает» в этих записках? Самое поверхностное расследование приводит к ошеломляющим результатам. Оказывается, «воспоминания» — не мемуарный документ, фиксирующий только то, что лично увидено очевидцем, а беллетристика, которую автор насыщает вымыслом, и первое тому доказательство — это несовпадение возраста героини воспоминаний, от имени которой ведется повествование, она в пору знакомства с Распутиным в 1914 году будто бы «только что кончила гимназию», с реальным возрастом писательницы В. А. Жуковской, которой в том же году минуло 29 лет, — для гимназистки явно многовато!

Второе важное открытие — для «воспоминаний» Жуковской сразу устанавливается литературный источник, сюжет и повествовательные детали которого полностью повторены, — это небольшой очерк некоего писателя А. С. Пругавина, сочинение, выходившее крошечными тиражами в 1915 году (в журнале под названием «Около старца»), в 1916 году (под названием «Старец Леонтий Егорович и его поклонницы»), и, наконец, в феврале 1917 года, когда стало все можно — с заголовком «Старец Григорий Распутин и его поклонницы». В этом очерке Государь и Государыня зашифрованы под инициалами У и Z, фамилии министров и «поклонниц» изменены, и хотя в очерке масса паскудных намеков на религиозную экзальтацию дам высшего света, окружавших Григория Ефимовича, намеков на его чувственность и эротоманию, но никаких прямых слов о разврате, сектантстве, назначении им министров, влиянии его на Государя и Государыню нет, так ведь и фактов таких не было, вот и печатали вкрадчивые выдумки да гнусные намеки. А раз существует литературный источник этих якобы «воспоминаний» Жуковской — любой историк, мало-мальски имевший дело с документами, если только это не какой-нибудь Радзинский или Сванидзе, категорически отвергнет псевдомемуары, ибо что это за историческое свидетельство, если свидетель исказит свой возраст, в виде собственных воспоминаний бойко пересказывает содержание чужой книжонки, главные герои которой трусливо спрятаны под псевдонимами, чтобы автора гнусного опуса ревнители Самодержавия не прибили за клевету.

И, наконец, третье открытие, разоблачающее лживость подлого сочинения: «Воспоминания о Григориии Распутине» не принадлежат авторству Жуковской, их написал другой человек. В библиотеках сохранились подлинные сочинения писательницы «Марена» (1914 г.), «Сестра Варенька» (1916 г.), «Вишневая ветка» (1918 г.), которые очень ярко характеризуют стиль ее художественной речи, — непременные соловьи, дикие розы, романтический ключ под сосной, юный принц, благородный поклонник, «любовь прекрасная и мгновенная», «рыдания неразделенной страсти», — словом, беллетристика Жуковской вся в пошлых кружавчиках, в рюшечках вымученных и банальных красивостей — типичная дамская проза, язык которой пахнет дешевыми духами и розовым мылом. Совсем не то в тексте «Воспоминаний о Распутине», автором которых выставлена В. А. Жуковская. Этот текст составлен, безусловно, мастером художественного слова, умело выписавшим объемные, зримые образы, которые благодаря дару сочинителя ужасают читателя своим натурализмом и циничной неприкрытостью.

Кто в действительности был автором этой талантливо слепленной грязи, кто скопировал сюжет очерка Пругавина вплоть до мельчайших деталей, здесь и ландыши, присылаемые Распутину Царицей, и телеграммы от высокопоставленных лиц, и обстановка комнат, и даже скрип зубов Распутина, и манера поклонниц доедать за ним куски, дословно повторены целые сцены, реплики, разговоры, но сюжет прописан более откровенно, вместо намеков на гнусность рисована сама гнусность, грубыми подробностями расмалеван портрет «старца». И сделал это литературно одаренный сочинитель, но в любом случае, не В. А. Жуковская, именем которой воспользовались, чтобы иметь достоверную привязку вымышленного текста к действительности.

Вот вам и «серьезное документальное свидетельство» — очередная для нас ловушка, расставленная с умыслом, что клюнем на крючок «исторического документа», вознегодуем на Самодержавие, возненавидим «злую притворщицу Александру-царицу», «слабого волей царя», подчинявшегося «грязному мужику».

Но кто защитит святых от клеветы? Только подлинный документ, настоящее свидетельство, непредвзятые воспоминания, и таких на сегодня известно немало. Первое русское издание книги Софьи Карловны Буксгевден «Жизнь и трагедия Александры Федоровны, императрицы России» — один из лучших образцов того, что мы называем воспоминаниями верноподданных. К таким документам официальная историография зачастую относится подозрительно: дескать, верные слуги любили Государыню, были ей обязаны своим благоденствием, и из любви и благодарности приукрашивали факты, умалчивая о недостойном. У нас же есть иной критерий достоверности таких мемуаров — дневниковые записи, письма Александры Федоровны, если они по смыслу, по духу, по настроению совпадают с тем, что рассказывают о ней знавшие ее люди, значит, эти рассказы верноподданных — истинная правда, и любые искажения ее, вроде дневника сплетницы Чеботаревой или «воспоминаний» псевдо-Жуковской, следует с негодованием отвергать как гнусную ложь.

Фрейлина София Карловна Буксгевден доказала преданность Царской Семье, последовав за Ней в Тобольскую ссылку, потом сопровождая Царских Детей в Екатеринбург, и только насильственное разлучение оторвало баронессу Софию от Государыни. Всемилостивый Господь подарил Софии Буксгевден долгую жизнь, обязав свидетельствовать. И она честно свидетельствует.

Год за годом встает перед нашими глазами прожитое последней русской Императрицей, в нем нет ни безумств юности, ни метаний молодости, ни надлома зрелости, что свойственно даже и добрым, хорошим людям, но Александра Федоровна жила воистину святой жизнью, как ее всегда понимали на Руси благочестивые и прямодушные русские жены: мечта о любимом, встреча с ним по воле Божьей, Муж, Дети, служение Семье. С одной лишь поправкой в судьбе — любимый был Наследником Русского Трона, Муж стал Императором России, Дети родились Царскими Детьми. И потому этой русской жене и матери, именно так — русской во всем, по духу, по смыслу, по делам, русской жене и матери, выпала еще одна обязанность — быть Матерью огромной страны и великого народа. Суровый долг, тяжкая обязанность, трудная ноша, а не одна только честь, как всегда думают мелкие завистливые люди. Как Она несла эту ношу — с первых дней постоянное самоотречение. В свидетельство тому несколько малоизвестных фактов, сохраненных для нас воспоминаниями Софьи Карловны Буксгевден. Молодая Государыня основала для бедных «Комитет помощи», постоянно посещала простые школы, чтобы видеть лица и души русских детей — нарождавшегося, нового поколения России, она основала «Школу нянь» в Царском Селе, санаторий для туберкулезных в Ялте.

Ее праздник Белого Цветка собирал сотни тысяч рублей пожертвований для санаторного обустройства Крымского побережья. Она создала Школу народных ремесел для развития русских кустарных промыслов и отвлечения крестьян от пьянства. Во время Русско-японской войны ее усилиями в Эрмитажном дворце рядом с Зимним был создан огромный склад для снабжения военных госпиталей одеждой и медицинскими материалами. В мировую войну Она организовала в Царском Селе лазареты, несколько санитарных поездов постоянно курсировали на передний край фронта, доставляя в тыловые лазареты раненых, у Нее были большие склады с медицинскими материалами в Петрограде, Москве, Одессе и Виннице и целая сеть меньших складов в малых городах вблизи линии фронта. Всю эту систему организовала и наладила именно Она, и постоянно строго контролировала бесперебойную работу всей лазаретной сети, принимая своих подчиненных, выслушивая об этом доклады министров, что в Петрограде цинично истолковывали как вмешательство в политику государства.

О том, что Государыня работала не для популярности, что меньше всего думала при этом о себе, говорит Ее безоглядность на себя в любых делах. Она тяжело заболевает корью, заразившись от детей при посещении питерских школ, но потом постоянно посещает вместе с Дочерьми туберкулезные санатории в Ялте, пренебрегая опасностью подолгу сидит с Детьми у постели заразных больных, говоря о своих Дочерях: «Они должны понимать печаль…» Государыня становится сестрой милосердия в германскую войну, и ее старшие Дочери тоже проходят эту суровую школу, и опять не жалеет ни себя, ни их — у великой княжны Ольги Николаевны работа в госпитале привела к нервному истощению и анемии, а сама Императрица получила тяжелое сердечное осложнение. Еще бы, ведь приходилось переживать как свои чужую боль, чужую смерть, вот ее щемящие слова из письма: «Офицер умер на столе. Последовала очень трудная операция. Такие трудные моменты, но мои девочки должны знать жизнь, и мы все это проходим вместе». И при этом Государыня не позволяет себе отдыха, считая, что даже съездить в Ливадию (это когда тысячи дворян отправлялись в военное время на отдых в свои имения к морю) — «слишком большое удовольствие, которое можно было позволить себе во время войны».

«Чувствуя себя Матерью этой страны», — без прикрас сказанное Ею в час, когда все уже кончено, страна отвернулась от Нее и от Царя, но могут ли родители перестать любить своих детей, даже если неблагодарные дети бросили их, попрали их заботы, отвернулись от их доброты. В этот состоит инстинкт жертвенности, заложенной Господом в образе родительской любви, но никем еще по-настоящему не осознан подвиг жертвенности, кроющийся в Царской любви к своему народу, который сродни родительской заботе, но сколь тяжелее его нести, ведь не кровинушек твоих, не плоть от плоти, — чужих, вовсе незнакомых тебе людей, с их грехами и ошибками, с их завистью, гордостью, корыстью, — миллионы этих людей нужно взять под свое отеческое и материнское крыло: прощать ошибки, наказывать за преступления, вразумлять примером собственной самоотверженности.

А что в ответ? Как свидетельствует София Буксгевден, уже в 1905 году в России наступил кризис нехватки «настоящих людей», и Государыня с тоской пишет об этом сестре: «Это по-настоящему время, полное испытаний. Крест моего бедного мужа слишком тяжек для одного, тем более, что у него нет никого, на кого он мог бы положиться и кто бы мог быть для него реальной помощью… Он работает с таким упорством, но велика нехватка людей, которых я называю «настоящими». Конечно, они где-то должны существовать, но как трудно на них напасть. Плохое всегда под рукой, другие из-за ложной скромности держатся позади. Мы пытаемся познакомиться со многими людьми, но это так трудно… появляется чувство отчаянья. Один слишком слаб, другой слишком либерал, третий слишком недалекий и так далее…»

Это было время, когда самопожертвование стало не в чести у русских людей. Баронесса София пишет, как во время коронации Императора Его приветствовали потомки людей, которые в разные времена спасали жизнь русским монархам, начиная с потомков Ивана Сусанина. В этот жертвенный ряд после воцарения Государя Николая II больше никто не встал. Но сколько примеров самоотверженности в жизни самой Александры Федоровны! Баронесса София вспоминает лишь некоторые из них, попробуйте примерить эти поступки на себя — кому из нас подобное по плечу? В 1915 году Государыня отдает парадные залы Зимнего дворца под госпиталь для тяжелораненых (кто-то может сегодня пожертвовать свой лучший дом для больницы?), Она поселяет парализованную, умирающую фрейлину Соню Орбелиани в комнату рядом со своими дочерьми, прекрасно понимая, сколь тяжко детям видеть постоянно рядом смертельно больного человека (кто ныне в состоянии принять на себе добровольно такое мученичество?), Императрица отказывается отдать во власть Временного правительства Аню Танееву, хотя ее присутствие в Царскосельском дворце как главной «заговорщицы» и «последовательницы Распутина» грозило разлучением всей Семьи, арестом Государя, но Аню в первые дни революции могли просто убить, излив на нее ненависть клеветы и заодно свалив всю вину за «распутинщину», поди потом доказывай правду о погибшем человеке, и Государыня защитила ее, буквально прикрыла собой и Детьми (кто из нас способен сегодня пожертвовать собой и, главное, своими детьми ради спасения жизни хоть и близкого, но все же не родного человека?).

Все это свидетельствует о последней русской Императрице как о человеке необыкновенного мужества, о ее волевом бесстрашии, что Она сама прекрасно сознавала, ибо готовила себя к самым тяжелым испытаниям, что подтверждает в своих воспоминаниях баронесса София: «Александра Федоровна говорила о себе как о «великом бойце». И это была правда». Свое же назначение Государыня объясняла так: «Я не сотворена сиять перед собранием... Я должна помогать другим в жизни, помогать им побеждать в борьбе и нести свой крест».

Книга Софии Буксгевден является ответом тем, кто по-прежнему заражен изменническим вирусом клеветнических слухов о святой Царице Александре. Здесь опровергается большинство гнусных вымыслов о Григории Ефимовиче Распутине, в той части, в какой об этом могла свидетельствовать сама София Карловна. То, чего она не могла видеть и знать сама, якобы хвастовство Распутина о его знакомстве с Царской Семьей, его мифическое пьянство и связи с министрами, — передаются именно как гнусные и лживые слухи, хотя автор не берет на себя ответственности за их опровержение. Но нам очень важно на фоне множества бессовестных измышлений Чеботаревых и Жуковских такое ее свидетельство: «Я жила в Александровском дворце с 1913 по 1917 год, причем моя комната была связана коридором с покоями Императорских детей. Я никогда не видела Распутина в течение всего этого времени, хотя я постоянно находилась в компании Великих княжон. Мсье Жильяр, который тоже там жил несколько лет, также никогда его не видел».

Есть в книге и ответ на наглые вымыслы о вмешательстве Государыни в политику: при снятии с поста министра иностранных дел Сазонова, что приписывали интригам Императрицы, она, как это видела ее фрейлина, узнала об отставке министра много позже из записки Государя.

Единственное, на что не может ответить София Буксгевден, бывшая фрейлина Государыни Александры Федоровны, — так это на вопрос о том, почему наша святая Императрица была так страшно оклеветана, а в книге рассказывается о публикации фальшивых писем, приписанных Ей, даже когда не было и намеков на шаткость Царского Трона. Баронесса только горько отмечает: «Эти нападки были чудовищны, и Императрица была вынуждена осознать, что не было пределов, которые бы их враги не превысили».

И только много лет спустя, когда свершившееся коренное зло февраля 1917 года и июля 1918 года было отчетливо осознано русскими людьми, до нас стало, наконец, доходить, что не мы — русские — стали наследниками Царской власти и Царского достояния и что потому и не было пределов у лжи и клеветы, что врагами России было поставлено на кон последнее Самодержавное Царство мира, и какой ценой будет разыгран этот желанный куш — для поработителей нашего Отечества значения не имело — любой ценой!

Вот почему самая наглая ложь непроницаемой стеной по сей день отгораживает нас от Государыни. Помимо вымыслов и сплетен в дневниках злобных современников, забывших, что такое верность, тут насочинены и фальшивые письма Императрицы (как в случае с публикацией «писем» в книге Илиодора «Святой черт», вышедшей в Америке на еврейские деньги), тут настряпаны и фальшивые мемуары (примером тому грязные подделки псевдо-Жуковской и некой Джанумовой), тут составлены и так называемые допросы Чрезвычайной следственной комиссии (лживые показания Манасевича-Мануйлова, Андронникова, Белецкого и Хвостова, опровергнутые вскоре документами, но пошедшие «гулять» в исторической беллетристике как достоверные источники). И покуда верим им — какие же мы верноподданные? Где наша покаянная рубаха? И нет у нас права нести к иконам святых Царственных мучеников любимую Государыней сирень...

Один только страх вплоть до боязни собственной тени, тени бывшего когда-то неодолимым и могучим русского народа, нас одолевает, и потому, покоряясь все тем же врагам, оклеветавшим и убившим святых Царственных мучеников, по сей день платим страшную цену покорности. А ведь святые Государь и Государыня так надеялись на нас, эта надежда звучит в словах последних писем Императрицы из Екатеринбурга: *«Когда же все это кончится? Как же я люблю мою страну со всеми ее недочетами! Она становится все дороже мне, и я ежедневно благодарю Бога за то, что позволил нам оставаться здесь и не отправил нас далеко. Верь в людей, дорогая! Нация сильна, молода и мягка, как воск. Сейчас она в плохих руках, и правит тьма, анархия. Но Царь Славы придет и спасет, укрепит и даст разум народу, который сейчас предан».*

Если бы мы верили в свои силы так, как верила в нас Она, если бы мы были столь же мужественны, как была мужественна и сильна Она, если бы мы так же любили Родину, как Она любила Россию, мы бы вернули себе нашу страну, мы бы сумели опамятоваться. И это, по молитвам св. Мученицы Царицы Александры, должно свершиться!

Фабрика лжи: почему по сей день скрывают правду о цареубийстве

Нагнетание лжи после Февральского переворота и особенно сейчас имеет все те же мистические истоки — не дать русским возлюбить своего Царя, не дать им осознать, кто действительно виноват в гибели самодержавной России. Ведь и тогда русские люди пытались осмыслить, понять, отчего постигла их пучина бед, и на их мучительные вопросы был ловко подсунут ответ — это он, ваш Царь, кровавый и жестокий, виноват во всем! И ведь верили... Как завороженные, повторяли вслед лживой наглой пропаганде — «Николашка», «Царица-немка», «распутинщина»... В первые же дни революции во всех больших городах России, в обеих столицах, Москве и Петербурге, в Киеве, Харькове, Вятке, Казани, Феодосии были выпущены пасквили — всего 36 наименований, анонимные, под русскими псевдонимами и под подлинными еврейскими фамилиями, посвященные «гнусным делам» Царя, «немки» и Распутина. К примеру, стихотворное «сочинение» Льва Никулина (настоящее имя — Лейба Вениаминович Окольницкий), которое он опубликовал под псевдонимом «Анжелика Сафьянова», вышло в 1917 году в Москве и раешным стишком — так легче войдет в память — излагало все те же клеветы — развратный, пьяный мужик управляет государством, безвольным Царем (*Сафьянова А.* О старце Григории и русской истории. Сказка наших дней. — М., 1917).

Казалось, все кончено: Государь свергнут с Престола, Царская Семья в заточении, Их Друг убит. Но брошюрки и статейки все множились, чтобы, не дав людям опамятоваться, отвергнуть народную душу от пленного Государя. Вот и появились спешно состряпанные «под народ» «Сказки о царе-дураке, о царице-блуднице и о Гришке — распутной шишке». Так что хулительные надписи частушечного пошиба на стенах Ипатьевского дома — они возникли не от дореволюционного кипения «народного гнева», но от послереволюционной пропаганды, и потому убийцы и мучители Царской Семьи в охране дома Ипатьева разделяют свою вину с сочинителями хулы Никулиными-Окольницкими Шварцами, Менделевичами и прочими клеветниками. Но это был лишь первый, скоропалительный заказ на фальсификацию, исполненный с грубой поспешностью, чтобы объяснить народу, за что «скинули» Царя. Дальнейшие фальсификации делались более осторожно, расчетливо и умно.

В 1927—1928 годах на страницах журнала «Минувшие дни», приложения к вечернему выпуску «Красной газеты», был издан так называемый «Дневник А. А. Вырубовой», о смерти которой сообщил незадолго до этого, в 1926м году журнал «Прожектор». Подготовившими публикацию значились некто О. Брошниовская и З.Давыдов, но в действительности это был подложный документ, составленный писателем А. Н. Толстым и историком П. Е. Щеголевым Об этом сам Щеголев впоследствии рассказал в интервью эмигрантскому журналу, расписав, как они с Толстым выдумывали факты и сюжеты, как спорили, что «пройдет» (чему поверят), а что «не пройдет» в их сочинении за правду. В русской эмигрантской среде фальшивку сразу распознали, явилось опровержение Анны Александровны Танеевой, к счастью, оказавшейся живой и жившей уединенно в Финляндии. Ранее были опубликованы ее подлинные воспоминания. Но не на эмигрантов-читателей рассчитывали Щеголев с Толстым. Они заботились о том, чтобы свой советский читатель в десятилетнюю годовщину гибели Государя и Его Семьи не вспомнил Их добрым словом.

Эта разоблаченная тогда же фальшивка сослужила нам добрую службу в том смысле, что не позволяет теперь простодушно принимать на веру любой вновь обнаруженный и опубликованный документ, относящийся к Царской Семье и Ее окружению. Покажем здесь, как работают фальсификаторы «исторических документов».

Во-первых, в предисловии к «Дневнику Вырубовой» излагалась подробная история «рукописи», с рассказом о том, как был утерян (утоплен в проруби подругой) подлинник, будто бы собственноручно написанный Вырубовой. Во-вторых, рассказывалось, что рукопись эта была переведена на «плохой французский язык» двумя сообщницами Анны Александровны, чтобы сохранить текст от изъятия при обысках. Так что все огрехи и несходства стилистики дневника с подлинным слогом Танеевой были списаны на издержки переводов сначала с русского на французский для конспирации, затем с французского на русский для публикации (Фрейлина Ея Величества. Интимный дневник и воспоминания А.Вырубовой. — Рига, 1928).

Содержательная сторона текста представляла собой смешение подлинных событий вполне невинного свойства с вымышленными, содержащими грязную клевету, причем большая часть из них была заимствована из сочинения С. Труфанова «Святой черт», опубликованного по заказу американских издателей в 1917 году (*Илиодор (Труфанов С. М.). Святой черт. Записки о Распутине. — М., 1917*) и из книги В. П. Семенникова «За кулисами царизма», в 1925 году обнародовавшего архив тибетского врача Бадмаева, также фальсифицированный (За кулисами царизма: Архив тибетского врача Бадмаева. — Л., 1925). И такая будто бы перекличка «фактов» из разных книг создавала иллюзию подлинности событий, согласованно излагаемых в нескольких «источниках». На этом фоне и «новые факты», целиком придуманные Щеголевым и Толстым, приобретали вид исторической достоверности.

«Дневник Вырубовой» не единственная фальшивка, сочиненная Щеголевым и Толстым. В Государственном архиве Российской Федерации сохранился так называемый «Дневник Распутина», грубый подлог, очевидно, тех же авторов, публиковать который они не решились после разоблачения «Дневника Вырубовой». Зато в 1925 году сначала в Берлине, затем в Ленинграде была опубликована пьеса «Заговор императрицы» (*Толстой А. Н., Щеголев П. Е. Заговор императрицы. — Берлин, 1925*) все тех же мастеров фальшивого слова (в последующие годы она с огромным успехом ставилась в 14 городах России!), в ней ложь из поддельного дневника вложена в уста Государя и Государыни, Распутина и Танеевой. Угомониться Щеголев не мог. Будучи в 1924-1925 годах председателем Петроградского отделения историко-революционной секции при едином государственном архивном фонде, он издал семь томов архивных материалов под названием «Падение царского режима» (Падение царского режима. Стенографические отчеты допросов и показаний, данных в 1917 г. в Чрезвычайной следственной комиссии Временного правительства. — Т. I—VII; М.-Л., 1924—1927), подлинность которых вызывает массу сомнений. Опубликованные П. Е. Щеголевым протоколы допросов, проводимых Чрезвычайной следственной комиссией и обличающих Императора, составлены при непосредственном участии самого Щеголева — члена этой комиссии в 1917 году.

Сомнительной подлинности архив, подложные дневники Вырубовой и Распутина, пьеса «Заговор императрицы» — плод усилий только двух фальсификаторов — историка П. Е. Щеголева и писателя А. Н. Толстого. А сколько еще их бесовского племени потрудилось над тем, чтобы навсегда искоренить почитание, память, боль, печаль русского народа о своем погибшем Государе, о Царской Семье, чтобы в них и только в них русские увидели причину своих непреходящих зол и гибели России.

Хроника появления фальсифицированных исторических документов свидетельствует о том, что чаще всего появлялись они на свет в ответ на всякое правдивое слово о Государе и Его Семье, которое было опасно для иудеев-большевиков русским почитанием святых Царственных мучеников и русским же осознанием истинных виновников их страшной гибели.

От имени Я. М. Юровского, коменданта Ипатьевского дома, организатора расстрела и уничтожения тел Царской Семьи, написаны так называемые «записки», известные в трех редакциях. Наиболее ранняя редакция записок, где свидетельства Юровского интерпретированы членом

ВЦИК историком М. Н. Покровским, датируется 1920-м годом. Именно в 20-м году в Лондоне опубликована книга Роберта Вильтона «Последние дни Романовых», в которой автор бесстрашно объявил о еврейском заговоре в истории цареубийства: «советские евреи творили еврейское дело» (*Вильтон Р.* Последние дни Романовых. — Берлин, 1923, с. 26). Вильтон описал обстоятельства убийства, как их восстановил следователь Н. А. Соколов, дал перечень еврейских организаторов и расстрельной команды. Одновременно он изобличил убийц в изощренном заметании следов: «Убийцы приняли чрезвычайные меры к тому, чтобы преступление никогда не всплыло наружу. В этом случае, как и во всех других, они побили мировой рекорд и история не знает таких мастеров обмана. Вот перечисление принятых «предосторожностей»: 1. Ложное официальное оповещение (*о том, что расстрелян только Государь, а Семья эвакуирована в надежное место. — Т.М.*). 2. Уничтожение трупов. 3. Ложное погребение (*сообщение о торжественном захоронении тела Государя в Омске в газете «Известия». — Т.М.*). 4. Ложный судебный процесс (*согласно ему в убийстве Царской Семьи были обвинены, изобличены и расстреляны эсеры Яхонтов, Апраксина и Миронова. — Т.М.*). 5. Ложный следственный комитет (*во главе со Свердловым. — Т.М.*) (там же).

Застигнутые врасплох, ведь большевики не ожидали столь скорого обличения их злодеяния, они создали «официальную версию» убийства, которая, с одной стороны, уже не должна была резко отличаться от результатов белогвардейского расследования, обнародованных Вильтоном (так в записке Юровского появились прямые пояснения к фактам, приведенным английским журналистом), с другой стороны, эта версия аккуратно бы направляла детали преступления в русло, выгодное цареубийцам во власти.

Записка Юровского воспроизводит хронологию убийства, при этом события пересказаны другим лицом — историком Покровским (Литературная газета. — 1997, №3), о самом Юровском в тексте документа вообще говорится в третьем лице — «комендант». Рукой Покровского, по свидетельству директора ГАРФ С. В. Мироненко (Русская мысль. —

1997, № 4169), приписаны в машинописном тексте записки и координаты места захоронения. Покровский вроде бы излагает в записке факты со слов Юровского, но стилистика речи Юровского в этом документе не выявляется, перед нами стиль профессионального историка — краткое, емкое и бесстрастное изложение канвы событий. Надо сказать, что сам Юровский имел низшее образование и по-русски говорил и особенно писал неумело. Примером стиля его речи является письмо, датированное 1918 годом, к екатеринбургскому знакомому Юровского Архипову с просьбой позаботиться о матери при захвате Екатеринбурга белыми: «Я обращаюсь к вам еще и по тому что вы строгий в своих принцыпах даже при условиях гражданской войны и при условии когда вы будете у власти. Я имею все основания полагать что вы с вашими принцыпами останетесь в одиночестве но всеж вы съумеете оказать влияние на то чтоб моя мать которая совершенно не разделяла своих взглядов виновная следовательно только в том что родила меня а также в том что любила меня» (*Росс Н.* Гибель Царской семьи. Материалы следствия по делу об убийстве Царской семьи (август 1918 — февраль 1920). — Франкфурт-на-Майне, 1987). Этот отрывок из письма коменданта-цареубийцы цитируется по копии следственного дела, бывшей в распоряжении М. К. Дитерихса, и малосвязная речь коменданта с пропуском глаголов резко контрастирует с литературным текстом «записки».

Итак, «записка» Юровского представляет собой официальную версию большевиков, где намеренно смешаны ложь и правда. Вот пример вынужденной правды, вызванной вильтоновским опубликованием документов следствия: «… трупы опустили в шахту, при этом кое-что из ценных вещей (чья-то брошь, вставленная челюсть Боткина) было обронено, а при попытке завалить шахту при помощи ручных гранат, очевидно, трупы были повреждены и от них оторваны некоторые части — этим комендант объясняет нахождение на этом месте белыми оторванного пальца и т. п.» (Партархив Свердловской области, ф.221, оп.2, д.497, л.7-13. Цит. по книге: *Платонов О. А.* Терновый венец России. История цареубийства. — М., 2001). А далее следуют показания о захоронении тел, мягко опровергающие Вильтона, дескать, да, сжигали, но не всех и не преднамеренно, а вынужденно, по воле обстоятельств, и только «Алексея и Александру Федоровну, по ошибке вместо последней с Алексеем сожгли фрейлину». Для остальных «выкопали братскую могилу… Этого места погребения белые не нашли» (там же).

На основе записки Юровского официальная большевистская версия цареубийства получает «закрепление» в печати. В сборнике «Рабочая революция на Урале» в 1921 году появляются «воспоминания» П. М. Быкова, который именуется «первым председателем исполкома Екатеринбургского Совета рабочих и солдатских депутатов». «Последние дни последнего царя» — таково название «мемуаров» этого человека, лично в цареубийстве не участвовавшего, оно имеет прямую перекличку с названием книги Вильтона «Последние дни Романовых», последующие издания этих воспоминаний повторяют в точности название книги английского журналиста. Воспоминания Быкова представляют собой «сводку бесед с отдельными товарищами, принимавшими то или иное участие в событиях, связанных с семьей бывшего царя, а также принимавшими участие в ее расстреле и уничтожении трупов» (*Быков П. М.* Последние дни последнего царя // *Быков П. М., Нечепуркин А. Г.* Рабочая революция на Урале. Эпизоды и факты. — Екатеринбург, 1921). Конечно, сам Быков к составлению этих мемуаров не причастен, беседы проводил (о чем свидетельствует записка Юровского) и текст писал все тот же большевистский летописец Покровский, это его рука на основе официальной версии создает миф для «общего пользования». Здесь окончательно затерт истинный след цареубийства, и вина за расстрел возложена на левых эсеров, назван непосредственный убийца — русский Петр Ермаков с четырьмя подручными, но вслед за расследованием Соколова подтверждается расстрел всей Семьи и полное сожжение тел. Текст небогат подробностями и создан в присущей Покровскому профессиональной стилистической манере краткого и емкого повествования.

В 1922 году появляется вторая, пространная редакция «записок Юровского». Это тоже машинописный текст, подписанный самим Юровским и имеющий сделанную им собственноручно правку. Документ, уточненный и выверенный цареубийцей, в частности уточнено расстояние до места так называемого «захоронения царских останков», появился на свет в связи с публикацией в том же 1922 году во Владивостоке книги М. К. Дитерихса «Убийство Царской Семьи и членов Дома Романовых» (*Дитерихс М. К. Убийство Царской Семьи и членов Дома Романовых на Урале. — Владивосток, 1922*). Материалы следствия, приведенные в книге Дитерихса, вновь указывают на ритуальное преступление, что заставляет цареубийц усиленно продвигать свою «версию», они настаивают на своем «списке» организаторов и исполнителей преступления, убеждают, что тела были именно захоронены, а не сожжены. Юровского при этом пытаются представить в так называемой «записке» главным режиссером захоронения. От его имени в этом фальсифицированном документе пишут, что сразу после расстрела и погрузки тел в машину он поехал к Ганиной Яме. Но из следствия Соколова известно, что Юровский появился в районе Ганиной Ямы только в конце дня 17 июля, а тела были отвезены туда, как известно, ранним утром. Так что описание комендантом Ипатьевского дома всего дня 17 июля, проведенного рядом с телами, не достоверно. От имени Юровского, как очевидца и участника захоронения, описывается сокрытие тел в яме под шпалами на дороге в ночь с 18 на 19 июля. Но анализ документов следствия и свидетельство генерала Дитерихса говорят о том, что Юровский в описываемом им захоронении участвовать не мог. Абсурдно выглядят приписываемые коменданту показания о времени сжигания тел: машина застряла на дороге в половине шестого утра, здесь сожгли два трупа и кости похоронили в отдельной яме, в то время как, по данным следственных материалов Соколова, в 5—6 часов утра грузовик был уже в Екатеринбурге.

Историки С. А. Беляев, Ю. А. Буранов, О. А. Платонов, журналист А. П. Мурзин полагают, что версия Юровского о захоронении «на дороге под мосточками» была злонамеренной дезинформацией чекистов, стремившихся оспорить выводы следствия, изложенные в книгах Р. Вильтона и М. К. Дитерихса о ритуальном характере цареубийства, об отчленении головы Государя, и действительно чекисты создали «захоронение останков» самого тривиального бандитского расстрела где-то между 1918 и 1919 годами.

Две книги, вышедшие одна за другой, — Вильтона и Дитерихса, — активно участвовавших в расследовании убийства Царской Семьи и владевших копиями следственного дела, не могли не вызывать тревоги цареубийц, они ждали главного «залпа» — самого важного обличающего их свидетельства — публикации книги следователя Н. А. Соколова, держателя основных материалов следствия, не оставлявшего своего расследования и за границей, где он продолжал снимать показания, допрашивать очевидцев, собирать материалы.

В ожидаемых от него выводах Соколов, безусловно, должен был быть единомыслен с Вильтоном и Дитерихсом. Вот как об этом говорит Р. Вильтон: «Живя в продолжение многих месяцев в постоянном единении с Дитерихсом и Соколовым, могу свидетельствовать о том, что расследование Царского дела велось ими сообща... Вообще Царское дело распадалось на три части: 1) само убийство, 2) судьба трупов, 3) политическая обстановка. По всем трем пунктам роль М. К. Дитерихса была огромной, в розысках и обнаружении остатков жертв Екатеринбургского убийства его роль оказалась совершенно исключительной, решающей... этим фактом нисколько не уменьшается роль и огромная заслуга Соколова в ведении следствия» (*Вильтон Р.* Последние дни Романовых. — Берлин, 1923).

Вильтон и Дитерихс написали книги, в которых главные выводы об организаторах цареубийства, о его исполнителях, о ритуальном характере обращения с телами расстрелянных совпадают, и, следовательно, последнее слово об этом жесточайшем из преступлений века было за Соколовым. О том, какие заключения он предполагал внести в свою будущую книгу, свидетельствует статья, изданная без подписи в

«Царском вестнике» в 1939 году. Много позже О. А. Платонов установил, что ее автором был доктор К. Н. Финс, записавший свидетельства друга Соколова А. Шиншина. Приведем отрывок из статьи дословно: «Сведения о контактах Я. Шифа и Я. Свердлова (*свидетельствующие о прямом приказе мирового еврейства убить русского Царя. — Т.М.*) были лично сообщены Соколовым в октябре 1924 года, то есть за месяц до внезапной его кончины, его другу, знавшему его еще как гимназиста пензенской гимназии. А. Шиншин видел и оригинальные ленты, и их расшифрованный текст. Соколов, как можно видеть из его письма, считал себя «обреченным», а потому просил своего друга прибыть к нему во Францию, чтобы передать ему факты и документы чрезвычайной важности. Доверять почте этот материал Соколов не решался. Кроме того, Соколов просил своего друга ехать с ним в Америку к Форду, куда последний звал его как главного свидетеля по делу возбуждаемого им процесса против банкирского дома «Кун, Лоеб и К». Процесс должен был начаться в феврале 1925 года. Но поездка не состоялась, в ноябре 1924 года Соколов, в сорок с небольшим лет, внезапно умирает. А ведь Форд, когда Соколов впервые приехал к нему в Штаты, отговаривал его возвращаться в Европу, говорил, что ему грозит опасность. Очевидно, имел Форд основания так говорить. Соколов опубликовал материалы об убийстве Царской Семьи. Русское и французское издания не вполне идентичны. Полная публикация следственного материала, в том числе и текста телеграммы, оказалась для Соколова невозможной, издательства опасались неприятностей со стороны Всемирного Еврейского Союза» (*Платонов О. А.* Терновый венец России. История цареубийства. — М., 2001).

Неоднократно предпринимавший попытки опубликовать всю правду об убийстве Царской Семьи, собиравшийся даже выступить об этом в антиеврейском процессе, Соколов таинственно умирает, его нашли мертвым во дворе своего дома в конце 1924 года, рукопись его книги и материалы следствия попадают в руки некоего «благодетеля» Соколова князя Николая Орлова, который уже в 1925 году торопливо издает рукопись под заголовком «Убийство

Царской Семьи. Из записок судебного следователя Н.А. Соколова».

Книга, предупреждает издатель в предисловии, автором не закончена, но главное в ней, подчеркивает князь Орлов, что Соколов «решился сам огласить истину — *сам от себя*, а не под флагом какой бы то ни было политической партии... Соколову пришлось много и болезненно бороться за отстояние этой правды от тех, *кто пытались использовать ее в своих личных целях*» (*Соколов Н. А. Убийство Царской Семьи. Из записок судебного следователя Н. А.Соколова.* — М., 1998). Такое предупреждение издателя при осведомленности нашей, что Соколов принадлежал именно к «партии» — к той части русских эмигрантов, которые видели в цареубийстве начало иудейского ига над Россией, уже эти вкрадчивые слова заставляют задуматься о том, через чьи руки прошли записки следователя Н. А. Соколова по пути к их изданию.

Князь Николай Владимирович Орлов в 1924 году был еще очень молод, всего 31 год, и, по-видимому, выступал в роли «попечителя» и «благодетеля» Соколова не сам от себя. Ведь он — сын князя Владимира Николаевича Орлова, начальника военно-походной канцелярии Государя, масона, заклятого врага Государыни Александры Федоровны, это он был при Дворе Императора главным источником самых грязных сплетен об Императрице, царских дочерях и Григории Распутине, за что уволен Государем с должности, удален из Александровского дворца, переведен на службу к своему покровителю в. кн. Николаю Николаевичу. Единомышленник В. Н. Орлова протопресвитер Шавельский вспоминает: «В своих чувствах и к Императрице, и к Распутину князь Орлов был солидарен с великим князем. Временами и великий князь, и князь Орлов в беседах со мной проговаривались, ... что единственный способ поправить дело — это заточить царицу в монастырь» (*о. Георгий Шавельский. Из воспоминаний последнего протопресвитера русской армии и флота // Государственные деятели России глазами современников. Николай II. Воспоминания. Дневники.* — СПб., 1994). Итак, отец «благодетеля» Соколова и издателя его записок — злейший враг Государыни Александры Федоровны, приветствовавший отречение Государя, а родня его жены и того хуже, ее отец — великий князь Петр Николаевич Романов и ее дядя великий князь Николай Николаевич, масоны, предавшие своего Императора, свившие осиное гнездо интриг против Царствующего Государя.

Соколов прекрасно знал, что именно великий князь Николай Николаевич отказался взять на хранение следственное дело об убийстве Царской Семьи у французского генерала Жанена, перевезшего его из Китая в Европу для передачи родственникам, что стараниями великого князя Николая Николаевича материалы эти попали в руки масонов Гирса и Маклакова и исчезли навсегда. Вот почему не ясно, как следователь мог принять помощь от ближайшего родственника Николая Николаевича и доверить ему свои записки. Либо князь Орлов скрывал от Соколова свою принадлежность к масонскому клану, либо никаких отношений между Орловым и Соколовым до таинственной кончины последнего не было, и материалы следственного дела достались князю после смерти Соколова.

В любом случае, записки Соколова после его смерти оказались не просто в чужих руках, а во враждебных следователю руках, и *чужое вмешательство в текст можно не только предполагать, его надо с неизбежностью искать*, ведь вся цепочка событий вокруг следователя накануне его гибели была нацелена на одно — не дать ему опубликовать свои материалы, особенно телеграммы Шифа (вспомним сведения об отказе издательств в публикации) и похитить эти материалы (ряд документов у Соколова похитили во время поездки в Берлин).

При анализе «записок следователя» обращает на себя внимание их идейный диссонанс с книгами единомышленников — Вильтона и Дитерихса. У Соколова практически снят вопрос о ритуальном характере убийства Царской Семьи. Вильтон и Дитерихс, напротив, подчеркивали это свидетельскими показаниями. У Соколова показано, что Государя и Государыню убили русские люди. У Вильтона и Дитериха обнажена четко отлаженная еврейская организация цареубийства. Дитерихс и Вильтон приводят показания свидетелей о приезде в Екатеринбург чернобородого раввина и о посещении им Ганиной Ямы. У Соколова в записках этих свидетельств нет, но ведь он же знал о них, имел в своих материалах.

Вот перед нами выводы всех троих участников следствия при анализе перифраза из Гейне, найденного на стене подвала, где убита Царская Семья, и, без сомнения, понимаемого всеми как приговор Государю, сделанный мстительной зловещей рукой цареубийцы.

Вильтон: «Еврей с черной, как смоль, бородой, прибывший, по-видимому, из Москвы с собственной охраной, к моменту убийства в обстановке крайней таинственности, — вот вероятный автор надписи, сделанной после убийства и ухода «латышей», занимавших полуподвальное помещение, последние были на это по своему низкому умственному развитию совершенно неспособны. Во всяком случае, тот, кто сделал эту надпись, хорошо владел пером (или, точнее, карандашом). Он позволил себе каламбур с именем Царя (Belsatzar вместо Balthazar), монарх этот расположением евреев не пользовался, хотя зла пленным евреям не причинял. Понятен намек на Библию. Николай тоже зла евреям не сделал, их было много среди подданных, но он их не любил: то был в глазах Израиля грех смертный. И ему устроили самую тяжкую смерть — *быть убитым своими*» (*Романова А. Н. Я, Анастасия Романова. —* М., 2002). Этой последней фразой Вильтон ясно указывает на заведомый подлог: евреи устроили так, чтобы цареубийство выглядело как дело *русских рук*.

Дитерихс: «Валтасар был в эту ночь убит своими подданными», — говорила надпись, начертанная на стене комнаты расстрела и проливавшая свет на духовное явление происшедшей в ночь с 16 на 17 июля исторической трагедии. Как смерть халдейского царя определила собой одну из крупнейших эр истории — переход политического господства в Передней Азии из рук семитов в руки арийцев, так смерть бывшего Российского Царя намечает другую грозную историческую эру — переход духовного господства в Великой России из области духовных догматов Православной эры в область материализованных догматов социалистической секты» (*Дитерихс М. К.* Убийство Царской Семьи и членов Дома Романовых на Урале. — Владивосток, 1922). Дитерихс, цитируя строку из Гейне, еще более отчетливо, чем Вильтон, выразил мысль о еврейском замысле этого преступления, указав на его духовную сущность.

А теперь вчитаемся в неожиданно скупой комментарий этой надписи у Соколова: «В этой комнате под цифрой II Сергеев обнаружил на южной стене надпись на немецком языке:

> Belsatzar ward in selbiger Nacht
> Von seinen Knechten umgebracht.

Это 21-я строфа известного произведения немецкого поэта Гейне «Balthasar». Она отличается от подлинной строфы у Гейне отсутствием очень маленького слова «aber», т. е. «но все-таки». Когда читаешь это произведение в подлиннике, становится ясным, почему выкинуто это слово. У Гейне 21-я строфа — противоположение предыдущей 20-й строфе. Следующая за ней и связана с предыдущим словом «aber». Здесь надпись выражает самостоятельную мысль. Слово «aber» здесь неуместно. Возможен только один вывод: тот, кто сделал эту надпись, знает произведение Гейне наизусть» (*Соколов Н. А.* Убийство Царской Семьи. Из записок судебного следователя Н. А. Соколова. — М., 1998). И это весь комментарий зловещей надписи в книге Соколова, при том намеренно упущено еще одно отличие оригинала Гейне от надписи в подвале Ипатьевского дома: у Гейне имя библейского царя передано как «Balthazar», а автор надписи изображает его так — «Belsatzar», то есть «Белый Царь», ясно давая понять, что это строки приговора Русскому Царю, именуемому в своем народе «Белым Царем». В чем причина такого поверхностного, с изъятием важных подробностей вывода Соколова — автор надписи знал Гейне наизусть, и только? Может быть, в страхе? Но ведь он сам считал себя обреченным и в деле расследования шел до конца, как Вильтон и Дитерихс. Скорее всего, перед нами текст Соколова с изъятыми из него чужой рукой главными выводами следователя, близкими по сути тому, что было сказано прежде его соратниками. Но помимо простых изъятий, это еще позволяло бы считать текст книги заслуживающим некоторого доверия, в «записках следователя» существует масса лживых «вставок», которые наверняка не могут служить «документом эпохи», они должны быть выявлены и тщательно отделены от правды. Вставки имеют разный объем — от кратких реплик до целых глав. Небольшие реминисценции направляют мысль читателя в нужное фальсификаторам русло. Снятие темы ритуального убийства отчетливо проступают в следующих фразах: «Из десяти человек пятеро были не русские и не умели говорить по-русски. Юровский, знавший немецкий язык, говорил с ними по-немецки… Из остальных пяти один был русский и носил фамилию Кабанов. Другие четверо говорили по-русски, но *их национальности я не знаю*» (там же).

Семью «убили чекисты под руководством Юровского» (там же), но его деятельность носила характер «черной» работы… *какие-то иные люди*, решив судьбу Царской Семьи, пробудили преступную деятельность Юровского» (там же). Среди *каких-то иных людей* названы те, кого нельзя не упомянуть, будет очевидна грубая фальсификация документа — Голощекин и Свердлов, и указано, что «судьба Царской Семьи была решена не в Екатеринбурге, а в Москве» (там же, с.328). Но дальнейшие «концы», о которых мы знаем из других источников и о которых точно знал Соколов, тщательно спрятаны фальсификаторами: «Были и другие лица, решавшие вместе со Свердловым и Голощекиным в Москве судьбу Царской Семьи. *Я их не знаю*» (там же).

Само убийство, описание которого поражает в «записках» бесстрастием, имеет удивительный для осведомленного во всем следователя комментарий: «Наш старый закон называл такие убийства *«подлыми»* (там же). И только?! В подаче следственного материала об убийстве в книге Соколова бросается в глаза телеграфная краткость и голая фактологичность. Поразительное бесстрастие автора было бы оправдано именно жанром строгого судебного расследования и особенностями стиля неискушенного в литературном творчестве следователя, если бы не явное, лезущее в глаза, назойливое пристрастие и эмоциональность, словоохотливость и многоречивость в тех главах записок, которые посвящены оценке личности Государя, характера Императрицы, роли в их жизни Григория Распутина. Главы эти к делу расследования убийства Царской Семьи абсолютно не относятся и потому подпадают под подозрение как «вставные», то есть принадлежащие не самому Соколову, а фальсификаторам его «записок».

Анализ характеров членов Царской Семьи объясняется надуманным предлогом: «Увоз Царя из Тобольска поставил передо мною вопрос, действительно ли Государь Император, обладая слабой личной волей и будучи всецело подавлен волею Государыни Императрицы Александры Федоровны… шел к измене России и союзникам, готовясь к заключению сепаратного мира с Германией?» (там же). Но на этот вопрос уже был дан однозначно отрицательный ответ Чрезвычайной следственной комиссией Временного правительства в 1917 году при допросе множества свидетелей, при анализе всех причастных к делу документов. Ответ этот засвидетельствован знаменитой запиской следователя В. Руднева (Тайны новейшей истории. Экспертиза по идентификации А. Н. Романовой и Н. П. Билиходзе // «Россия». — 2002, 23-29 мая). Соколов, разумеется, знал это и никогда не задавался таким вопросом, как не задавались им Вильтон и Дитерихс. Но фальсификаторы ввели этот фальшивый вопрос как повод вновь поведать миру о том, что Государь был слабым царем и слабовольным человеком («по своему душевному складу он был живым отрицанием идеи самодержавия» (*Соколов Н. А.* Убийство Царской Семьи. Из записок судебного следователя Н. А. Соколова. — М., 1998), что он всецело подчинялся своей жене («Я думаю, по типу своей натуры он мог любить женщину, не властвуя над ней, а только покоряясь ей» (там же, с.80), что после отречения он пережил «надлом своей души» (там же). Таких вот высокомерно-снисходительных суждений о Царе, совершенно не связанных со следствием, не позволяли себе ни верноподданный М. К. Дитерихс, ни подданный другого государства Р. Вильтон. Очевидно, и монархист Н. А. Соколов, бесстрашно отдавший жизнь памяти убиенного Государя, восстановлению правды о его гибели, не решился бы выносить подобные приговоры Императору, которого он лично не знал, личных писем и дневников Его в руках не держал, а что еще объективно может свидетельствовать о названных в «записках» слабоволии, покорстве жене, надломе души?

Верному монархисту, честному человеку, профессионалу своего дела не может принадлежать оглушающее своей безапелляционностью заявление о неизбежности смерти Государя Императора: «В общем ходе мировых событий смерть Царя, как прямое последствие лишения его свободы, **была неизбежной**, и в июле месяце 1918-го года уже **не было силы**, которая могла бы предотвратить ее» (там же). Но зато как нужны были эти слова для многих бывших царских подданных, тех предателей, кто сознавал, что будущие поколения непременно предъявят им счет, бросят им в лицо горький упрек в нарушении клятвы верности Царю, в разрушении Самодержавия. Подлая, коварная рука не дрогнула вписать эти лживые слова в книгу одного из самых верных Государевых слуг, воина по духу!

Если клеветнически выставленные «отрицательные качества» Государя Императора в фальсифицированных главах еще кое-как «припудрены» похвалами его доброте, мягкости, «очарованию» (о чем Соколов тоже объективно судить не мог!), то уж погибшую в Ипатьевском застенке Государыню Александру Федоровну «записки следователя» бесстыдно чернят, приписывая ей самые неблаговидные черты характера. Вот где рука злобного фальсификатора выплескивает на страницы «записок» неприкрытую мстительную ненависть к Александре Федоровне, совершенно не присущую самому Соколову. Ведь в начале книги следователь признается (и мы верим, будто это его собственные слова), что он «не знал жизни, психологии той среды, к которой принадлежали потерпевшие от преступления», тем более он не знал погибших лично и потому никак не мог заявить: «Я признал преобладание воли Императрицы над волей Императора. Это существовало с самого начала совместной жизни и коренилось в их натурах. В последние годы ее воля подавляла его волю» (там же).

Государыня объявляется в книге истеричкой: «Может ли быть признана здоровой женщина, дающая жизнь гемофилику? ... После его рождения ее истерия стала выпуклым фактом» (там же, с.84). Лютым мщением, а отнюдь не следовательским бесстрастием дышат слова книги, не подкрепленные ни единым фактом: «Аномальное сознание своего «я», навязчивость идей, чрезмерное волевое напряжение, раздражительность, частая смена настроений, нетерпимость к чужому мнению — все это было налицо» (там же).

Фальсификатора выдает и предвзятая атеистическая оценка религиозности Александры Федоровны, во-первых, ложное утверждение, что «к религии обратилась она, когда поняла, что жизнь ее надломлена, что ее сын гемофилик». Это заведомо неверно, ибо Государыня с детства была искренне верующей, и вопросы Веры для Нее стояли выше любви и брака. Во-вторых, сама Вера Императрицы с масонской издевкой названа «экзальтированной», автор настойчиво проводит мысль, что «этими настроениями она заражала других... их не избежал и сам Государь» (там же).

Но все же главное обвинение, на которое опять-таки честный следователь Соколов не имел никакого права, да и вряд ли решился бы его предъявить зверски убитой, замученной Императрице, это то, что «Императрица в последнее время стала вмешиваться в дела управления» (там же). Открыто выдвинутое обвинение, которое автор книги вкладывает в уста камер-юнгферы Занотти (уж кому как не горничной судить о вмешательстве Императрицы в политику!), звучит, по крайней мере, странно и нелепо, однако именно оно является для фальсификаторов важной «зацепкой» для введения в «записки» Григория Распутина. Но при чем тут Григорий Ефимович? Ведь он никак не связан с темой книги — расследованием конкретного убийства, именно убийство Царской Семьи расследовал Соколов и ничего более, но фигура Григория Ефимовича фигурирует все время в «Записках» следователя, разрушая естественную ткань исследовательского текста. Отдельный параграф так и называется «Распутин», и в нем основные обвинения выведены в виде так называемых «свидетельских показаний». В числе свидетелей выступают П. Жильяр, Занотти, дочь Варвара, князь Юсупов, а также некие анонимные свидетели — «одна женщина», «одно лицо военно-судебного ведомства», один из членов некоего «Центра Государственного Совета», «женщина, жившая в его квартире и наблюдавшая его» (*т.е. Распутина. — Т.М.*). И это стиль знаменитого следователя Соколова, одного из лучших профессионалов своего дела! И ведь что показательно, анонимные свидетели у Соколова проходят только в рамках распутинской темы, в других главах подобных шатких оснований для своих выводов следователь не приводит. Но и свидетели, чьи имена известны, не вызывают доверия. Ценность показаний о Распутине Жильяра, учителя цесаревича Алексея, что Распутин-де «имел влияние на управление страной» (там же), сведена к нулю его же признанием в собственных мемуарах, что с Распутиным он не был знаком, а видел его лишь однажды в передней Александровского дворца. Показания горничной Занотти о пресловутом «соблазнении» Распутиным няни цесаревича Марии Вишняковой, или о том, что Государыня «мало-помалу из религиозной превратилась в фанатичку» (там же), или о том, что «Государыня была ... больна истерией» (там же), или что «вместе с Вырубовой и Распутиным они обсуждали дела управления» (там же), эти показания женщины, в обязанности которой входила уборка комнат и заведывание гардеробом Императрицы, также являются либо откровенным подлогом, разоблачить который публично бедная женщина вряд ли имела возможность, либо это злоба завистницы-служанки, решившейся после гибели своей Хозяйки выместить всю свою ненависть к святой Семье в самой непристойной клевете. Хотя в последнее предположение поверить невозможно, ведь Занотти была среди тех, кто последовал за Государыней в Тобольскую ссылку.

181

Измышлениям о Распутине, приписываемым в книге Юсупову, который, по свидетельству очевидцев, был у Григория Ефимовича не более двух-трех раз, вообще нельзя доверять. Чего стоят якобы «выболтанные» Распутиным сведения о «чудесных травках, которыми можно было вызывать атрофию психической жизни и останавливать кровотечения» (там же).

Иначе как клеветой не назовешь ничем не обоснованные заявления, сделанные от имени Соколова, о несметном богатстве Григория Ефимовича, не имеющие никакого документального подтверждения в следственном деле и до того не подтвержденные Чрезвычайной следственной комиссией Временного правительства: «Руднев считал Распутина бедняком, бессребреником. Не знаю, на чем он основывается. Мною установлено, что только в Тюменском отделении Государственного банка после его смерти оказалось 150 000 рублей» (там же).

Для чего фальсификаторам требовалось непременно разоблачить именно Григория Распутина, хотя тема книги — убийство Царской Семьи? Для того, чтобы показать, что Распутин и увлеченность им Государя и Государыни были духовной причиной разрушения Самодержавия, а «преемник Распутина (*Соловьев. — Т.М.*), порожденный той же самой средой, существовал и в Тобольске и обусловил их гибель» (там же). Вот так — просто и ясно: не предательство армии и Церкви, не масонское Временное правительство, сославшее Царскую Семью в Сибирь, не еврейская большевистская клика, ритуально убившая Царственных мучеников, а Распутин с Соловьевым обусловили гибель Государя, Его жены и детей! И вложить это нелепое обвинение в уста следователя, годы потратившего на то, чтобы установить истину в деле о цареубийстве, а нам после этого верить, что книга Соколова — подлинный документ эпохи?! Вот уж действительно как слепота и глухота напали на русских людей, что ни глаза их не видели, ни уши не слышали нелепицы и лжи в фальсифицированных «записках следователя». Ведь если подытожить все сказанное в книге от имени Соколова о Государе, о Государыне, о Распутине, то окажется, что все это повторение избитых басен старых дворцовых масоновинтриганов В. Н. Орлова и в. кн. Николая Николаевича, клеветнических измышлений, вынутых на свет из зловонных, затхлых сундуков их мстительной памяти и выплеснутых на бумажные листы под видом «записок» стороннего Царской Семье, но глубоко преданного Ей человека — следователя Николая Александровича Соколова.

У нас нет сомнений, что неоконченная книга Соколова была «закончена» заинтересованными в сокрытии истины людьми. При внесении изменений в этот документ фальсификаторы сняли вопрос о ритуальном убийстве, показав, что главные виновники гибели Царской Семьи — русские люди, вина за гибель России и Самодержавия возложена на Императора и Императрицу, а их убийство представлено как неизбежное следствие тесного общения с Григорием Распутиным. Фальсификация записок Соколова проведена несколькими способами. Фальсификаторы вымарывали невыгодные им куски текста, так ими обрезан фрагмент «записок» с комментарием цитаты из Гейне в Ипатьевском застенке. Они вписывали оценочные фразы и выводы в текст Соколова. Вот почему не соответствует известным следователю фактам фраза о незнании им истинных заказчиков цареубийства. И, наконец, фальсификаторы имели наглость вписать в текст Соколова откровенно клеветнические главы и параграфы — все это делает книгу лживым документом, которому при всей нашей благодарности к памяти честного следователя Николая Александровича Соколова не следует всецело доверять.

История с фальсификацией «записок следователя» Соколова показывает, что подозрения в фальсификации могут быть сняты только с того документа, с той книги, с тех мемуаров, посвященных Царской Семье, которые опубликованы были при жизни их авторов и под их неусыпным контролем. В противном случае подлоги и искажения документальных источников неизбежны.

И какова же крепость верности русского народа Самодержцу, если десятилетия усилий всех подлецов-фальсификаторов оказались напрасны, православные добились официального прославления Царственных мучеников. А в ответ — новый шквал клеветы ненавистников России. Не иссякает их ненависть к Государю, гложет их страх перед неминуемой после опамятования русских расплатой за совершенные против России и Государя преступления.

Еще одна лжедочь Императора

Известие, что младшая дочь последнего Российского Императора великая княжна Анастасия Николаевна Романова жива и, вынужденная все годы после революции скрываться под чужой фамилией — Билиходзе, требует теперь вернуть себе Царское имя и уже сегодня на правах наследницы готова бороться за право на многомиллиардное достояние Российской империи, что заперто с 1917 года в зарубежных банках, ошеломило Россию. Сенсация моментально заполонила ведущие телевизионные каналы и центральные газеты. Даже «Российская газета», официальный правительственный орган, и та не пожалела гигантского газетного куска, чтобы без тени сомнения рассказать о 101-летней Наталье Петровне Билиходзе, долго хранившей тайну своего происхождения, а ныне предъявившей обществу доказательства Царственного рождения — экспертизы грузинских (по месту жительства) психологов и криминалистов, присовокупив к ним мало того, что уже написанную, но уже и отпечатанную книгу воспоминаний «Я, Анастасия Романова» (*Романова А. Н. Я, Анастасия Романова. — М., 2002*).

Самозванство не ново на Руси, достаточно вспомнить Лжедмитриев, вот и после гибели Царской Семьи, начиная с 1918 года, известно несколько женщин, называвших себя Анастасиями Романовыми, ходили слухи и о самозваных «царевичах Алексеях», о «чудом спасшейся Марии» американцы даже фильм соорудили. Но так масштабно, как в случае с Билиходзе, на столь широкую ногу никогда еще не была поставлена система доказательств идентичности сегодняшней 101-летней женщины и 17-летней великой княжны, зверски убитой большевиками вместе с царственными родителями, братом-Цесаревичем и сестрами в Екатеринбурге 17 июля 1918 года.

К рассмотрению представленных доказательств стоит отнестись с той же серьезностью, с какой они предъявлены обществу, ведь в случае их подтверждения под сомнение попадает сам факт ритуального убиения большевиками Государя Императора Николая Второго со всей Семьей, варварского уничтожения их тел, — тогда действительно потребуется, как заявляют представители новоявленной «великой княжны», деканонизация их Русской Православной Церковью.

Хорошо бы своими глазами посмотреть материалы психологической экспертизы, когда письма престарелой Н.П. Билиходзе сравнивались с детскими, подростковыми, отроческими письмами великой княжны Анастасии Николаевны. Увы, ссылки на экспертизу есть, сами же материалы недоступны, как недоступны нам и данные сравнительно-криминалистического исследования, известно лишь, что эксперты, сопоставлявшие фотографии ушных раковин Н.П. Билиходзе с фотографиями ушных раковин Анастасии Романовой, вынуждены признать, что представленные им фотографии великой княжны «недостаточно хорошего качества». Впрочем, в чем собственно уверили бы нас сами эти материалы, если опубликованный на их основе вывод эксперта-криминалиста Р. Цинцадзе крайне осторожен: *«Сравниваемые правая и левая ушные раковины исследуемого лица Наталии Петровны Билиходзе и образца Анастасии Романовой предположительно тождественны»*. Вот так — *предположительно тождественны*, — не более чем. Нет уверенности и в выводах психологов во главе с академиком Академии наук Грузии Ш.А. Надпрашвили: *«Существует большая вероятность тождества между дочерью Императора Николая II Анастасией Романовой и гражданкой Билиходзе Натальей Петровной»*. Экий научный выверт — *существует большая вероятность тождества*!, дескать, не мы, ученые, пришли к заключению... не мы, ученые, признаем... а существует такая вероятность, сама по себе существует, никто ее не подтверждает, но и не опровергает, и никакой ответственности никто на себя не берет.

Известно, что чем сложнее процедура научной экспертизы, чем менее доступна она для проверки, тем больше возможностей фальсифицировать ее выводы, ибо эксперты — психологи, криминалисты, генетики, а нам обещана вскоре и ДНК-экспертиза, так вот, эксперты тоже люди, и, как показывает жизнь, если продаются и покупаются президенты, премьеры, министры безопасности и внутренних дел, генеральные прокуроры и верховные судьи, кто может исключить, что не способны покупаться и продаваться эксперты, поди проверь, а куш за признание госпожи Билиходзе великой княжной Анастасией Романовой может быть немалый, судя по размаху рекламной кампании и суетливости «Российской газеты», газеты «Россия», из номера в номер публиковавшей материалы экспертиз и куски воспоминаний «царской дочери».

Сопоставим книгу Н. П. Билиходзе «Я — Анастасия Романова» с документами великой княжны Анастасии Николаевны Романовой — ее письмами, письмами к ней, с засвидетельствованными в других исторических источниках фактами.

Наша задача проста: по содержанию книги, по авторским нравственным и эмоциональным оценкам описываемых в ней людей и событий доказать, что либо они действительно принадлежат руке великой княжны Анастасии Николаевны, либо их носитель — другой автор, не тождественный, как выражаются эксперты, с младшей дочерью Императора Николая Второго. За основу нашего сравнительного анализа из книги «Я, Анастасия Романова» мы возьмем лишь главу «Мама», посвященную Государыне Императрице Александре Федоровне. Еженедельник «Россия» с размахом подал этот материал, снабдив его результатами различных экспертиз, официальным письмом представителей Н.П. Билиходзе президенту России В. В. Путину (Тайны новейшей истории. Экспертиза по идентификации А.Н.Романовой и Н.П.Билиходзе // «Россия». — 2002, 23-

29 мая), схемами для возврата в Россию денег Российской империи. Дескать, вот наследница Императора, вот доказательства тому, — только признайте и потекут денежки полноводной «зеленой» рекой, настоящей долларовой Волгой в российские банки.

Для начала установим, есть ли в главе «Мама» новые сведения о Царской Семье, которые могут быть известны только дочери, до того нигде никогда не упоминавшиеся. Таких сведений у предполагаемой дочери, до того восемьдесят четыре года молчавшей, в воспоминаниях о матери нет. Ведь нельзя же считать откровением рассказ о том, что Государыня Императрица была верующей, что она «заметно краснела и бледнела», «часто поступала по первому чувству» и говорила по-русски «с акцентом». Правда, в главе не без намека на особую доверительность сообщается об «особых приметах» Государыни, что, конечно, должно явиться важным доказательством подлинности «дочери». Но и здесь нас ждет разочарование, все эти особые приметы: «родинки на левой стороне шеи и левой щеке», «размер ноги у нее большой — сороковой» — смесь общеизвестного с недоказуемым. О большом размере обуви Императрицы упоминал еще следователь Н. А. Соколов, когда устанавливал принадлежность убиенной Государыне пары изящных женских ботинок, изъятых при обыске у одного из охранников. Что касается крупных родинок на левой стороне шеи и левой щеке Императрицы, то на многочисленных, хорошо сохранившихся фотографиях Императрицы их не видно, а точечные родинки особенной приметой вообще не являются, и доказать, были они или нет на лице давно умершего человека, невозможно.

Единственный, до того никогда, нигде и никем не упоминаемый факт из жизни Государыни Александры Федоровны, который приводит в своих воспоминаниях называющая себя великой княжной Анастасией гражданка Н. П. Билиходзе, это сообщение автора книги «Я, Анастасия Романова» о том, что Ее Величество «в университете не училась»: «Я видела, — пишет Н. П. Билиходзе, — ее бумаги:

она хотела учиться, но не пришлось». Подобное «откровение» кроме как глупостью назвать нельзя. Какие такие материнские «бумаги» могла видеть дочь, из которых явствовало бы, что мать хотела учиться, но «не пришлось». Бумагой, то есть дипломом, аттестатом, свидетельством, можно доказать наличие образования, а каким дипломом можно засвидетельствовать отсутствие оного? Хорошо известно, что Александра Федоровна имела степень бакалавра философии, хотя это вовсе не означает, что ей пришлось просидеть пять лет на студенческой скамье Оксфорда, — высшее образование члены королевских семей получали дома. Император Николай Второй получил два высших образования — военное и юридическое, но «бумаг» об этом он тоже вряд ли имел. Но вот та значимость, с которой автор книги «Я — Анастасия Романова» преподносит или давно известные истины, или такие вот глупости, или, как мы увидим чуть позже, просто сплетни, подтверждает только одно: ничего нового о семье, о матери автору сказать нечего, вот и приходится придавать вес, солидность пустякам. Еще один «семейный секрет» в подтверждение знаний Царского Дома изнутри приводит автор книги «Я, Анастасия Романова»: «В нашей семье на вещах ставился особый знак, это как бы пароль. В затруднительных случаях по этому знаку помогут и пропустят». Ни описания таинственного знака, ни указания, на каких вещах ставился знак, — драгоценностях, одежде, книгах..? — Билиходзе не дает. Как не говорит она и о том, в каких таких «затруднительных случаях», как «помогут», и куда «пропустят», и кто поможет, кто пропустит предъявившего «пароль»? Но даже если действительно такой особый знак был, где гарантия, что вещами с «паролем» давно уже не завладели охранники Ипатьевского дома или потомки Юровского, Радзинского, Войкова, производивших изъятие вещей после расстрела Царской Семьи. Впрочем, всерьез все это комментировать нельзя, ни к истории, ни к филологии все это никакого отношения не имеет, тут надо с психиатрами консультироваться или со следователями, специализирующимися на аферистах.

Но, допустим, престарелая женщина забыла или не смогла толком рассказать о деталях, ведомых лишь члену семьи, есть в книге и другие приметы, по которым можно судить об авторе, действительно ли это великая княжна из Царского Дома Романовых. Ведь автор книги, как очевидец, может подтвердить верность одних исторических источников и опровергнуть другие. И она действительно свидетельствует... В главе с щемяще трогательным названием «Мама» собраны... сальные скабрезности о Государыне Императрице Александре Федоровне, и опять же ни одного нового слова, все из давно уже перемеленного-пересуженного, из давно уже убедительно разоблаченных наветов. Вы только представьте себе, чтобы, вспоминая детство, дом, убиенных родителей, маму, взрослая, уже старая, век пережившая дочь не находила ничего более достойного в своей памяти о матери кроме даже не пережитого, нет, даже не увиденного, нет, а якобы услышанных от прислуги сплетен о любовной истории, приписанной Ее Величеству и другу Императора графу А. А. Орлову, в 1908 году умершему от туберкулеза. И в каких словах «вспоминается» сие дочерью, которой было в ту пору семь лет: «История закончилась тем, что отец застал их вдвоем. Увидев государя, граф был в смущении и выстрелил в себя, но остался жив. Об этом эпизоде рассказывала прислуга: «Граф за вашу маму застрелился». Как вам нравится такой пассаж, чтобы прислуга в царском доме растолковывала семилетней великой княжне, как граф стреляется из-за ее мамы. На самом деле первоисточник этого клеветнического водевиля книга «Последний самодержец», изданная в Берлине в 1912 году и пропитанная ненавистью к Самодержавной России, ее Царям (*Обнинский В. П. Последний самодержец. Очерк жизни и царствования Императора России Николая II. — Берлин, 1912*). Потом этот сюжет кочевал от одного клеветника к другому, докочевал и до наших дней, растиражированный разными пикулями и радзинскими, дополнившими его в раскраску собственными выдумками. И вот новое «свидетельство», и от кого — от якобы родной дочери Императрицы! Хорошо хоть не сама видела — «прислуга рассказала»...

Еще один бульварный сюжет в «воспоминаниях Анастасии Романовой», опять же со слов неведомой «прислуги» — история о том, как Григория Ефимовича Распутина посещала вдова Холодцова, никакого отношения к Императрице не имевшая, но почему-то «вспомнившаяся» старушке Билиходзе в связи с «мамой». Опять же вспомнилось Билиходзе, как сущая правда, то, что черным валом газетной клеветы обступало Их Величества в военные предреволюционные годы. Именно в те годы революционеры широко развернули и щедро проплатили газетную травлю сибирского странника и богомольца Григория Ефимовича Распутина, сочно и смачно расписывая небылицы о «срамных похождениях» старца, целили вроде как в царского молитвенника, но умелым рикошетом били в Царскую Семью. Народ изумлялся скверне, якобы окружавшей Царя и Царицу, переставал верить в благодать самой Царской Власти.

Сегодня уже доказано, что «пьяные оргии Распутина», о которых визжала дореволюционная еврейская пресса — подлог, что так называемый «Дневник Распутина», хранящийся в Государственном архиве Российской Федерации, и «письма Распутина» в отделе рукописей Российской государственной библиотеки — грязная и грубая подделка, что для создания скандалов в ресторанах использовался человек «похожий на Распутина», однако, на радость сегодняшним ненавистникам Государя Императора, та, которая называет себя Его дочерью, пишет: «Я видела в Григории изверга, нечистую силу, ведь он сводил с ума кого хотел, каких только дам не водил в баньку. Прислуга рассказывала…». И все это прислуга рассказывала пятнадцатилетней великой княжне?! Дальше — больше, называя Государыню своей матерью, она выносит приговор ей, человеку безупречной чистоты и высочайшей нравственности: «Первый помощник мамы в государственных делах — Распутин… Мама постоянно советовалась с ним… Государыня многое прощала ему. Распутин был нехороший человек и очень повредил нашей семье». Выходит, собственная дочь подтверждает распространяемые перед революцией слухи, что «Россией управляют сумасшедшая немка и пьяный мужик»?

С чьего голоса поет мемуаристка, именующая себя великой княжной Анастасией Николаевной, утверждая, что «Государыня любила заниматься политикой, но это у нее не очень-то получалось»? В марте 1917 года, когда Государя Императора Николая Александровича свергли с Престола, его младшей дочери было 15 лет, могла ли девочка-подросток так взвешенно судить, получалось ли у мамы заниматься политикой или нет. Вообще могла ли девочка задумываться над тем, да еще выносить столь жесткие категоричные оценки. Подобное суждение вообще не может исходить из уст великой княжны, ведь мать-Императрица была святыней для своих дочерей и никакие силы не могли бы заставить уцелевшую, вышедшую живой из кровавой мясорубки дочь сказать об умершей матери плохо, тем более клеветать на нее. Но какой образ Ее Величества Александры Федоровны предстает в воспоминаниях «дочери»: истеричная, раздражительная, часто падающая в обмороки, вмешивается в государственные дела и любит это делать, вовлекает в политику «изувера» Распутина и «лукавую» Вырубову, в войну сочувствует немцам, дарит раненым германским офицерам золотые иконки (только к чему они лютеранам?)…

Помилуйте, кто же писал этот портрет, дочь ли? И впрямь образ самой «дочери» при чтении главы из ее книги вырисовывается прелюбопытный. Очень зла, способна жестоко отзываться о мученически погибшей матери, лгунья, пользующаяся наветами, очерняющими ее родителей, патологическая сплетница, обсуждающая поступки матери-Императрицы с прислугой, которая в присутствии дочери «посмеивалась, когда мама коверкала слова». Из книги «Я, Анастасия Романова» можно сделать вывод, что автор книги в юном возрасте была потрясающе двуликой — лицемеркой, притворщицей. А как иначе объяснить, как совместить описание в книге детских впечатлений младшей дочери Государя от общения с Г. Е. Распутиным, А. А. Вырубовой с подлинными письмами великой княжны к ним же.

Вот как откровенно неприязненно, даже враждебно вспоминает автор книги «Я, Анастасия Романова» об Анне Александровне Вырубовой: «Мне представляется, что Вырубова легкомысленная и лукавая женщина… У меня не было дружбы с Вырубовой, мне не нравилось, что она морочит голову маме… Держаться старалась от нее подальше. Анна не имела ко мне никакого интереса». Но вот оригинал письма великой княжны Анастасии Николаевны к той же Анне Александровне из Тобольска, датированный 10 декабря 1917 года: «Моя родная и милая, спасибо тебе большое за вещицу. Так приятно ее иметь, так ужасно напоминает именно тебя. Вспоминаем и говорим о тебе часто и всегда молитвенно вместе. Собачка, которую ты подарила, всегда с нами и очень мила. Устроились тут уютно. Мы четыре живем вместе. Приятно видеть из окон маленькие горы, которые покрыты снегом. Сидим много на окнах и развлекаемся, глядя на гуляющих. Привет Жуку. Всего хорошего тебе желаю, моя дорогая. Целую крепко очень. Христос с тобою. Твоя А» (Письма святых царственных мучеников из заточения. — СПб., 1998). Сравнение этих двух документов озадачивает. Неужели 16-летняя Анастасия Николаевна, вместе со всей семьей переживавшая в Тобольском заточении оскорбления и унижения в положении бесправных узников, знавшая о близости смерти, писала в те дни вот такие лицемерные письма Анне Александровне, неискренне посылая ей христианские благословения и уверения в любви, а затем на старости лет решилась признаться в своей давней неприязни к самой верной, преданнейшей и лучшей подруге матери и всей Семьи?

Та же самая история по отношению к Григорию Ефимовичу Распутину. В книге о Григории Ефимовиче очень зло: «Я убегала и пряталась от него… Я ни слова не говорила с ним, не могла его терпеть. У него была отвратительная физиономия, удивляюсь, что он кому-то нравился». Однако сохранившиеся в Царском архиве письма Григория Ефимовича из Сибири великой княжне Анастасии Николаевне, датированные летом 1916 года, говорят о том, что не бегала маленькая Анастасия от Григория Ефимовича, а была дружна с ним, искала беседы, задавала вопросы, даже делилась обидами: «Дорогая Н. Что где мы были и сидели, вот тут был с нами Дух Божий, а няни разные были заняты бесноватой суетой. Люби Бога, Он всегда с Тобой… Друг мой, я скучаю. Не бойтесь страху. Живи паинькой по-Божьему. Скоро увидимся». «Ан. Голубчик. Хорошо спрашиваешь, где Бог живет. Но кто спит. Благословясь, Твой Ангел Хранитель. Весь мой ответ на твой вопрос…» (*Гроян Т. И.* Мученик за Христа и за Царя. — М., 2000).

И если далее, шаг за шагом сравнивать: вот письма, записи великой княжны Анастасии Николаевны, а вот оценки, мнения о том же и о тех же автора книги «Я, Анастасия Романова», и между ними не просто разница, пропасть в настроении, то неизбежно приходишь к выводу — или это патологическое притворство, хитрость, ханжество юной Царевны, которая не стесняется в том признаться, подводя итог своей жизни, или это никакая не великая княжна Анастасия Николаевна, а старая, может, не совсем психически здоровая некая Наталья Петровна Билиходзе, которая сама ли, или по чьему наущению втянутая в грязную игру, лжет на Государя и Государыню, лжет на близких им людей, и по этой лжи легко узнаваем подлог. Не могла и не может родная дочь Царя, чистая, искренне верующая, пережившая вместе со всеми родными тяжелейшие испытания, обожавшая Отца и Мать, быть столь лицемерной в детстве и стать столь злобной клеветницей в старости, собравшей и опубликовавшей в своих воспоминаниях гнусные сплетни о своей Святой Семье.

Впрочем, что нам самим-то лицемерить и задавать самим себе дополнительные вопросы, когда уже ясно и очевидно, что никакого отношения гражданка Н. П. Билиходзе не имеет и никогда не имела к Царской Фамилии, еще одним свидетельством того является ее плебейская натура, никак не совместимая с высоким происхождением и воспитанием Царевны. Вот она рассказывает о поездке в Прибалтику, в Вильну, вчитайтесь: «Ей (это она о матери, Ее Величестве Государыне великой Российской империи. — *Т. М.*) пришелся по душе этот уютный городок, где ее хорошо принимали бароны, дальние родственники, важные из себя господа». Да никакие, конечно же, «бароны, дальние родственники», не могли принимать Царицу Российского государства, это Она, Александра Федоровна, посещая Вильну, могла соблаговолить их принять. И не то, что не пристало царской дочери, да просто действительно царская дочь, по-родственному знакомая со всеми королевскими домами Европы, не может так подобострастно заискивающе величать мелкопоместных прибалтийских баронов «важными из себя господами». И о том, как одевалась Царица-мать Александра Федоровна, самозваная мемуаристка размышляет отнюдь не по-царски, а по-холопски завистливо: «Некоторые богатые женщины одевались лучше ее. Я была знакома с женой одного графа, которая всякий раз выходила в общество в новом платье». Очень смешно в устах Царевны звучит не без хвастовства демонстрация знакомства аж с «женой одного графа», подумаешь, что жены графьев были такой редкостью в окружении подлинной великой княжны, и уж, конечно, не она, а они за честь считали быть знакомой с великой княжной, и как это шустрая девочка смогла разузнать и так быть на всю жизнь потрясенной, чтобы, позабыв многое, если не все из жизни собственной семьи, но всю жизнь помнить, что эта самая жена графа всякий раз появлялась на балах в новом платье, а ведь младшие царские дочери по малолетству на балы еще не выезжали. И так во всем тексте воспоминаний, что ни «проблеск сознания», то или расхожая злая сплетня, или просто анекдот. То ляпнет, что Государь поручал своему камердинеру Чемодурову, пожилому, очень простому, из крестьян, «встретиться с кем-либо, если сам не мог встретиться», то обронит, что Императрица днем не отдыхала, так как «весь дом был на ней, а прислуги было не много». Так и представляешь себе замотавшуюся Царицу у кухонной плиты, а царского камердинера, принимающего послов с министрами. Чтобы понять нелепость подобных сюжетов, не нужно быть даже царской дочерью, абсурдность таких рассуждений увидела бы и дочь царской кухарки.

Так что за мемуары перед нами? Безусловно, очередная фальшивка. Фальшивая Анастасия со своими фальшивыми воспоминаниями. Состряпаны эти подложные мемуары спешно, халтурно. Автор книги «Я, Анастасия Романова» не имеет ничего общего с искренним и чистым характером подлинной Анастасии Николаевны. Публично проанализированная нами глава доступная для проверки большому числу читателей, прямо-таки нашпигована фактическими ошибками. Императрица, «вспоминает» мемуаристка, «учила Алешеньку, чтобы вдруг ничего не делал, сначала подумал, потом поговорил с дельными хорошими людьми, разобрался, а главное — слушал старших. Мальчик так и поступал, ничего не начинал без совета с папочкой и дядей Михаилом Александровичем, спрашивал последнего: «Как вы скажете?» Начнем с того, что никогда, нигде и никто, это абсолютно точно, не звал Наследника Цесаревича «Алешенька», только полным именем — Алексей, и Мать, и Отец, и сестры только полным именем. Дальше: «Ничего не начинать» без совета с дядей у Цесаревича просто не было возможности, ведь брат Царя великий князь Михаил долгое время жил за границей, наказанный Императором за морганатический брак, в Россию он вернулся лишь перед войной, а потому чаще бывал в Ставке, чем в Царском Селе… И так по всему тексту «воспоминаний». Достаточно. Подведем итоги нашей экспертизы.

Российское общество, Русскую Православную Церковь попытались втянуть в аферу, шитую белыми нитками откровенного подлога, всем очевидной фальсификации. И за то, чтобы мы закрыли глаза на подлог, за то, чтобы мы официально признали, что Царская семья не погибла в екатеринбургских застенках от рук еврейских большевиков, нам, то есть России, пообещали огромные триллионные суммы долларов. Нашу совесть, нашу скорбную память, нашу веру в Святых Царственных мучеников сегодня пытались обменять на зеленые бумажки. И сколько нашлось тех, кто махнул рукой: «Да пусть признают ее Анастасией, лишь бы деньги дали», забывая цену сделки — деньги за совесть и веру. Жаль старую женщину, вскоре после провозглашения себя великой княжной умершую, которую так бессовестно использовали в грязной игре. Действовала ли она осознанно или просто оказалась зачарованной игрушкой в руках наглых проходимцев, не важно, важно, что она не являлась младшей дочерью убиенного Императора Николая Александровича, наследницей золотых богатств России, ради которых и затеяна была вся эта афера. Осознанно или нет, но она явилась наследницей убийц Государя Императора и его Семьи, ибо от ее имени вновь отрицается екатеринбургская трагедия, ставится под сомнение самый факт расстрела Царской Семьи, вновь изливаются зловонные реки лжи на Российское самодержавие, на крепь, опору самодержавия — святых Царя и Царицу.

ГРИГОРИЙ ЕФИМОВИЧ РАСПУТИН: *ОБОЛГАННАЯ ЖИЗНЬ, ОБОЛГАННАЯ СМЕРТЬ*

В связи с канонизацией в 2000 году Императора Николая Второго и Его Семьи в обществе резко возрос интерес к окружению Царственных мучеников, обстоятельствам их жизни, к новому прочтению связанных с ними исторических документов. Одна из самых загадочных и неоднозначно трактуемых фигур из окружения Государя Императора — Григорий Ефимович Распутин. Исторические источники, свидетельствующие о нем, крайне противоречивы. Среди них есть и сфабрикованные документы, такие как «Дневник Распутина» из собрания Государственного архива Российской Федерации, подложность которого не вызывает сомнений с первого же взгляда. Но достоверность большей части так называемых «документальных источников», мемуаров, показаний, дневников, писем, связанных с именем Распутина, еще предстоит выяснять с тем, чтобы, отделив правду от злого вымысла, увидеть истинный облик человека, которого Святые Царственные мученики называли Своим Другом.

Ненависть к Григорию Ефимовичу Распутину, о котором враги Государя Императора Николая Александровича говорили: «Пока Распутин жив, победить мы не можем», по их замыслу, должна была поветрием охватить всю Россию. В ход были пущены наглая клевета на Старца и фальсификация его личности. Охочее до слухов интеллигентное общество в России им верило больше, чем газетам. Адмирал Колчак осуждал Государя за Распутина, хотя сам Колчак Старца не видел ни разу, и вот характерный пример, в бытность своей службы на Тихоокеанском флоте адмирал, по его словам, едва сумел подавить офицерский бунт в ответ на распространившийся слух о том, что Распутин прибыл во Владивосток и желает посетить военные корабли. Колчак и сам негодовал на Распутина за это намерение, однако вскоре выяснилось, что слух был ложным, Григорий Ефимович Владивостока никогда не посещал. Но отвращение к Старцу после этого случая у Колчака, по его собственному признанию, сохранилось (Протоколы допроса адмирала Колчака Чрезвычайной следственной комиссией в Иркутске в янв. — февр. 1920 г. // Архив русской революции. Т. 10. — М., 1991).

Неприязненно, по одним только питерским слухам и сплетням, описывает Распутина французский посол Морис Палеолог, пересказывая всевозможные вымыслы, хотя сам видел Григория Ефимовича лишь единожды в гостях у графини Л., и об этой встрече француз не мог сказать ничего дурного, только и успел рассмотреть «мужика с пронзительными глазами», который, глянув на самонадеянного француза, с сожалением произнес: «Везде есть дураки», и вышел. Палеолог не отнес этой фразы к себе, потому пересказал ее с летописной точностью.

Кому и почему был ненавистен Григорий Ефимович? Кому и чему мешал старец? За что его ненавидели?

В 1912 году, когда Россия готова была вмешаться в балканский конфликт, Распутин на коленях умолил Царя не вступать в военные действия, и, конечно же, молил Бога склонить к этому сердце Государя. По свидетельству графа Витте, «он (Распутин) указал все гибельные результаты европейского пожара, и стрелки истории повернулись по-другому. Война была предотвращена» (Биржевые ведомости, 1914, 14 июля). Силы молитвы Распутина так страшились, что разжигатели войны, в которую нужно было втянуть Россию, чтобы, по словам Энгельса, «короны полетели в грязь», решили убить Григория Ефимовича в тот же день и час, что и австрийского эрц-герцога Франца-Фердинанда в Сараеве, смерть которого явилась подготовленным поводом для начала войны. Распутина тогда тяжело ранили...

Чуяли, понимали враги России всю угрозу, исходящую от Распутина для своих разрушительных антисамодержавных, антирусских планов. Недаром Пуришкевич от лица всех ненавидевших Самодержавную Россию выкрикнул с думской трибуны о главном препятствии к свержению Трона: «Пока Распутин жив, победить мы не можем» (Допрос Маклакова В. А. Соколовым Н. А. // Расследование цареубийства. Секретные документы. — М., 1993).

Был Григорий Ефимович Распутин смиренным молитвенником, убежденным, что вся его благодатная сила есть вера в Господа тех, кто просит его молитв. Сугубо земные пути привели Григория Ефимовича в 1904 году в Санкт-Петербург испросить разрешения на строительство Церкви Покрова Божией Матери в родном селе Покровском. Тогда только-только родился Наследник-Цесаревич и его Царственным родителям ясно обозначилась необходимость ежечасной молитвы к Богу о спасении жизни ребенка. Оглядывая круг возможных наследователей Императорской власти в России, Государь не мог не сознавать, что не было в государстве тех надежных рук и того чистого, горячо верующего сердца, которому можно было бы со спокойствием совести передать Россию.

В маленьком Алексее Николаевиче, дарованном Царской Семье по молитвам Преподобного Серафима Саровского, были сосредоточены все надежды Государя на благополучие горячо любимого им народа России. Это был истинно «солнечный лучик» — добрый и светлый ребенок, великое утешение Семье, трепетавшей от одной мысли о том, что он может угаснуть. По молитвам святых дарованный младенец и сохранен мог быть только молитвой, тем более что болезнь его — гемофилия — была мучительной, внезапно являвшейся, очень опасной, но не неизбежно смертельной, и уже сыновья царевича Алексея были бы *абсолютно здоровым поколением*. И Господь послал Царской Семье молитвенника о здоровье Сына.

Григория Ефимовича Распутина представляют Государю в октябре 1905 года. Григорий Ефимович, по особому к нему Божию откровению, еще при первой встрече с Государем и Государыней осознает особое свое предназначение и всю свою жизнь посвящает служению Царю. Он оставляет странствование, живет подолгу в Петербурге, собирая вокруг себя верных Государю людей, а, главное, он при малейшей опасности маленькому — рядом, ведь его молитва за Царевича явилась, возможно, что и неожиданно для него самого, угодной Богу, слышимой Им. А это действительное молитвенное заступление за Царевича было для Государя видимым знаком того, что в самые тяжкие времена его царствования послан от Бога духовный помощник Царскому служению. Как говорила сестра Государя в.кн. Ольга Александровна, Царь и Царица «видели в нем крестьянина, искренняя набожность которого сделала его орудием Божиим» (*Воррес Йен*. Последняя великая княгиня. — М., 1998). И честный следователь В.М. Руднев, входивший в Чрезвычайную комиссию Временного правительства, отмечал в своей официальной записке по результатам расследования, что Их Величества были искренне убеждены в святости Распутина, единственного действительного предстателя и молитвенника за Государя, Его Семью и Россию перед Богом» (Записка Руднева В. М. «Правда о русской Царской Семье и темных силах» // Российский архив. — М., 1998).

Существуют подтвержденные многими свидетелями достоверные факты спасения Распутиным Царевича Алексея от смерти. В 1907 году, когда Наследнику было три года, у него случилось тяжелейшее кровоизлияние в ногу в Царскосельском парке. Вызвали Григория Ефимовича, он молился, кровоизлияние прекратилось. В октябре 1912 года в Спале, царских охотничьих угодьях Польши, Алексей Николаевич после тяжелейшей травмы был настолько безнадежен, что доктора Федоров и Раухфус стали настаивать на публикации бюллетеней о здоровье Наследника. Но Государыня уповала не на врачей, а только на милость Божию. Распутин был в это время на родине, в Покровском, и по просьбе Государыни Анна Александровна Вырубова послала телеграмму в Покровское. Вскоре пришел ответ: «Бог воззрел на твои слезы. Не печалься. Твой Сын будет жить».

Час спустя после получения телеграммы состояние Алексея Николаевича резко улучшилось, смертельная опасность миновала. В 1915 году Государь, отправившись в армию, взял Алексея Николаевича с собой. В пути у Царевича началось кровоизлияние носом. Поезд вернули, так как Наследник истекал кровью. Он лежал в детской: «маленькое восковое лицо, в ноздрях окровавленная вата». Вызвали Григория Ефимовича. «Он приехал во дворец и с родителями прошел к Алексею Николаевичу. По их рассказам, он, подойдя к кровати, перекрестил Наследника, сказав родителям, что ничего серьезного нет и им нечего беспокоиться, повернулся и ушел. Кровотечение прекратилось… Доктора говорили, что они совершенно не понимают, как это произошло» (*Танеева (Вырубова) А. А.* Страницы моей жизни. — М., 2000).

В. кн. Ольга Александровна свидетельствует: «Существовали тысячи и тысячи людей, которые твердо верили в силу молитвы и дар исцеления, которыми обладал этот человек» (*Воррес Йен.* Последняя великая княгиня. — М., 1998). Исцеления действительно были у Григория Ефимовича в смиренном обыкновении: все — Господь!

Молитвенное предстояние перед Богом за Наследника — это лишь малая часть служения Распутина своему Государю. Он был сомолитвенник Помазанника Божия за Русское Самодержавное Царство, и ему часто открывалась закрытая от очей царских человеческая изощренная хитрость, дьявольская злокозненность. Он предупреждал Царя против многих решений, грозящих бедой стране: был против последнего созыва Думы, просил не печатать думских крамольных речей, в самый канун Февральской революции настаивал на подвозе в Петроград продовольствия — хлеба и масла из Сибири, даже фасовку муки и сахара придумал, чтобы избежать очередей, ведь как раз в очередях при искусственной организации хлебного кризиса начались питерские волнения, умело преобразованные в «революцию». И это лишь толика предвидений Распутиным текущих событий военной и предреволюционной поры 1914—1917 годов. Умея видеть душу человеческую, Григорий Ефимович знал и души и настроения ближайших государевых слуг, и потому видел, что в. кн. Николай Николаевич на посту Главнокомандующего был не просто погибель армии, но и угроза Царствованию. Распутин настаивал на том, чтобы Император возглавил армию и победы не заставили себя ждать.

Проницательность Распутина поражала всех, кому доводилось с ним общаться. По рассказу дочери Григория Ефимовича Варвары, зафиксированному Н. А. Соколовым в 1919 году, однажды на квартиру Распутина пришла женщина. «Отец, подойдя к ней, сказал: «Ну, давай, что у тебя в правой руке. Я знаю, что у тебя там». Дама вынула руку из муфты и подала ему револьвер» (*Соколов Н. А.* Предварительное следствие 1919—1920 гг. // Расследование цареубийства. Секретные документы. — М., 1993).

О том, что Распутин был прозорлив, и прозорливость его, данная ему от Бога, руководила его молитвенным подвигом, известно не только от духовно близких ему людей. Убийца Феликс Юсупов свидетельствовал в отчаянье: «Я занимаюсь оккультизмом давно и могу вас уверить, что такие люди, как Распутин, с такой магнетической силой, являются раз в несколько столетий... Никто Распутина не может заменить, поэтому устранение Распутина будет иметь для революции хорошие последствия» (Допрос Маклакова В. А. Соколовым Н. А. // Расследование цареубийства. Секретные документы. — М., 1993). Возмечтавшие разрушить Трон через «раскачивание общества» враги Царя сосредоточились на очернении Распутина. Была даже созвана особая конференция в 1912 году в Базеле, на которой решено было бросить все силы на дискредитацию сибирского Старца. Воздыхая о тяготах клеветы, Григорий Ефимович пишет митрополиту Антонию (Вадковскому), прекратившему с ним общение: «Все зависит от того, что бываю там у них, Высоких — вот мое страдание» (*Гроян Т. И.* Мученик за Христа и за Царя. — М., 2000), пишет епископу Антонию (Храповицкому), поверившему в клеветы: «Не обижайтесь. Я вам зла не принесу, а *ежели в ваших очах пал, то молитесь, молитесь о грешном Григории, а евреи пусть ругают*» (там же).

Епископы и митрополиты, в чьих глазах «пал» оклеветанный старец, конечно, не верили газетам, но как они могли не поверить епископу Феофану (Быстрову). К нему на исповедь пришла женщина, открывшая епископу «дурное поведение» сибирского старца. Епископ Феофан, и мысли не допускавший о лжи перед Крестом и Св. Евангелием, поверил исповеднице, и, взяв на себя грех нарушения тайны исповеди, открыл все Императрице и синодальным митрополитам. Епископ Феофан оказался в руках клеветников, чего прозорливо ожидал Григорий Ефимович: «Пошлют злых людей, а злой язык — хуже беса — *не боится ни храма Божия, ни Святого Причащения и все святое нипочем*» (там же).

Как было оправдываться Григорию Ефимовичу в несуществующих грехах и перед кем? Государь и Государыня воочию видели, каждый день чувствовали его молитвенную помощь и не верили клеветам, а от других — от епископов, от о.Феофана, пренебрегшего тайной исповеди (женщина та покаялась потом в клевете), — даже Государь с Государыней встречали лишь осуждение и отчуждение за свою благосклонность к Старцу. И Григорий Ефимович не оправдывался ни перед кем, а только молил Бога, и молитвы эти сегодня остались оправданием его на все времена: «Тяжелые переживаю напраслины. Ужас что пишут, Боже! Дай терпения и загради уста врагам! Или дай помощи небесной, то есть приготовь вечную радость твоего блаженства» (там же). «Ах, несчастный бес восстановил всю Россию, как на разбойника! Бес и все готовят блаженство вечной! Вот всегда бес остается ни с чем. Боже! Храни своих!» (там же).

Неся крест молитвенного предстательства за Царя и Наследника, Григорий Ефимович и их приуготовляет к последнему крестоношению — искупительному подвигу за Россию: «Господь с Вас никогда своей Руки не снимет, а утешит и укрепит… Благодать совершилась на тебе, Царь, и на детях твоих» (там же). Он прикровенно объясняет Царской Семье суть Божьего откровения ему о его служении Царям: «Я покоен, вы научились премудрости от меня, а после будут разные невзгоды, вы будете готовы только потом, это вы увидите и разберетесь» (там же, с.404).

Он посылает Государю в Ставку свой золотой крест. Дарение креста всегда означало, что вместе с крестом человека наделяют страданиями и скорбями. И этот подарок Григория Ефимовича Государь тогда не стал носить, он передал его Юлии Ден, куда-то затерявшей святыню. После смерти Распутина Государь сам надел на себя крест Григория и носил до смерти, памятуя о том первом его пророческом даре.

Шаг за шагом, поднимаясь по лествице страданий, Семья Царская вспоминала пророчества старца и, понимая, что все испытания — от Бога, приуготовлялась к последнему часу. Они вспомнили предсказание Григория Ефимовича о том, что все вместе побывают на его Родине, когда плыли на пароходе мимо села Покровского в Тобольск, а потом, когда на лошадях Государь с Государыней и великой княжной Марией Николаевной проезжали через Покровское в Екатеринбург, остановились против дома своего молитвенника. Григорий Ефимович задолго предсказывал это, причем говорил о том не одной только Государыне, а многим, в том числе Юлии Ден: «Они должны приехать. Волей или неволей они приедут в Тобольск. И прежде чем умереть, увидят мою родную деревню» (*Ден Ю. А.* Подлинная Царица. — М., 1998).

Они знали о пророческом утешении, посланном Григорием Ефимовичем маленькому Алексею и, конечно, предугадывали, о чем оно: «Дорогой мой маленькой! Посмотри-ка на Боженьку! Какие у него раночки. Он одно время терпел, а потом стал силен и всемогущ — так и Ты, дорогой, так и Ты будешь весел, и будем вместе жить и погостить. Скоро увидимся» (*Гроян Т. И.* Мученик за Христа и за Царя. — М., 2000). Они помнили, как Распутин им обещал, что Царевич Алексей исцелится годам к 13-14, и болеть больше не будет. Они понимали, что пророчество, записанное за Распутиным Императрицей (оно сохранилось в ее записях), это об их судьбе: «Господи, поругание рабов твоих, которое я ношу в недре моем от всех сильных народов. Как поносят враги твои, Господи, как бесславят слезы Помазанника Твоего. О, горе! Скажите нам: мы убили праведника, он не злословил нас, пойдем — покаемся — солнце померкло, и света уж нет! Поздно!» (там же).

И вот такого человека, Царского Друга, в самом главном значении этого слова, всегда духовно соприсутствующего с Царем в его служении Помазанника Божьего, сначала стали убивать духовно — клеветать и травить, и целью травли было оторвать Распутина от Царя, разрушить этот спасительный союз, мощной духовной стеной вставший перед разрушителями России. Многие близкие и дальние, верившие лжи, шли к Государю и Государыне, писали им оскорбительные письма, угрожали, требовали изгнать от себя Распутина! Но разве Государь и Государыня могли сделать это? Разве Петр Великий прекратил бы общение со святым епископом Митрофанием Воронежским по требованию бояр, или, может быть, Александр Третий, повинуясь просьбам питерской интеллигенции, изгнал бы от себя святого Иоанна Кронштадтского, которого, кстати, со злобой называли в Петербурге «Распутиным Александра Третьего». Клевета не действовала на Высоких, и Трон по-прежнему оставался нерушим за стеной молитвы старца Григория, но клевета действовала на толпу интеллигентов, на чернь, забывшую любовь к Царям.

Двойник Распутина

Почти все воспоминания о Григории Ефимовиче Распутине грешат удивительным недопустимым для воспоминаний недостатком: большинство мемуаристов в глаза не видели Григория Ефимовича или видели его мельком, издали. Но все «воспоминатели», и те, что с симпатией относились к Царской Семье, и те, что высказывали к Ней неприязнь, о Распутине говорили одинаково плохо, повторяя одно и то же: пьяница, развратник, хлыст. А что они знали о нем? Что, кроме слухов, могли сказать о нем думские масоны Павел Милюков и Александр Керенский, поэтесса Зинаида Гиппиус, поэт Александр Блок и английский посол Бьюкенен, если все они, подобно Бьюкенену, в своих мемуарах повторяют: «Я никогда не искал с ним встречи, потому что не считал нужным входить в личные отношения с ним». И в глаза не видев Распутина, все они усердно пересказывают слухи. Генерал Сухомлинов видел его лишь раз на севастопольском вокзале в 1912-м году: «Гуляя по перрону взад и вперед, он старался пронизывать меня своим взглядом, но не производил на меня никакого впечатления» (*Сухомлинов В. А.* Воспоминания // Григорий Распутин. Сборник исторических материалов. Т.2. — М., 1997). Но это не помешало генералу пересказывать в своих мемуарах все, что он слышал о Распутине, включая и вымысел, что старец повинен в его отставке. Протоиерей Г. Шавельский видел Распутина «два раза и то издали: один раз на перроне Царскосельского вокзала, другой раз в 1913-м году на Романовских торжествах в Костроме» (*о. Георгий Шавельский.* Воспоминания последнего протопресвитера русской армии и флота // Григорий Распутин. Сборник исторических материалов. Т.2. — М., 1997). Ничего предосудительного о своих встречах Шавельский вспомнить не мог, но припомнил все небылицы о Распутине и Царских детях, которые пересказывала ему, «приезжая за советом», воспитательница великих княжон Софья Ивановна Тютчева, психически больная женщина, за что и была удалена от детей. Искренне любившие Царскую Семью генерал В. Н. Воейков и гувернер П. Жильяр тоже не могли похвастаться знакомством с Распутиным. Жильяр вспоминает лишь одну-единственную встречу: «Однажды, собираясь выходить, я встретился с ним в передней. Я успел рассмотреть его, пока он снимал шубу. Это был человек высокого роста, с изможденным лицом, с очень острым взглядом серо-синих глаз из-под всклокоченных бровей. У него были длинные волосы и большая мужицкая борода» (*Жильяр П.* Император Николай II. По личным воспоминаниям П. Жильяра, бывшего наставника Наследника Цесаревича Алексея Николаевича // Григорий Распутин. Сборник исторических материалов. Т.2. — М., 1997). Но разве «несколько мгновений» могли быть основанием для повторения все того же: «пьяница, хлыст, развратник, управляющий страной»? Книга под именем Жильяра, вышедшая в 1921 году в Вене, имеет двусмысленное название «Император Николай II и его семья. По личным воспоминаниям П. Жильяра, бывшего наставника Наследника Цесаревича

Алексея Николаевича». Что значит «по личным воспоминаниям»? Кто-то пересказал воспоминания Жильяра? И где гарантия, что тот, кто писал по воспоминаниям Жильяра, не мог вставить в них что-то от себя, как это случилось в многочисленных переизданиях воспоминаний Анны Александровны Танеевой (Вырубовой) — тенденциозные вставки неизвестных редакторов и масса сокращений наиболее важных мест мемуаров. Дворцовый комендант генерал В. Н. Воейков разговаривал с Распутиным раз, «имея определенную цель — составить о нем свое личное мнение» (*Воейков В.Н.* С Царем и без Царя. Воспоминания последнего дворцового коменданта Государя Императора Николая II. — М., 1994). Отзыв Воейкова об отце Григории неблагоприятный, хотя ничего плохого во время беседы с ним Воейков не увидел: «Он мне показался человеком проницательным, старавшимся изобразить из себя не то, чем был на самом деле, но обладавшим какою-то внутреннею силою!» (там же). Воейкова поразило несовпадение Распутина, которого он видел, с тем Распутиным, которого по слухам представляло общество, но вот что потрясающе: Воейков предпочел верить слухам, а не собственным глазам. Точно так же повел себя известный публицист Меньшиков, воочию видевший благообразного, рассудительного крестьянина, но после своих приятных личных впечатлений усердно пересказавший в очерке о нем все то мерзкое, о чем слышал от знакомых и друзей (Литературная газета. — 2003, № 29).

К счастью, среди мемуаристов есть и другие люди. Генерал П. Г. Курлов в 1923 году в Берлине издал книгу «Гибель императорской России». Генерал никогда не принадлежал к кругу Григория Ефимовича, и ненавистники старца не могут обвинить его в предвзятости, кроме того, он всю жизнь полицейский, директор Департамента полиции, начальник Главного тюремного управления, товарищ министра внутренних дел, и опыт общения с людьми преступного мышления и поведения, а именно такой образ Распутина навязан был обществу, у Курлова громадный, да и причин вступаться за Распутина и Царскую Семью у него после 1911 года не было, ведь с убийством П. А. Столыпина рухнула его собственная судьба и карьера. Курлов описывает Распутина таким, каким сам его видел: «Я находился в министерском кабинете, куда дежурный курьер ввел Распутина. К министру подошел худощавый мужик с клинообразной темно-русой бородкой, с проницательными умными глазами. Он сел с П. А. Столыпиным около большого стола и начал доказывать, что напрасно его в чем-то подозревают, так как он самый смирный и безобидный человек... Вслед за тем я высказал министру вынесенное мной впечатление: по моему мнению, Распутин представлял из себя тип русского хитрого мужика, что называется — себе на уме, и не показался мне шарлатаном» (*Курлов П. Г.* Гибель императорской России // Григорий Распутин. Сборник исторических материалов. Т.2. — М., 1997). «Впервые я беседовал с Распутиным зимой 1912 года у одной моей знакомой... Внешнее впечатление о Распутине было то же самое, какое я вынес, когда, незнакомый ему, видел его в кабинете министра... Распутин отнесся ко мне с большим недоверием, зная, что я был сотрудником покойного министра, которого он не без основания мог считать своим врагом... На этот раз меня поразило только серьезное знакомство Распутина со Священным Писанием и богословскими вопросами. Вел он себя сдержанно и не только не проявлял тени хвастовства, но ни одним словом не обмолвился о своих отношениях к Царской Семье. Равным образом я не заметил в нем никаких признаков гипнотической силы и, уходя после этой беседы, не мог себе не сказать, что большинство циркулировавших слухов о его влиянии на окружающих относится к области сплетен, на которые всегда так падок Петербург» (там же). При новой встрече с Курловым «Распутин живо интересовался войной и, так как я приехал с театра военных действий, спрашивал мое мнение о возможном ее исходе, категорически заявив, что он считал войну с Германией огромным бедствием для России... Будучи противником начатой войны, он с большим патриотическим подъемом говорил о необходимости довести ее до конца, в уверенности, что Господь Бог поможет Государю и России... Из этого следует, что обвинение Распутина в измене было столь же необоснованно, как и опровергнутое уже обвинение Государыни... Несколько раз пришлось мне говорить с Распутиным в последние месяцы его жизни. Я встречался с ним у того же Бадмаева и поражался его прирожденным умом й практическим пониманием текущих вопросов даже государственного характера» (там же).

Но клевета на Распутина не действовала на Царскую Семью, молитвы Распутина были Ей в непрестанное укрепление. Враг Трона и Царской Семьи Феликс Юсупов говорил об этом масону В. И. Маклакову: «Государь до такой степени верит в Распутина, что если бы произошло народное восстание, народ шел бы на Царское Село, посланные против него войска разбежались бы или перешли на сторону восставших, а с Государем остался бы один Распутин и говорил ему «не бойся», то он бы не отступил» (Допрос Маклакова В. А. Соколовым Н. А. // Расследование цареубийства. Секретные документы. — М., 1993). Вот почему решено было убить Царского Друга, оставив Семью в одиночестве и без молитвенной защиты. Но чтобы публично убить старца, чтобы заставить общество захотеть этого убийства, нужно было удесятерить клеветы, нужно было вывалять в грязи светлые лики Царские. Для этого и была изобретена иудейская афера с появлением фальшивой личности — двойника Григория Распутина.

Первые догадки о том, что Царскую Семью компрометировали через двойника Григория Ефимовича, появились вскоре после убийства Старца. Одно из свидетельств тому — рассказ атамана Войска Донского графа Д. М. Граббе о том, как вскоре после убийства Распутина его «пригласил к завтраку известный князь Андронников, якобы обделывавший дела через Распутина. Войдя в столовую, Граббе был поражен, увидев в соседней комнате Распутина. Недалеко от стола стоял человек, похожий как две капли воды на Распутина. Андронников пытливо посмотрел на своего гостя. Граббе сделал вид, что вовсе не поражен. Человек постоял, постоял, вышел из комнаты и больше не появлялся» (*Родзянко М. В. Крушение империи. — Харьков, 1990*). Надо ли говорить, что подобный «двойник» мог появляться при жизни Григория Ефимовича в любом «злачном» месте, мог напиваться, скандалить, обнимать женщин, о чем составлялись ежедневные репортажи охочих до грязи газетчиков, мог выходить из подъезда дома на Гороховой и шествовать на квартиру к проститутке, о чем составлялись ежедневные рапорты агентов охранного отделения. Ю. А. Ден вспоминает с недоумением: «Доходило до того, что заявляли, будто бы Распутин развратничает в столице, в то время как на самом деле он находился в Сибири» (*Ден Ю. А.* Подлинная Царица. М., 1998).

Об одной такой истории с двойником Распутина рассказала в своих воспоминаниях писательница Н. А. Тэффи. В 1916 году Тэффи, тогда сотрудница «Русского слова», писатель В. В. Розанов, работавший в «Новом времени», и сотрудник «Биржевых ведомостей» Измайлов были приглашены на обед к некоему издателю, — ему «небезызвестный в литературных кругах» И. Манасевич-Мануйлов предложил «пригласить кое-кого из писателей, которым интересно посмотреть на Распутина» (*Тэффи Н. А.* Распутин. Воспоминания. // Григорий Распутин. Сборник исторических материалов. Т.2. — М., 1997). Любопытствующие писатели явились в назначенный час и увидели «Распутина». «Был он в сером суконном русском кафтане, в высоких лакированных сапогах, беспокойно вертелся, ерзал на стуле, дергал плечом… Роста довольно высокого, сухой, жилистый, с жидкой бороденкой, с лицом худым, будто вытянутым в длинный мясистый нос, он шмыгал блестящими колючими, близко притиснутыми друг к дружке глазами из-под нависших прядей масленых волос… Скажет что-нибудь и сейчас всех глазами обегает, каждого кольнет, что, мол, ты об этом думаешь, доволен ли, удивляешься ли на меня?» Писательница сразу же почувствовала всю искусственность этих смотрин. «Что-то в манере Распутина — это ли беспокойство, забота ли о том, чтобы слова его понравились, — показывало, что он как будто знает, с кем имеет дело, что кто-то, пожалуй, выдал нас, и он себя чувствует окруженным «врагами-журналистами» и будет позировать в качестве старца и молитвенника». От этого предположения

Тэффи «стало скучно», но оказалось, что «Гришка работает всегда по определенной программе» (там же). Выговорил несколько фальшивых фраз о «божественном»: «Вот хочу поскорее к себе, в Тобольск. Молиться хочу. У меня в деревеньке-то хорошо молиться», затем принялся приставать к гостье с настойчивым: «Ты пей! Я тебе говорю — Бог простит!», потом недвусмысленно стал звать к себе, потом велел принести свои! стихи, звучащие, запомним это, так: «Прекрасны и высоки горы. Но любовь моя выше и прекраснее их, потому что любовь моя есть Бог», потом собственноручно написал несколько строк «корявым, еле разборчивым мужицким почерком «Бог есть любовь. Ты люби. Бог простит. Григорий». Потом хозяин вдруг озабоченно подошел к Распутину: «Телефон из Царского». Тот вышел и к столу не вернулся.

На этом свидание с двойником Распутина не закончилось. Через три-четыре дня последовало повторное приглашение, «заезжал Манасевич, очень убеждал приехать (прямо антрепренер какой-то! — так восклицает Тэффи) и показывал точный список приглашенных». Большинство из них *не знали друг друга и пришли только поглядеть Распутина*. Как заезженная пластинка прокрутилась прежняя «программа»: разговоры о «божественном», приставания, скабрезным тоном о Государыне, «хозяин все подходил и подливал ему вина, приговаривая: «Это твое, Гриша, твое любимое». «Распутин» напился, потом ударила музыка. «Распутин вскочил… сорвался с места. Будто позвал его кто… Лицо растерянное, напряженное, торопится, не в такт скачет, *будто не своей волей*, исступленно, остановиться не может». «Голос Розанова. — Хлыст!»… И вдруг Распутин остановился. Сразу. И музыка мгновенно оборвалась, словно *музыканты знали, что так надо делать*» (там же).

Писательской интуицией Тэффи заподозрила в этих встречах «обделывание каких-то неизвестных нам темных, очень темных дел» (там же). Догадка ее нашла подтверждение. Пьяный «Гришка» проговорился, знает, что они журналисты. «Это было очень странно, — удивилась Тэффи. — Ведь не мы добивались знакомства со старцем. Нас пригласили, *нам это знакомство предложили*, и вдобавок нам посоветовали не говорить, кто мы, так как «Гриша журналистов не любит», разговоров с ними избегает и всячески от них прячется. Теперь оказывается, что имена наши отлично Распутину известны, а он не только от нас не прячется, но, наоборот, втягивает в более близкое знакомство. Чья здесь игра? Манасевич ли все это для чего-то организовал — для чего неизвестно?» (там же, с.238). Это было действительно дело рук еврея Манасевича, только для одного — чтобы литераторы и журналисты засвидетельствовали, что своими собственными глазами лицезрели «живого Гришку» — пьяного, распутного хлыста. «Все мои знакомые, которым я рассказывала о состоявшейся встрече, высказывали какой-то совершенно необычайный интерес. Расспрашивали о каждом слове старца, просили подробно описать его внешность, и, главное, «нельзя ли тоже туда попасть?» — свидетельствовала, как и было задумано Манасевичем, Тэффи (там же).

Устроитель «распутинских» спектаклей еврей Манасевич-Мануйлов — профессиональный мошенник. Задолго до эпопеи с двойником Распутина он, широко афишируя свои связи с высшими кругами, за солидный куш предлагал услуги по протекции разных дел — от разрешения на открытие парикмахерской до ходатайства за заключенного под стражу и назначения на государственную должность. Он демонстрировал молниеносное разрешение просьб, на глазах просителей связываясь по телефону то с министром внутренних дел, то с самим Председателем правительства, получая от них телефонные заверения в скором решении вопросов. На самом деле телефонные переговоры афериста были примитивной имитацией. Выудив у простаков гонорар за свои ходатайства, Манасевич всячески избегал дальнейших встреч с прежними просителями, принимая череду новых. Подобные мошенничества оставались, впрочем, совершенно безнаказными, так как просители не имели свидетелей обмана, чаще всего ходатайствовали у Манасевича по незаконным делам и не стремились потому выдвигать против него официальные обвинения.

Но когда Манасевич включился в аферу с двойником, он стал получать от мошенничеств двойную выгоду. И его аферы часто удавались благодаря магическому действию имени Царского Друга, и наветы в связи с этим на Распутина усиливались, за что Манасевич, безусловно, получал вознаграждение от заинтересованных лиц. Причем безнаказанность была и здесь гарантирована Манасевичу. Ведь в «спектаклях», описанных Тэффи, не было ни одного противозаконного деяния. Двойник никому не представлялся как Григорий Ефимович Распутин, просто созванных гостей загодя предупреждали, что это он самый и есть. Двойник чаще всего не говорил ничего дурного о Царской Семье, но то, что он говорил о своей близости к Ней, позорило Государя и Государыню просто потому, что такой нечестивый мерзавец был вхож к Царю. И потому, случись полиции нагрянуть на подобную вечеринку и проверить документы у «Гришки», он бы невинно протянул им свой паспорт со своим собственным именем и избежал бы какой-либо ответственности за «спектакль». Безнаказанность делала подобные выходки все более частыми и наглыми. История разгула двойника в московском ресторане «Яр» — убедительное тому подтверждение.

26 марта 1915 года Григорий Ефимович приехал и в тот же день уехал из Москвы. Но вот донесение полковника Мартынова, что «по сведениям пристава 2 уч. Сущевской части г. Москвы полковника Семенова», Распутин 26 марта около 11 часов вечера посетил ресторан «Яр» с вдовой Анисьей Решетниковой, журналистом Николаем Соедовым и неустановленной молодой женщиной. Потом к ним присоединился *редактор-издатель газеты «Новости сезона» Семен Лазаревич Кугульский.* Компания пила вино, расходившийся «Распутин» плясал русскую, вытворял непристойности, хвастался своей властью над «старухой» (так этот человек именовал Царицу). В 2 часа ночи компания разъехалась. Мартынов прилагает записку «Распутина», отобранную полицией у певицы ресторанного хора. Каракули внешне похожи на распутинские, но почерк не его: «Красота твоя выше гор. Григорий». Обратите внимание

на содержание записки. Она прямо перекликается с тем, что двойник Распутина написал для любопытной Тэффи: «Прекрасны и высоки горы. Но любовь моя выше и прекраснее их». Совпадение вряд ли можно назвать случайным, оно — свидетельство того, что и в ресторанном кутеже, и на встрече с литераторами роль Распутина исполнял один и тот же человек, очень похожий на Старца. Записка была единственным «документом» в деле о кутеже в «Яре». Никаких свидетелей и никаких участников «оргии». Поэтому Императрица совершенно справедливо писала Государю: «Его (Григория Распутина) достаточно оклеветали. Как будто не могли призвать полицию немедленно и схватить Его на месте преступления» (Николай II в секретной переписке // *Олег Платонов.* Терновый венец России. — М., 1996).

Понятно, что в московском ресторане «Яр» гулял двойник Распутина с подставной компанией, и все разыгрывалось по обыкновению: пьянство, приставания к дамам, упоминания о Царской Семье, хлыстовская пляска. И если бы полиция вмешалась, открылось бы, что Распутин — ненастоящий, и Анисья Решетникова, благочестивая купеческая вдова 76-ти лет, никогда не была в ресторане. А вот газетчик Семен Лазаревич Кугульский был личностью подлинной и скорее всего являлся антрепренером «оргии». Это он постарался, чтобы дело о кутеже в «Яре» попало в печать еще до расследования и обросло непристойными подробностями. Вслед за этим Государственная дума подготовила запрос о событиях в ресторане «Яр», потом не дала ему хода, намеренно распространяя вымысел, что Думе запрещено делать этот запрос, так как Царская Семья «боится правды». И пошла-поехала злословить досужая чернь: пьяный, развратный мужик — любимец Царской Семьи!

Вот так, обдуманно и нагло, ввели в общество двойника Григория Ефимовича Распутина. И хотя поступки двойника, его слова, записки, сама внешность — длинный мясистый нос, жидкая бороденка, беспокойные, бегающие глаза — весьма отличались от благообразного облика Григория Ефимовича, но двойник настойчиво выдавался и, главное, охотно принимался за молитвенника и друга Царской Семьи.

Остановимся на так называемых «записках» Распутина, немало послуживших фальсификации его личности. Перед нами два письма в газету «Русское слово», адресованные, как гласит корявая надпись на конверте «Прапаведнику прыткаму Григорію Спиридоновичу Петрову и Ледахтору Руцкаго Слова отъ Гришатки Распутина изъ села Пакровскаго изъ Тобольской губернии» (РГБ, фонд 251, 25, 61).

В описях эти письма значатся как подлинные, принадлежащие руке Григория Ефимовича. Однако при первом же внимательном чтении два важнейших обстоятельства заставляют сразу усомниться в их подлинности. Во-первых, автор писем, хотя и стилизует свой почерк под неумелые каракули малограмотного крестьянина, и, подделывая почерк под простонародный, старается писать буквы не ровно в строку, а прыгающими невпопад, с нажимом, специально кривит мачты букв, петли у букв рисует неокруглыми, буквы не имеют наклона вправо, как это бывает у скорописных грамотных почерков, одним словом, фальсификатор демонстрирует непривычку руки к письму, но в этой стилизации под «мужичка» весьма умело выписаны каллиграфические *ж, х, ъ*. Такому их начертанию без гимназических уроков чистописания не выучиться.

Порой автор подделки нечаянно сбивается на свой обычный почерк, и тогда мы видим в письмах уверенную руку интеллигента, привычного к письменной работе. У букв в словах появляется сильный наклон вправо, они обретают округлость форм, петли у *д, у* становятся удлиненно-округлыми, слова записаны ровно в линию, без прыгающих букв. Особенно профессионально выписаны буквы *ъ, т, и, н*, те, что формируют основу скорописи. Если сопоставить эти письма с документами, доподлинно принадлежащими руке Григория Ефимовича, то даже беглый обзор особенностей почерка самого Распутина показывает его абсолютное несходство с фальшивками. Подлинный почерк Распутина хотя и неровный, с ученическим нажимом, буквы пишутся не слитно, но начертания в нем весьма уверенные, вариантов написания одной и той же буквы практически не встречается.

Второе обстоятельство, позволяющее нам утверждать, что письма написаны не рукою Григория Распутина, — это исправления букв по всему тексту, с тем чтобы ухудшить почерк и сделать письма «малограмотными». Фальсификатор перерисовывает буквы в словах усяко, наковырялъ, ведь. В грамотно написанные слова он вставляет ошибки — ходить — хадить, ругаться — ругатца, отправимся — отправимсе. В старании изобразить нечто очень «народное» автор подложных писем даже придумывает несуществующее слово — естимъ.

О подлоге говорит и неумелая имитация народного языка в письмах. Вот эти маловразумительные «цидулки», старательно напичканные просторечными оборотами.

Письмо 1-е. «И какъ тебе Гриша нестыдно ругатца кады ты меня естимъ атъ обчества удаляешь енъ отъ естова легче только экъ ты. Какой же ты палитикъ съ палитиками изъ руцкаго слова. Чай ты знашь у безымныхъ хватитъ безумства. Ты смотри светикъ не тисни ужъ Гришатку если он опросто волосится, опростоволосился печатно. Еп. Грщька Распутинъ».

Письмо 2-е. «Грише Петрову Что, Гриша, ты, ругаешься такъ съ саблями хочешь хадить — стало быть саблеромъ быть тоже енъ хочешь — то може скоро попадешь. Енъ может усяко бывываетъ. Ежель у каго пратекція въ Ручном слове печатается. Гришки не просятъ Гришекъ не пастесняться ерыкать «саблями» за руспутство и ахъ Гриша Гриша, не смущайся Ведь не просить же мне у тебя прощенiя кагда ты меня ведь уже истинно совершенно напрасно пыряешь да еще так даже что в ужасъ меня всего просто бросаетъ. Когда от енъ отъ мяне многое независить Ты де ведь енъ многое не знаешь а прытко норовишь Я же тебе зла не желаю самъ-то я дюже въ надеже даже енъ было, что тебе силы не хватило такъ дергать. А ты жъ озлобился такъ что дажить въ смраде каком-то съ козявками страшеннымъ меня запечаталъ. Смотри богъ тебя Самъ за это хватитъ. Я тебе грожу ничего и только совестью и истиной. И не отрицайте что где наковырялъ здесь. Богъ-то въсурьезъ ковырнетъ всего какъ ты тутъ не пробничай съ саблями что

къ можно ходить так едак и вотъ едакъ с другого конца
можно тоже. Село Покровское Тобольской губернии. Гриша
Распутинъ».

Григорий Ефимович Распутин говорил на западноси-
бирском диалекте, и среди характерных черт его произно-
шения не было ни форм усяко, что значит всяко, ни ярко
икающего мяне, это скорее белорусские языковые черты.
Местоимение онъ Григорий Ефимович произносил как
[он], а не так, как пишется в этих письмах и свойственно
только западновеликорусским и белорусским говорам —
енъ. Причем это самое енъ употребляется как присказка,
имитирующая просторечие «мужичка».

Автор подлога постарался насытить текст народными
словами — надежа, едак и вот едак и с другого конца, ежель,
ерыкать, пырять, дюже, на конверте он искажает слово ре-
дактор — ледахтор, название газеты «Русское Слово» изображает как руцкое слово. Но Григорий Ефимович, если
судить по его подлинным письмам и телеграммам, редко
использовал просторечные слова, речь у него была простая,
но не малограмотная, она не пестрела областническими
словами, если они и употреблялись, то изредка и скупо.

Итак, исследование языка и почерка писем, якобы на-
писанных рукою Григория Распутина, доказывает его непри-
частность к их созданию. Внимательное чтение этих фаль-
шивок позволяет представить их автора. Этот человек не
филолог и не писатель, так как с лингвистической и стилистической точки зрения письма сфабрикованы неумело,
а скорее всего, журналист, знакомый с народной русской
речью по ее белорусскому или западновеликорусскому на-
речию.

Мы установили подложность только двух писем, напи-
санных от имени Григория Распутина. Они до сих пор чис-
лятся в каталогах как принадлежащие ему. Но фальшивые
записки с широко известным «милай, дарагой, памаги»
сотнями ходили по рукам в Петербурге, расходились по
правительственным кабинетам. Ни один чиновник, полу-
чивший от просителя-мошенника такую записку, не знал
ни действительного почерка Распутина, ни его самого,

надо думать, что хорошо знакомых Распутину министров Штюрмера и Протопопова аферисты не посещали. И какая же буря негодования должна была взметнуться в душе высокопоставленного лица, получившего невозможную по наглости просьбу мошенника с подобным сопроводительным письмецом «от Гришки». А буря негодования немедленно распространялась на Государя, чего и добивались еврейские аферисты.

Князь Жевахов засвидетельствовал в своих воспоминаниях, как некто Добровольский, ссылаясь на Григория Ефимовича, желал «быть назначенным на должность вице-директора канцелярии Св. Синода». Когда Жевахов выразил справедливое возмущение Распутину, то с изумлением услышал от него: «Вольно же министрам верить всякому проходимцу... Вот ты, миленькой, накричал на меня, и того не спросил, точно ли я подсунул тебе Добровола... А может быть, он сам подсунулся да за меня спрятался... Пущай себе напирает, а ты гони его от себя» (*Жевахов Н. Д.* Воспоминания товарища обер-прокурора Св. Синода. — М., 1993).

Именно благодаря существованию двойника со страниц отчетов охранного отделения предстают два Распутиных: один — благочестив, благолепен, богомолен, ходит в храмы, отстаивает литургии, ставит свечи, ездит на квартиры исцелять больных, принимает просителей, духовных детей, трапезует с ними, причем, как отмечают все действительно близкие ему люди, ни вина, ни мяса, ни сладкого отец Григорий в рот не берет. Строжайшее воздержание. Деньги, пожертвованные просителями, тут же раздает другим просителям. И, главное, к Императорской Семье почтителен до благоговения. Другой «Распутин» неделями пьян, посещает блудниц, берет взятки за протекции, скандалит в ресторанах, бьет там посуду и зеркала, говорит дурное о Царской Семье.

Придет время, и откроются новые документы, которые окончательно докажут нам, что двойника — темную личность, внешне напоминавшую Григория Ефимовича Распутина, создали враги самодержавного русского царства с тем, чтобы опозорить самодержавную власть и отнять у народа благоговение к ней.

Самое настоящее ритуальное убийство

Не только жизнь Григория Ефимовича исказили, оклеветали, сфальсифицировали, но и смерть его мученическую оболгали. Умышленно запутали историю страшной смерти, и все это делалось и продолжается только для одного — сокрыть ритуальный характер убийства.

Масса противоречий в описании обстоятельств убийства Григория Ефимовича Распутина, в тех свидетельствах, которые принято считать документами. Так называемый дневник В. Пуришкевича с записями о подготовке и осуществлении убийства Распутина опубликован в 1923 году уже после смерти самого Пуришкевича. Стиль дневника поражает хвастливой выспренностью, словно автор писал его не для себя, а для публики, иначе чем объяснить, почему Пуришкевич в своем собственном дневнике то и дело клянется в своей любви к Царю, к Родине, сам себе объясняет подробности собственной жизни, например, что жена его и сыновья служат в его санитарном поезде, или описывает интерьер собственной квартиры. В то же время понятно, что дневник написан много позже убийства Распутина, хотя даты его — от 19 ноября до 19 декабря 1916 года — говорят вроде бы о текущих событиях. На самом деле было бы совершенным безумием писать о подготовке убийства, о его осуществлении, сокрытии следов в эти же самые дни, называть всех участников злодейства, даже собственную жену делать соучастницей тягчайшего из преступлений. Ведь неминуемое расследование и естественный в таких случаях обыск мог бы открыть дневник, обличить заговорщиков. Так что в любом случае, кто бы ни был автором дневника, сам ли Пуришкевич или кто-то иной под его именем воссоздал канву событий, документ этот возник много позже убийства, очевидно, уже после свержения Государя с Престола, ведь 4 марта 1917 года министр юстиции Керенский приказал дело об убийстве Распутина прекратить, и опасность уголовного преследования по этому делу миновала.

Воспоминания Ф. Ф. Юсупова, другого участника убийства, вышли из печати значительно позже дневника Пуришкевича — в 1927 году. В последующих изданиях своих мемуаров, несмотря на разные редакции и дополнения, в повествовании об убийстве Распутина Юсупов точно следует за сюжетной канвой, изложенной в дневнике Пуришкевича. Свидетельства двух убийц Григория Распутина практически ни в чем не противоречат друг другу. Но эти два документа, столь согласные между собой в описании обстоятельств убийства Григория Ефимовича, не совпадают в важных деталях с документами следствия по делу об убийстве Распутина, известными из воспоминаний С. В. Завадского, в 1916 году состоявшего в должности прокурора Петроградской судебной палаты, и из экспертного заключения профессора Д. Н. Косоротова, проводившего вскрытие убитого. Сопоставление истории убийства Григория Распутина по Юсупову с Пуришкевичем, с одной стороны, и по данным следствия — с другой, заставляют нас предположить, что убийцы-мемуаристы намеренно исказили события в своих воспоминаниях.

Первое, что вызывает недоумение, — очевидная неосведомленность Пуришкевича с Юсуповым, во что был одет Григорий Ефимович в ночь убийства, какая одежда была у него под шубой, будто бы он и не раздевался в столовой особняка Юсупова, как они сами об этом пишут. Пуришкевич утверждает, что Распутин был одет в сапоги, бархатные навыпуск брюки, *шелковую рубаху кремового цвета, расшитую шелками* (*Пуришкевич В. М.* Дневник // Григорий Распутин. Сборник исторических материалов. Т.4. — М., 1997). Юсупов вторит ему, что на Григории Ефимовиче были сапоги, бархатные брюки и *белая шелковая рубашка, вышитая васильками* (*Юсупов Ф. Ф.* Конец Распутина (воспоминания) // Григорий Распутин. Сборник исторических материалов. Т.4. — М., 1997). Прокурор же судебной палаты Завадский свидетельствует: убитый был одет в *голубую шелковую рубашку, вышитую золотыми колосьями* (*Завадский С. В.* На великом изломе // Архив русской революции. Т.8. — М., 1991). На руке у него был золотой браслет с царской монограммой, на шее золотой крест, и хотя браслет и крест — яркая и запоминающаяся деталь, но об этом убийцы не обмолвились ни словом. О голубой шелковой рубашке, в которую был одет Григорий Ефимович в преддверии своего смертного пути, свидетельствовала на допросе и Екатерина Печеркина, служанка в доме Распутиных, последней видевшая Григория Ефимовича поздней ночью, когда за ним приехал Феликс Юсупов (Былое, 1917, №1).

Еще более значимое несоответствие мемуаров с материалами следственного дела в том, как был убит Григорий Ефимович. Пуришкевич видел, что Распутин получил три огнестрельных ранения: Юсупов выстрелил ему в *грудь, в область сердца,* после чего прошло более получаса, и убитый будто бы ожил, кинулся во двор, где Пуришкевич выстрелами *в спину* и, как *ему «показалось», в голову,* сразил жертву. Как стрелял Пуришкевич во дворе, Юсупов, по его словам, не видел, он только подтверждает, что убил Распутина в столовой выстрелом *в грудь, в область сердца (Юсупов Ф. Ф. Конец Распутина (воспоминания) // Григорий Распутин.* Сборник исторических материалов. Т.4. — М., 1997).

Но подлинные документы следствия полностью исключают выстрел в сердце, сказано, что Григорий Ефимович убит тремя смертельными выстрелами — *в печень (в живот), в почки (в спину) и в мозг (в голову) (Платонов О. А. Пролог* цареубийства. — М., 2001). О смертельных ранениях Григория упоминает и Юлия Ден, которая знала о них из разговоров с Императрицей и А. А. Вырубовой в Царском Селе: «Григорий Ефимович был ранен в лицо и в бок, на спине у него было пулевое отверстие» (*Данилов Ю. Н.* Мои воспоминания об императоре Николае II и в. кн. Михаиле Александровиче // Государственные деятели России глазами современников. Николай II. Воспоминания. Дневники. — СПб., 1994). Судебно-медицинские эксперты утверждали, что с первым же ранением, в печень, человек может прожить *не более 20 минут,* следовательно, не могло быть временного отрезка от получаса до часа, после которого убитый «воскрес» и кинулся бежать, как не было вообще никакого выстрела в область сердца в столовой, о котором единогласно утверждали оба участника убийства.

Приведем заключение судмедэксперта профессора Д. Н. Косоротова: «При вскрытии найдены **весьма многочисленные повреждения, из которых многие были причинены уже посмертно.** Вся правая сторона головы была раздроблена, сплющена вследствие ушиба трупа при падении с моста. Смерть последовала от *обильного кровотечения* вследствие *огнестрельной раны в живот*. Выстрел произведен был, по моему заключению, почти в упор, слева направо, через желудок и печень с раздроблением этой последней в правой половине. Кровотечение было весьма обильное. На трупе имелась также *огнестрельная рана в спину*, в области позвоночника, с раздроблением правой почки, и *еще рана в упор, в лоб (а не сзади в голову, как пишет Пуришкевич! — Т. М.)*, вероятно уже умиравшему или умершему. Грудные органы были целы и исследовались поверхностно, но никаких следов смерти от утопления не было. Легкие не были вздуты, и в дыхательных путях не было ни воды, ни пенистой жидкости. В воду Распутин был брошен уже мертвым» (*Платонов О. А.* Пролог цареубийства. — М., 2001). Свидетельство профессора Косоротова показывает, что Григорий Ефимович долго и мучительно истекал кровью, но об этой колоссальной кровопотере ни слова у Юсупова с Пуришкевичем. Следов крови, согласно их мемуарам, было не много.

Не совпадают свидетельства Пуришкевича — Юсупова с официальным расследованием и в том, как топили тело убитого. Пуришкевич утверждает, что тело Распутина *обернули синей тканью и крепко связали, и так сбросили с моста в Невку* (*Пуришкевич В.М.* Дневник // Григорий Распутин. Сборник исторических материалов. Т.4. — М., 1997). *Шубу и один бот* сбросили вслед за телом, обернув в шубу гири и цепи, приготовленные для утопления жертвы, но второпях забытые в машине. Сжечь шубу в вагоне санитарного поезда, как замышлялось, не удалось, шуба не влезла в вагонную печь, а резать ее на куски жена Пуришкевича почему-то наотрез отказалась. Второй бот, отмечает Пуришкевич, остался в столовой особняка Юсупова. Сам же Юсупов, не присутствовавший при утоплении, пересказывает с чужих слов, что «*все тело было завернуто в накинутую на плечи бобровую шубу*», «*руки и ноги Распутина были плотно связаны веревками*» (*Юсупов Ф. Ф.* Конец Распутина (воспоминания) // Григорий Распутин. Сборник исторических материалов. Т.4. — М., 1997).

Теперь читаем материалы следствия. «Нашел труп простой городовой, на мосту... он увидел следы крови, а под мостом, у края значительной по размерам полыньи, лежала зимняя высокая калоша, городовой... в шагах ста от полыньи заметил подо льдом, с поверхности которого снег был сдунут ветром, какое-то большое черное пятно: этим пятном и оказался Распутин *в шубе и об одной калоше*, застрявший на отмели» (*Завадский С. В.* На великом изломе // Архив русской революции. Т. 8. — М., 1991). О том, что *Распутин во время убийства был в шубе и в одной калоше* (другая калоша слетела с ноги при падении тела с моста), свидетельствуют и фотографии убитого, единственные, сохранившиеся в следственном деле, все остальные документы из него исчезли.

И Юсупову, и Пуришкевичу зачем-то надо доказать, что Распутин, раздевшись, долго, целых два часа, сидел в столовой Юсупова, там же был смертельно ранен, и затем добит во дворе Юсуповского дворца. Но тогда, основываясь на материалах следствия, придется допустить невозможное, что убийцы, проведя рядом с жертвой больше двух часов, не запомнили цвета рубахи, в которую Григорий Ефимович был одет, не обратили внимания, куда попала первая пуля, в живот или в грудь, что после смертельного выстрела одели свою жертву в шубу и обули в калоши, потом убегавшего догнали и добили во дворе, и тогда уже повезли труп топить.

Однако готовность Пуришкевича с Юсуповым принять на себя человекоубийство подействовала на прокурора Завадского завораживающе, и он лишь с некоторыми поправками, которые диктовали ему очевидные факты следствия: цвет рубахи, время убийства, характер ранений, — принял на веру версию Юсупова и Пуришкевича: «Если эксперты правы, тогда приходится думать, что убийство произошло так: первый выстрел был произведен в Распутина спереди, когда он стоял в кабинете князя Юсупова раненый Распутин повернулся и выбежал во двор через боковую дверь, вслед ему был дан второй выстрел, ранивший его сзади, Распутин имел, однако, достаточно силы, чтобы добежать до решетки, но там, по-видимому, упал, и тогда кто-то подошел к нему и покончил с ним выстрелом в затылок» (там же). Завадский силится соединить факты следствия и признания убийц, и оттого у него «выстрел в затылок», хотя посмертная фотография Григория Ефимовича свидетельствует об огнестрельной ране во лбу, это же подтверждено экспертизой профессора Косоротова и воспоминаниями Юлии Ден.

Почему же Пуришкевич и Юсупов обнаруживают свою неосведомленность в самых очевидных вещах, которые засвидетельствованы следствием? Ключ к разгадке может быть найден в следующем факте, удостоверенном прокурором Завадским на основании изучения следственного дела: «В ночь убийства, не позже часа, за Распутиным… заехал на автомобиле в одежде шофера князь Юсупов и увез его с собою, *но не прямо к себе*, потому что убит Распутин был два часа спустя, а убили его, по-видимому, едва лишь он появился в княжеском дворце» (там же).

Что же происходило в эти два ночных часа, которые Пуришкевич с Юсуповым старательно пытаются заполнить вымыслом о чаепитии с Григорием Ефимовичем и угощении его вином и пирожными, отравленными цианистым калием? Эксперт-медик Косоротов установил, что **тело Распутина было подвергнуто истязаниям и изощренным пыткам** — пробитая в нескольких местах голова, вырванные на голове клочья волос, страшная рана на виске и сделанная каким-то особым орудием вроде шпоры рваная рана в боку, следы побоев на лице и по всему телу. Юсупов с Пуришкевичем опять же очень старательно пытались убедить всех, что это именно они били уже мертвого человека в припадке бешенства. Но профессор Косоротов убежден, что *не все удары* наносили по мертвому телу. Министр внутренних дел А. Д. Протопопов, по поручению Государыни контролировавший ход следствия, в беседе с сотрудником газеты «Новое время» Я. Я. Наумовым сделал очень важное, ключевое для понимания произошедшего заявление: «Это не просто убийство, ... участвовали озлобленные люди, *превратившие убийство в пытку*» (Последний министр старого правительства // Новое время. — №14731, 19 марта — 1 апреля 1917).

Прижизненные истязания Григория Ефимовича Распутина — установленный следствием факт, и именно их пытались скрыть Пуришкевич с Юсуповым, готовые даже взять на себя глумление над мертвым.

Стремление Пуришкевича с Юсуповым все взять на себя настолько бросалось в глаза, что становится очевидным: этот настойчивый самооговор — от всеохватного желания прикрыть других участников убийства старца. Они утверждают, что с часу до четырех ночи Распутин находился у Юсупова в особняке, но не знают, как он был одет и куда ему были нанесены выстрелами смертельные раны, один из выстрелов приписал себе Феликс Юсупов, два других взял на себя Пуришкевич. Они доказывают, что выстрелы были произведены в течение часа, хотя уже с первой раной в живот человек не прожил бы и 20 минут, а все три ранения — прижизненные. Пуришкевич и Юсупов говорят, что тело Григория Ефимовича было связано по рукам и ногам уже после смерти, чтобы скрытнее везти его в автомобиле и легче топить в реке, но на посмертных фотографиях из следственного дела отчетливо видны на запястьях рук Григория Ефимовича обрывки веревок, стягивавших руки, как наручники. Связанный для долгих истязаний, он и убит был связанным, в попытке освободиться из стянувших руки и ноги веревок, но где это было — в Юсуповском ли доме на Мойке, или в каком ином злодеями приготовленном месте, нам, видимо, уже не узнать.

Юсупов и Пуришкевич не могут внятно объяснить, как шуба и боты, «снятые» с Распутина в подвале, вновь оказались на нем, когда тело нашли подо льдом. На посмертных фотографиях убиенный Григорий Ефимович лежит на льду в одной рубахе, шуба, разрезанная и снятая с тела, горой громоздится рядом. Объяснить столь вопиющие разногласия мемуаров со следственными фактами можно только одним — **ни Пуришкевич, ни Юсупов не были настоящими убийцами, они лишь соучастники, а то и вовсе подстава для маскировки ритуального характера убийства.**

О ритуально исполненном убийстве Император и Императрица должны были знать или догадывались, поэтому судебно-медицинскую экспертизу поручили именно профессору Военно-Медицинской академии Д. Н. Косоротову, выступавшему экспертом по делу о ритуальном убийстве Бейлисом христианского мальчика Андрюши Ющинского. Государю была очевидна лишь косвенная причастность к смерти Григория Ефимовича тех, кого весь Петербург поздравлял с «патриотическим актом». Вот запись из дневника Императора: «В 9 часов поехали всей семьей мимо здания фотографии и направо к полю, где присутствовали при грустной картине: гроб с телом незабвенного Григория, убитого в ночь на 17 декабря *извергами в доме Ф. Юсупова*, уже стоял опущенным в могилу» (Дневник Императора Николая II. — М., 1991). Государь, обратим внимание, не назвал убийцами тех, кто ими назвался сам, но говорит об *извергах*, подчеркнув изуверский характер убийства. Он и наказал подставных убийц символически, выслав Феликса Юсупова в Курское имение и отправив в. кн. Дмитрия Павловича в действующую армию в Персию, а Пуришкевича, уехавшего 17 декабря со своим санитарным поездом на фронт, наказание не постигло вовсе. Эта безнаказность, безусловно, встревожила подлинных убийц, ожидавших теперь дальнейших следственных действий против себя, и, понимая всю непрочность обвинений против самозваных убийц, они в дальнейшем постарались тщательно укрыть следы ритуального преступления: сразу же после свержения Императора торопливо сожгли тело мученика Григория.

Основанием предположения о ритуальном характере убийства как для Царя, так и для всякого христианина, знакомого с иудейскими ритуальными злодействами, являлись сами обстоятельства преступления: туго стянутые руки и ноги, прижизненные мучения, большая кровопотеря, а затем мгновенная смерть и утопление тела в воде, не упрятывание его, не захоронение, а именно утопление, причем осуществленное отступниками-христианами, на которых впоследствии и указывается как на настоящих убийц.

И Дмитрий Павлович, и Юсупов, по свидетельству в. кн. Александра Михайловича, признались ему, «что принимали участие в убийстве, но отказались, однако, открыть **имя главного убийцы**» (В. кн. Александр Михайлович. Книга воспоминаний // Николай II. Воспоминания. Дневники. — Спб., 1994). Позже, когда Феликс Юсупов пересказывал знакомым обстоятельства убийства Распутина с никогда не бывшим выстрелом в сердце, его спросили: «Неужели у Вас никогда не бывает угрызений совести? Ведь Вы все-таки человека убили? — Никогда, — ответил Юсупов с улыбкой. — Я убил собаку» (*Мельник-Боткина Т. Е.* Воспоминания о Царской Семье и ее жизни до и после революции. — М., 1993). И князь не лжет, он действительно убил собаку из собственной псарни, чтобы скрыть следы человеческой крови или, наоборот, имитировать убийство Распутина во дворе собственного дома. Но проходит несколько лет, появляется дневник Пуришкевича, и в нем очевидно стремление «застолбить» определенную версию убийства, по которой на Григория Ефимовича напали именно христиане, представители высокородного дворянства и члены Императорской фамилии. Через три года после обнародования дневника Феликс Юсупов опубликовал свои мемуары под названием «Конец Распутина», где в точности воспроизвел обстоятельства убийства, описанные уже Пуришкевичем, но полностью игнорировал материалы следствия, известные к тому времени по публикации прокурора Завадского.

Следствие по делу об убийстве Григория Ефимовича Распутина длилось всего два с небольшим месяца и было спешно прекращено 4 марта 1917 года. Тело мученика Григория торопливо сожгли в ночь с 10 на 11 марта, на месте сожжения начертана на березе символичная надпись на немецком языке: «Hier ist der Hund begraben» («Здесь погребена собака») и далее: «Тут сожжен труп Распутина Григория в ночь с 10 на 11 марта 1917 года» (*Купчинский Ф. П.* Как я сжигал Григория Распутина // Солнце России. — №369-11, 1917).

В журнале «Былое» за 1917 год, вышедшем вскоре после свержения Императора с Престола, опубликованы материалы следствия по делу об убийстве Григория Ефимовича Распутина, но лишь протоколы допросов Юсупова, домашних Григория Ефимовича, дворников, городовых, швейцаров. Судебно-медицинская экспертиза и заключения следователей в опубликованных материалах отсутствуют. Дальнейшее возвращение к этой теме в литературе, кино и исторических исследованиях сводилось к тому, чтобы уверить всех в истинности слов Пуришкевича с Юсуповым.

Свершившееся в ночь на 17 декабря 1916 года злодеяние явилось прообразом грядущего Екатеринбургского мученичества в ночь на 17 июля 1918 года. «О, это ужасное 17-е число», — писала Государыня из ссылки близким. И правда, 17 октября 1907 года дан злосчастный Манифест, 17 декабря 1916 года умучен до смерти старец Григорий, 17 июля злодейски убиты Государь Николай Второй и Его Семья. Выстрелы и изощренное мучительство, нанесение детям колотых и резаных ран, утопление тел в воде шахты, а после извлечение тел, облитие их бензином и сожжение на чудовищных ритуальных кострах, и над всем этим зловещая надпись, перифраз из Гейне на немецком: «Belsatzar ward in selbiger Nacht von seinen Knechten umgebracht» («В эту самую ночь Белый Царь был убит своими подданными») и рядом каббалистическая надпись: «Здесь по приказу тайных сил Царь был принесен в жертву для разрушения государства. О сем извещаются все народы».

Через все, что претерпела Царская Семья, прежде прошел их молитвенник. И он был исколот штыками, ножами и «шпорами», и он был троекратно убит. Тело утоплено в стылой невской воде, а после облито бензином и сожжено. И оставлено две удостоверяющие ритуальную казнь надписи, одна из которых на немецком. Ни от Григория Ефимовича, ни от святых Царственных мучеников не осталось могил, а о том, что конец их будет един, Государыня знала из предсказания старицы, бросившей ей под ноги *восемь* кукол, облив их красной жидкостью, запалив взметнувшийся с пола жадный костер.

Поруганием и смертью Григория Ефимовича Распутина иудеи и их приспешники добивались сразу очень многого. Через поношение имени Царского друга предавалось поношению имя самого Государя Императора. Народ изумлялся скверне, якобы окружавшей Царя и Царицу, и переставал верить в богодержавность самой Царской власти. Одновременно поругание Григория Ефимовича имело целью, чтобы в его недостоинство поверил Государь, поверил бы и отверг от себя Старца. А когда не удалось убить Григория Ефимовича духовно, осквернить его в очах Царевых, его убили физически, ибо без погибели Распутина не одолеть было Русского Царя.

Фальшивомонетчики от истории

Наступило в России время опамятования. Святые Царственные мученики прославлены, однако хула на Григория Ефимовича, государева молитвенника, спасителя Наследника Цесаревича, по-прежнему остается злой притчей во языцех. И здесь умысел клеветников очевиден: изумляясь черноте вымышленного распутинского облика, не все православные могут заставить себя поверить в святость мученически убиенной Царской Семьи. А самого Григория Ефимовича враги России выставляют ныне козлом отпущения, на него одного возложив иудейскую вину за разрушение Самодержавного Российского государства. Сотенно-тысячными тиражами публикуются новые «исторические источники»: в их числе присланные из Америки «Воспоминания» дочери Григория Распутина и две историко-художественные повести «Николай Второй» и «Распутин» Эдварда Радзинского с многочисленными цитатами из только что «вновь обнаруженного архива».

Книга «Воспоминаний дочери» о Григории Ефимовиче Распутине явилась сразу же после канонизации Царской Семьи. Выпущенная в 2000 году издательством «Захаров», она сразу же привлекла всеобщее внимание, еще бы — свидетельство современницы, самой дочери Распутина! Этот «источник», как признает сам издатель в предисловии, получен им в рукописи из третьих рук в 1999 году: «у ее последней владелицы, которая почему-то не разрешила мне объявлять ее имя. Назову ее Госпожой X.» (Дневник Матрены Распутиной // Расследование цареубийства. Секретные документы. — М., 1993). Долгое и мутное изложение истории жизни госпожи X. и ее американской тетки, от которой и достались в наследство «три толстые тетради с массой вклеек», заканчиваются неожиданным для читателя резюме: «как рукопись попала к ее тетке, она не знает». О самой же дочери Григория Ефимовича Матрене в предисловии сказано меньше, чем о госпоже X. и ее тетке. Обозначен год рождения — 1898-й, сказано, что в 1917 году она вышла замуж за офицера Бориса Соловьева и вскоре после революции выехала из России. После смерти мужа в 1924 году Матрена, якобы, дебютирует в Париже как танцовщица, позже, в Америке, становится укротительницей тигров. Умерла она в 1977 году в Лос-Анджелесе от сердечного приступа. И ни слова о петербургском периоде жизни осиротевшей девочки, ее путешествии в Сибирь, в Тобольск, Покровское, Тюмень, а затем в Омск и Харбин вслед за мужем Борисом с целью поддержать Царскую Семью в заточении. Об этом нам известно из ее дневника, который Матрена сама представила следователю Н. А. Соколову 28 декабря 1919 года в Париже. Дневник, написанный для себя двадцатилетней, только что вышедшей замуж Матреной, выказывает наивную, горячо любящую мужа светлую натуру, всецело верящую в Господа, почитающую как святыню Государя и Государыню, и молитвенно, благоговейно поминающую своего отца.

Приведу строки из дневника, не оставляющие сомнения в цельности и красоте души этой простой, малоученой, но христиански воспитанной девочки. Как и ее отец, Матрена называет Государя и Государыню «Папа и Мама», «дорогие наши», иногда «они», возможно, боясь изъятия дневника. 29 апреля 1918 г.: «От Вари письмо, пишет про Них, бедные, как Они страдают». 10 мая 1918 г.: «Живу мысленно с Моими Дорогими». 14 сентября 1918 г.: «Тяжело слушать неправые обвинения, ведь человека ни разу не видели в глаза, а ругают… А что худо разве раньше жилось. Да еще как хорошо… Не умеем ценить доброго, хорошего, где теперь Они? Неужели нету живых, ой я и верить не хочу разным россказням». 17 сентября 1918 г.: «Сегодня узнала весьма утешительную новость, как будто Папа и Мама живы и Дети, да неужели это правда, вот счастье». 20 сентября 1918 г.: «Мне кажется, если Они будут живы, т.е. Папа и Мама, тогда и я буду счастлива, ведь вся моя опора, вся моя надежда на Них, я знаю, в трудную минуту Они меня не оставят». 1 ноября 1918 г.: «Солнышко светит, а на душе грусть, тоска, болит сердце за Наших, где Они? Неужели не живы. Нет это ужасно» (Дневник Матрены Распутиной // Расследование цареубийства. Секретные документы.).

Матрена постоянно поминает отца, горюет, тоскует о нем. 5 апреля 1918 г.: «Встретили нас с Варей дома (в Покровском. — *Т.М.*), как всегда тепло, хорошо. Вот уж здесь любовь пребывает. Все живут вкупе, боятся страха Божьего. А кто его вселил в нас? Папа. Он всегда учил нас любви, вере». 21 апреля 1918 г.: «Почему нету моего папы. Зачем Ты, Господи, взял его от нас так рано? Мы остались как листья без дерев. Папа, милый папа, будь с нами в разговенье, именно с нами, с Борей и со мной…». 1 мая 1918 г.: «Ходили с Борей в церковь, подавали записку, поминали папу, ах, как тяжело было сегодня, как-то особенно тяжело. Больно, что нету дорогого нашего тятеньки с нами». 13 мая 1918 г.: «Как я счастлива, что я дома. Как здесь хорошо, каждая мелочь напоминает тятеньку дорогого. Хочу страшно идти к Мурашному, где тятеньке было виденье. Какой он был хороший, милый, славный, добрый. Любил нас больше своей жизни, больше всех» (там же).

Но вот воспоминания якобы все той же Матрены Распутиной, неизвестно от кого, как и к кому попавшие, но широко и шумно преподнесенные нам как исторический документ, как несомненное свидетельство очевидца. Ничего похожего на ту, неоспоримо подлинную Матрену, что сама лично передала свой дневник следователю Соколову, — ни душевного тепла, ни искренней печали, даже обращения не те. Григорий Ефимович именуется только «отцом», нет в подробных рассказах о встречах с Государем и Государыней теплых родных Матрене слов «Папа» и «Мама», «Государь», «Наши дорогие». Издатель, и тот вынужден отметить «особый тон записок»: «Никакого придыхания, сантиментов ровно столько, сколько положено, чтобы они не раздражали» (*Распутина М. Г.* Распутин. Почему? Воспоминания дочери. — М., 2000).

По тому, подлинному, дневнику Матрена Распутина — горячо верующий, воцерковленный человек, она говеет Великим постом, причащается, по обету едет в Абалакский монастырь, и все беды свои объясняет одним: «Боже, какая я грешная, прости меня» (66, с. 51). Матрена больше всего любит Бога и все время уповает на Его милость. 16 января 1918 г.: «Господи, не оставь сирот... Нам тяжело, Господи, не оставь». 14 января 1918 г.: «Я люблю людей правдивых. Это для меня главное. Правда — солнце яркое». 16 января 1918 г.: «Боже, как тяжело быть беззащитным, никто не заступится» (Дневник Матрены Распутиной // Расследование цареубийства. Секретные документы).

Но в только что предъявленном миру новом «документе» Матрены Распутиной и близко ничего того нет. Нигде не упоминается Имя Божие вне исторического контекста, даже говоря об исцелении Распутиным Царевича Алексея, мемуаристка договаривается до того, что не знает, «помогла ли его молитва, или *какая-то другая сила*» (65). Об отце ни откровений, ни воспоминаний, ни слез — лишь интерпретации известных историй, да еще подчеркнуто холодно: «Я намерена показать человека, а не героя Четьих-Миней» (*Распутина М. Г.* Распутин. Почему? Воспоминания дочери).

Матрена в новых «Воспоминаниях» — весьма ловкий беллетрист. А где могла «набить руку», получить навыки бойкого повествователя девочка, всего несколько лет проучившаяся в гимназии, в двадцатилетнем возрасте покинувшая Россию и лишь изредка говорившая потом по-русски? Редакторская рука? Но по утверждению издателя Захарова, работа с рукописью свелась «к расшифровке некоторых слов и очень незначительной правке стиля» (там же).

Дневник подлинной Матрены исполнен описанием встреч и разговоров, радостей и обид живой русской девушки, у которой куча знакомых, немало любящих ее сердечно женщин, как Анна Александровна Танеева (Матреша часто называет ее «Аня»), Ольга Владимировна Лохтина (о ней очень почтительно, только по имени-отчеству), много подруг — Маруся Сазонова, Оля, Лиля, Галя, Рая…

А в «Воспоминаниях» ни слова о себе, словно нет у нее ни прошлого, ни пережитого. Все только об отце, но и об отце ничего нового. Пересказываются известные по другим источникам сюжеты, в которые Матрена «встраивается» свидетельницей или узнает о них из чьих-то рассказов. В истории спасения Григорием Ефимовичем Анны Александровны Танеевой от смерти после железнодорожной катастрофы сохранены все подробности повествования самой Танеевой, но глазами якобы Матрены. Если верить воспоминаниям, то Распутин просто не расставался с дочкой, брал ее с собой везде и всюду, и в Царскую гостиную, где дети показались Матрене «на одно лицо — роскошные фарфоровые куклы в роскошном кукольном доме», и за царский стол, где Матрена подглядела, что «когда Николаю стали наливать водки, он выхватил графинчик у лакея и, минуя рюмку, налил полный фужер», и к постели Царевича, где Матрена подсмотрела, что «Царица даже не пыталась скрыть своей истерики». Почему-то девочка успевает отметить и запомнить только то, что усиленно навязывается всеми клеветниками: пьянство Царя, истеричность Царицы, что через Распутина действовала «какая-то сила», «сверхъестественная» сила, по Матрене выходит, что это сила гипноза, одним словом, бесовская, дьявольская сила, но никак не Божия и не благодатная.

Одно из исцелений Царевича, известное по воспоминаниям А. А. Танеевой, Матрена повторяет с оговоркой: «Отец описывал мне эту сцену так: Он (Распутин) обратился к Алексею: «Открой глаза, сын мой! Открой глаза и посмотри на меня!!.. Веки Алексея затрепетали и приоткрылись… его взгляд сосредоточился на лице моего отца… Отец…снова обратился к мальчику: «Боль твоя уходит, ты скоро поправишься… А теперь спи» (там же).

Перелицовка «под себя» давно известного искусно переплетается в «воспоминаниях» Матрены с сюжетцами, якобы услышанными ею еще от бабушки с дедушкой, от Танеевой, от самого Григория Ефимовича. И как сговорились все родные и близкие люди ничего нового не сказать Матрене, а вторить лишь тому, что измыслили позже в злобе и ненависти к Григорию Ефимовичу его враги, враги Государя, враги Самодержавной России, а то, что давно уже доказано, — измышления, клевета, наговоры. «От деда, от бабки» Матрена якобы знает о пьянстве отца сызмальства («дорога в кабак проторилась как-то сама собой» — там же), о разврате его с молодых лет («для отца физическая и духовная любовь сочетается и так становится силой» — там же), о лености его («и потянулась за отцом слава бездельника, ледащего человека» — там же), о еретичестве и сектантстве («Бог в нем, Григории Распутине… И правда, если Царство Божие — в человеке, то разве грешно рассуждать о нем, рассуждая о Боге? И если в церкви об этом не говорят, — что ж, надо искать истину и за ее пределами. Отец рассказывал, что как только он понял это, покой снизошел на него» — там же). Всплывают давно опровергнутые и похороненные вроде бы обвинения Григория Ефимовича в хлыстовстве («Отец не отказался присутствовать на радениях хлыстов… Он хотел всего лишь понять, какие есть пути к Богу» — там же), в эротомании («чем сильнее он старался изгнать прельстительниц из сознания, тем, казалось, настойчивее они возвращались, пока он не падал на землю в изнеможении… Боль вытесняла похоть и заполняла стыдом…» — там же). Все это о родном отце, о «дорогом тятеньке», и не просто о хорошем, милом, добром тятеньке, а о молитвеннике, чудотворце, о святом. Слова доброго у «дочери» не находится, зато в ходу у нее самые отвратительные характеристики Григория Ефимовича из книг в.кн. Александра Михайловича, генерала В. И. Гурко, Председателя Думы М. В. Родзянко, наконец, С. Труфанова и А. Симановича, Ковалевского, Ковыля-Бобыля, намеренно нагромождавших ложь о Распутине, развеянную добросовестными историками. Но «Матрена», как ни в чем не бывало, цитирует эти «источники», не высказывая ни малейших сомнений в их истинности: «Приведу здесь только одно из многочисленных свидетельств Труфанова» (там же). И повторяет глумливый из пальца высосанный анекдот о Распутине, будто спросившем Государя: «Ну, что? Где екнуло? Здеся али тута?» (там же). Циничная, наглая и издевательская ложь удостоверяется самой «дочерью» Распутина.

Вернемся к дневнику, в сопоставлении с которым нет труда доказать подложность «Воспоминаний» Матрены Распутиной. Один из аргументов, доказывающих фальсификацию, — это несовпадение оценок одних и тех же людей в дневнике и в «Воспоминаниях». Мы уже говорили о том, что *Государь* и *Государыня*, *Папа* и *Мама*, *наши дорогие*, о которых у девочки болит сердце, с которыми она только и связывает счастье своей жизни, в «Воспоминаниях» просто *Николай* и *Александра Федоровна*, *Царь* и *Царица*. Ни благоговения, ни скорбной памяти, ни капли сожаления об их трагической мученической судьбе. Одни лишь старые, пронафталиненные еврейские наветы о слабоволии Царя, о его запоях, о неудачах правления, о порочном окружении Государыни, ее болезненности и истериках.

Все самое светлое из дневника Матреши предстает в очерненном изображении «Воспоминаний». Ольга Владимировна Лохтина, одна из духовных дочерей Григория Ефимовича, исцеленная им от неизлечимой болезни — неврастении кишок, после революции принявшая на себя подвиг юродства, о которой Матреша пишет в дневнике 2 марта 1918 г.: «Ольга Владимировна говорила по-тятенькиному ученью, не она говорила с нами, а тятенька…», 3 марта 1918 г.: «После вчерашнего вечера я еще больше полюбила Ольгу Владимировну, она рассказывала, что была на Гороховой, заходила во двор, чувствовала папин дух. Под впечатлением вчерашнего дня я долго не могла уснуть. Видела во сне опять папу, я так счастлива, так счастлива» (Дневник Матрены Распутиной // Расследование цареубийства. Секретные документы). К слову, Ольгу Владимировну Лохтину все время с любовью вспоминают в письмах Царские Дочери Ольга и Татьяна Николаевны, часто передают ей приветы и поклоны, так что Матреша не одинока в своих симпатиях.

Но вот фрагмент из «Воспоминаний» якобы дочери: «Ольга Владимировна Лохтина была хорошенькой блондинкой. Ума там никакого не было и подавно, но, как я бы сейчас определила, прелесть глупости, несомненно, изобиловала… Она рассчитывала быстро получить взаимность от моего отца,.. Отец перестал принимать ее в нашем доме... Ольга Владимировна попала в лечебницу для душевнобольных» (*Распутина М. Г.* Распутин. Почему? Воспоминания дочери).

Еще одно сравнение: речь о епископе и священномученике Гермогене, утопленном большевиками в реке Туре напротив села Покровского, в те дни как Матреша вернулась домой. Перед нами ее дневник. 23 июля 1918 г.: «Приехала комиссия искать тело убитого Гермогена, нашли в воде его, обмотанного веревками и руки связаны назад, мучили говорят, его, бедного, страшно, ах, какие мерзавцы большевики — Господи, накажи их» (Дневник Матрены Распутиной // Расследование цареубийства. Секретные документы. — М., 1993). 25 июля 1918 г.: «Как жутко проходить мимо церкви… видишь, в церковной ограде горит свечка, дьякон всю ночь читает Евангелие у епископа Гермогена на могилке… Сегодня приехал епископ Еринарх за телом убиенного, служили панихиду. Я сильно плакала, вспомнила сейчас же папу, как его отпевали, стоять было немыслимо, хотелось зарыдать» (там же). Матреша знала о гонениях, которые воздвиг, поверив клевете, епископ Гермоген на ее отца, но она знала и о раскаянье, которое пережил епископ после смерти Григория Ефимовича, об этом сам епископ рассказывал ее мужу Борису Соловьеву. Ни тени злорадства в дневнике, лишь горестная любовь в ее словах да недавняя картина мученической смерти отца в мыслях. Но какой злобный тон при упоминании о епископе Гермогене в «Воспоминаниях»: «Гермоген оказался впутанным в аферы по самую макушку… он из подозрения вывернулся, а двух его приятелей признали-таки виновными в растрате. Понятно, что Гермоген сразу же оценил представившуюся возможность отомстить отцу» (*Распутина М. Г.* Распутин. Почему? Воспоминания дочери).

Удивительно, но и в рассказе об Ольге Владимировне Лохтиной, и в повествовании о епископе Гермогене автор «Воспоминаний», уже язык не поворачивается назвать самозваного мемуариста светлым именем Матреши, не говорит об эпизодах, упомянутых в дневнике. Отчего так? От незнания ли о дневнике составителя «Воспоминаний», или оттого, что симпатии подлинной Матреши к этим людям несовместимы с обличительным пафосом лже-Матрены. Скорее верно последнее, потому что автор «Воспоминаний», отлично знаком со множеством документов о жизни Григория Ефимовича и даже намеренно изображает забывчивость «мемуаристки», неправильно употребляет несколько фамилий исторических лиц: Деревянко вместо Деревенько, Давидсон вместо Дувидзон.

Но есть в «Воспоминаниях» и серьезный фактический огрех, который можно расценить как «прокол» фальсификатора. Это брошенная вскользь фраза: «Если бы отцу стало известно о болезни мамы после первого приступа, она бы без сомнения не умерла так рано» (*Дитерихс М. К.* Убийство Царской Семьи и членов Дома Романовых на Урале. — Владивосток, 1922). Настоящая Матрена Распутина вообще не знала, когда и где умерла ее мать, поскольку выехала она за границу в 1918 году и больше в Россию не возвращалась. Прасковья Распутина в 1930 году была сослана с сыном и младшей дочерью из Покровского на Север на поселение, где их следы затерялись.

Не остается сомнений, что под обложкой «Воспоминаний» дочери Григория Ефимовича Распутина нам подсунули очередную фальшивку, к которой никогда не прикасалась рука подлинной Матреши. Так кто же автор «Воспоминаний», кто так умело и злоумно скомпоновал факты, насочинял «чудес», чтобы текст приняли за подлинные мемуары те, кто чтит Григория Распутина как человека святой жизни, незаслуженно оболганного и мученически убитого?

А ведь и приняли за подлинное: в недавно вышедшую книгу «Мученик за Христа и за Царя Григорий Новый» попало несколько придуманных лже-Матреной «чудес» и сюжетов из «жизни Распутина».

Подозрения в фальсификации «Воспоминаний» уже возникали, говорили, что Матрена Распутина «порой говорит с чужого голоса», что в составлении книги участвовал ее муж Б. Н. Соловьев (хотя как бы он успел, если известно, что Соловьев умер в Париже в 1924 году). Мы же предполагаем иное: книга «Распутин. Почему? Воспоминания дочери» — это подложный текст, и у нас есть основания считать, что он составлен одним из известнейших еврейских фальсификаторов русской истории, драматургом и сценаристом Э. Радзинским. В основу доказательств положим сопоставление текста «Воспоминаний», приписываемых Матрене Григорьевне Распутиной, и книги самого Эдварда Радзинского «Распутин: жизнь и смерть».

Знание темы, безусловно, свойственно обоим текстам. При этом все сюжетные линии, касающиеся Распутина и Царской Семьи, абсолютно совпадают, они копируют уже упомянутые здесь наветы из пасквиля «Последний самодержец». Но помимо сюжетных совпадений, авторство Радзинского для книги «Воспоминаний дочери» можно предположить на основании поразительного стилистического сходства книги «дочери Распутина» с книгой «Распутин» Радзинского. В обоих произведениях одинаковы приемы введения в текст исторических источников — мемуаров других авторов, свидетельских показаний, отчетов и прочего. В «Воспоминаниях дочери» исторические источники без конкретных ссылок и страниц подаются так: «В записках Гурко читаем: …» (*Распутина М. Г.* Распутин. Почему? Воспоминания дочери), «Ковалевский свидетельствует: …» (там же), «Дам слово Симановичу: …» (там же), «Вот как пишет Коковцов: …» (там же), «А вот слова Юсупова: …» (там же), и главная особенность цитации в «Воспоминаниях» — просто имя автора цитаты, как будто прямая речь в сценарии или пьесе: «Воейков: …» (там же), «Гурко: …», «Труфанов: …» (там же).

В той же драматургической манере приводит ссылки на исторические источники и сам Радзинский. «Аликс писала мужу: ...» (*Радзинский Э. С.* Распутин: жизнь и смерть. — М., 2000), «Мартынов сообщает в новом докладе: ...» (там же), «Белецкий вспоминал: ...» (там же), «Из показаний Родзянко: ...» (там же), и какое поразительное сходство литературных стилей Матрены Григорьевны Распутиной, урожденной в 1898 году, почти всю жизнь прожившей за границей, не имевшей ни то, что специального образования, но даже среднего, и маститого современного писателя, драматурга Э. Радзинского. Эта характерная особенность цитации: «Пуришкевич:...», «Юсупов: ...» — называние одной лишь фамилии или имени автора цитаты, безусловно, является яркой стилистической особенностью, объединяющей оба текста, но не свойственной историческим сочинениям и мемуарам других авторов.

Еще одна стилистическая черта, характеризующая оба текста, — изложение событий без всякой душевной причастности к рассказываемому. И если для исторических повествований, в коих упражняется Радзинский, отстраненная манера вполне подходит, то мемуары всегда наполнены душевным участием рассказчика, свидетеля, участника событий, тем более если рассказывает о пережитом любящая дочь. Но, к счастью, овладеть тонкой мелодикой душевного участия фальсификатор не в силах, и потому текст «Воспоминаний дочери» воспроизводит так привычную Радзинскому повествовательную модель безучастной хронологии, причем его повесть «Распутин» и текст «Воспоминаний дочери» пестрят одними и теми же весьма специфическими оборотами и выражениями.

Радзинский пишет так: «В странствиях он научился безошибочно распознавать людей. В хлыстовских «кораблях», где соединяли языческие заговоры от болезней с силой христианской молитвы, учился он врачевать» (там же). «И оттого пьянствовал (Распутин) теперь вовсю... И все чаще, напившись, он пускается в безумную пляску, так напоминающую хлыстовское «духовное пиво» (там же). Сравним с повествованием, вышедшим под именем Матрены Распутиной. Глава называется (внимание!) — «В хлыстовском корабле»: «Отец в странствиях попал к хлыстам…Дорога в кабак проторилась как-то сама собой… Отец плясал до изнеможения, будто хотел уморить себя» (*Распутина М. Г.* Распутин. Почему? Воспоминания дочери). Перекличка одних и тех же образов выдает в «Воспоминаниях» руку Радзинского, к примеру, «красотка Сана с фарфоровым личиком» из книги «Распутин» (*Радзинский Э. С.* Распутин: жизнь и смерть), разве не напоминает «фарфоровых кукол» — царских детей из «Воспоминаний»?

Стилистическое сходство бросается в глаза при изложении исторических событий. Сравним главу о начале Первой мировой войны у Радзинского и Матрены Распутиной. У Радзинского в книге «Распутин: жизнь и смерть»: «Война и пророчество Распутина. Австро-венгерский посланник в Белграде вручил сербскому правительству ультиматум. Сербия тотчас обратилась к России за защитой. 12 июля Совет Министров под председательством Николая II ввел в действие положение о подготовительном к войне периоде… Франция готовилась к войне одновременно с Россией. Германия и Австро-Венгрия начали подготовку на две недели раньше. Англия привела свой военно-морской флот в состояние боевой готовности. А пока шли лихорадочные дипломатические переговоры, которые ничего изменить не могли» (там же).

У Матрены Распутиной в «Воспоминаниях»: «Война на пороге. В Сербии убили австрийского эрц-герцога. Австрия направила Сербии ультиматум, потом объявила войну. Немецкий канцлер настоял на переговорах между Россией и Австрией, и Россия ограничила мобилизацию только районами, прилегающими к австрийской границе. Но сторонники войны… взяли верх. Была объявлена мобилизация вдоль западной границы. 31 июля немцы предъявили ультиматум с требованием прекратить подготовку к войне вдоль ее границ с Россией, а в семь часов вечера 1 августа Германия объявила войну России» (*Распутина М. Г.* Распутин. Почему? Воспоминания дочери).

Я намеренно цитирую столь большие куски текстов, чтобы показать, что не только стилистика их, но и синтаксическая структура абсолютно одинаковы — рубленые фразы, состоящие из простых, почти не осложненных предложений, своеобычная манера лишь называть события, не вдаваясь в подробности их описания, своего рода развернутая драматургическая ремарка к очередной картине в пьесе. Тексты написаны одной рукой, смонтированы на одну колодку. Да соедините вы эти два куска вместе, и пусть попробует кто отличить руку писавшего.

Наряду со сходными историческими «зачалами», которые применяют в качестве вступлений в повествование и Радзинский, и Матрена Распутина, в обоих текстах есть еще одна общая стилистическая черта: беллетризованные описания особо эффектных сцен размером в абзац разрывают конспективное изложение событий. Вот сцена из Радзинского: «11 декабря царица была в Новгороде вместе с великими княжнами и конечно же с Подругой. В древнем Софийском соборе они отстояли литургию, а в Десятинном монастыре посетили пророчицу. В колеблющемся свете свечи царица разглядела «молодые лучистые глаза». И старица, жившая еще при Николае I, заговорила из темноты… Она несколько раз повторила Государыне всея Руси: «А ты, красавица, тяжкий крест примешь… не страшись». *Так закончилось последнее путешествие Государыни*» (*Радзинский Э.С. Распутин: жизнь и смерть*). Аналогичная по композиции и синтаксическому строю сцена из «Воспоминаний» Матрены Распутиной: «Разомлевший отец поддался на уговоры новых приятелей и поехал с ними домой к Лизе. Там веселье продолжилось, принесли вина… Очевидно, туда подмешали какое-то зелье, потому что отцу стало плохо и он совсем не понимал, что происходит. Тем временем вечеринка перешла в оргию. В самый пикантный момент появился фотограф. *Так были состряпаны карточки, на которых отец предстал в окружении стайки соблазнительных нагих красоток*» (*Распутина М. Г. Распутин. Почему? Воспоминания дочери*).

Для повествовательной манеры Радзинского характерна еще одна специфическая особенность — он дает образные заголовки каждому разделу своего исторического сочинения, а в конце таких разделов помещает краткие, почти афористические резюме, звучащие приговором его героям. Эти заголовки и созвучные им резюме-приговоры как бы кодируют читателя, прочерчивая в его сознании канву исторических событий, осмысленную по Радзинскому.

Теперь сравним. Вот «Распутин» Радзинского. Заголовок: *Суд в Царском Селе.* Резюме: «Так Распутин еще раз проверил закономерность: достаточно его врагам выступить против него — и их ждет конец» (*Радзинский Э. С.* Распутин: жизнь и смерть). Заголовок: *Команда проходимцев.* Резюме: «И министры, таясь друг от друга, старались исполнить просьбу фаворита» (там же). Заголовок: *Распутинщина.* Резюме: «Долгожданный союз, о котором мечтал когда-то в начале царствования Николай — союз мужика с властью, — стал реальностью» (там же).

И вот скажите, может ли быть такая довольно усложненная, профессиональная манера изложения, хорошо осмысленное давление на читателя простым совпадением у двух авторов, которых отличают не только пропасть времени, но и пропасть жизни, а ведь Матрена Распутина использует тот же результативный прием — кодирование читателя обдуманно изготовленными клише — в заголовках (их якобы придумал издатель, согласно его утверждению) и в резюме-приговорах, которыми также изобилует текст «Воспоминаний». Заголовки разделов здесь вкупе с резюме образуют строго заданный рисунок событий — своего рода историческую мозаику абсолютно в духе Радзинского. Приведем конкретные примеры из «Воспоминаний» Матрены Распутиной. Заголовок: *Царский суд* (тема та же, что и у Радзинского в главе «Суд в Царском Селе»). Резюме: «За лжесвидетельствование Илиодор был выслан из Петербурга в монастырь за сто верст от столицы. За потакание лжесвидетелю наказали и Гермогена» (*Распутина М. Г.* Распутин. Почему? Воспоминания дочери) Заголовок: *Запои Николая Второго.* Резюме: «Как раз во время скандала с письмами алкогольные приступы стали особенно часты у Николая» (там же). Заголовок: *Распутин пошел вразнос.* Резюме: «Отец пошел, что называется, вразнос» (там же).

Итак, перед нами стилистически одинаково написанные книги, хотя одна из них — мемуары, а другая — историческая повесть. Подытожим это сходство.

Во-первых, сравниваемые тексты одинаково используют композицию из чужих, тенденциозно подобранных «воспоминаний» и «показаний», снабжая их авторским комментарием, подтверждающим свидетельства исторических лиц, при этом способы введения цитат в текст совершенно одинаковы и выдают драматургическую манеру письма.

Во-вторых, собственно авторские фрагменты обоих текстов, посвященные текущим историческим событиям, представляют собой конспективный перечень фактов с одинаковыми по структуре синтаксическими конструкциями, напоминающими развернутые драматургические ремарки.

В-третьих, беллетристические фрагменты текстов имеют сходное композиционное и стилистическое построение. В пределах одного-двух абзацев очерчено событие, которое завершается итоговым «выводом».

В-четвертых, конструкция разделов «Заголовок + резюме», в которых заложена основная идея, внушаемая читателю, что у Радзинского в «Распутине», что у Матрены в «Воспоминаниях» одинакова, не говоря уже о стилистических совпадениях — «хлыстовские корабли», «фарфоровые лица» и «фарфоровые куклы».

В-пятых, заголовки разделов словно написаны рукой одного автора. Сравните:

Радзинский	*«Матрена Распутина»*
Обольщение.	Ясновидение.
Изнасилованная нянька.	Подслушанный разговор.
Пляска смерти.	Ожидание ужаса.
Петля затягивается.	Великий князь злится.
Чудо за десять минут.	Фужер вместо рюмки.
Суд в Царском Селе.	Царский суд.
Баба или чурбан?	Случай или закон?
Она меня выгнала как собаку.	Бог увидел твои слезы.
Кто убил?	Кто кем вертит?

Разумеется, с абсолютной уверенностью утверждать, что «Воспоминания» дочери Распутина есть дело рук драматурга Э. Радзинского, мы не можем, ибо для этого необходимо его собственное публичное признание в создании подложного документа. Однако не только стилистические совпадения и сходство сюжетных линий заставляют нас предполагать причастность этого беллетриста к фабрикации «Воспоминаний» дочери Распутина.

Обильное творчество Э. Радзинского по своему содержанию поразительно напоминает труды фальсификаторов истории царствования Николая Второго П. Е. Щеголева и А. Н. Толстого. И чтобы обосновать очередную свою «историко-художественную» ложь о Государе, Радзинскому, как когда-то Щеголеву с Толстым, необходимы новые сенсационные «исторические источники», и, как мы можем предположить, он их попросту «делает», как некогда делали их Щеголев с Толстым. Опыт Щеголева по использованию подложных архивных документов в издании «Падение царского режима» оказался удобным образцом для подражания. Ведь возникли же в исторической повести Радзинского «Распутин» многочисленные цитаты из мифического «Того Дела», якобы утраченных в послереволюционные годы протоколов допросов различных лиц Чрезвычайной следственной комиссией Временного правительства, а недавно обнаруженных за границей и купленных там Мстиславом Ростроповичем специально, исключительно, персонально для одного лишь Радзинского! Ни описи сенсационного архива, ни перечня документов, ни хотя бы малой толики научных публикаций из приобретенных Ростроповичем сенсационных архивных исторических документов сделано не было. И именно из «Того Дела», по словам драматурга, абсолютно достоверного, и текут в беллетристику Радзинского зловонные потоки новой клеветы. Как все это напоминает метод Щеголева, который сначала подделывал исторические документы — протоколы допросов, а потом их издавал и цитировал. И как Дневник Вырубовой был задуман и написан Щеголевым и Толстым в подтверждение своей клеветнической пьесы, так и «Воспоминания» дочери

Распутина явились читателям в подтверждение клеветнических опусов Радзинского, чтобы еще и еще раз выставить искаженные, очерненные образы наших умученных святых. Глядишь, грязь и зловоние лжи скроют от православного русского взгляда светлые их лики.

* * *

Когда в феврале 1917 года все было кончено и поезд увозил арестованного Государя из Могилева в Царское Село, а туда уже явился генерал Корнилов с поручением от Временного правительства пленить Царскую Семью, никому в России, видимо, не приходило в голову, что прогнать Царя можно только вместе с Господом, на Нем благодатно пребывающим. Бог же поругаем не бывает и за изгнание своего Помазанника отмщает ослушливому народу.

Один Государь помнил об этом и скорбно отмечал в Священном Писании вещие слова о грядущем наказании России: «*Если же не послушаете Меня и не будете исполнять всех заповедей сих, и если презрите Мои постановления, и если душа ваша возгнушается моими законами, так что вы не будете исполнять всех заповедей Моих и нарушите завет Мой, — то и Я то же сделаю с вами, и пошлю на вас ужас, чахлость и горячку, которые повредят глаза и измучат душу... и вы будете побиты врагами вашими... Я всемеро увеличу наказание за грехи ваши, и сломлю гордое упорство ваше... напрасно будет истощаться сила ваша... и наведу на вас мстительный меч в отмщение за завет... хлеб, подкрепляющий человека, истреблю у вас... и будете есть плоть сынов ваших и плоть дочерей ваших будете есть, разорю высоты ваши и разобью статуи ваши, и повергну трупы ваши на трупы идолов ваших, и возгнушается душа Моя вами, города ваши сделаю пустынею, и опустошу святилища ваши... а вас рассею между народами и обнажу вслед вас меч, и будет земля ваша пуста и города ваши разрушены... Оставшимся из вас пошлю в сердца робость*» (Лев. 26, 14-36). (Завет Государя. Книги Ветхого Завета с собственноручными пометками Царя-мученика Николая II. — М., 2000)

Все предреченное исполнилось вскоре. Поражение от врагов в Первой мировой и в годы Гражданской войны, ужас и горячка тифозных эпидемий и моров, повальный голод и людоедство в особенно сильно голодавших губерниях, мстительный меч репрессий и раскулачивания, ниспровержение идеалов сначала февральской демократии, потом октябрьского большевизма, разорение церквей и выморочные города и села, национально бесплодная русская эмиграция, а у оставшихся в России — бездонный вечный страх вплоть до сегодняшнего слепого и безрассудного повиновения врагу...

Кажется, все, что есть в этом пророчестве, обрушилось на нас, но должны исполниться и другие, с надеждой подчеркнутые Государем слова Священного Писания: *«Тогда вострепетало сердце их, и они в изумлении говорили друг другу: что это Бог сделал с нами?»* (Быт. 42, 28), (там же). И вся дальнейшая наша судьба, судьба русского народа, по слову Священного Писания, зависит от того срока, когда мы поймем, за что Бог так страшно наказывает нас, поймем, разметем клевету вокруг святого Царского Имени, возжелаем вновь Самодержавного Русского Царства и в священной решимости восстановим Его.

ГРЯЗНЫЕ ТЕХНОЛОГИИ ВЛАСТИ

Назначение наследника

Очередная смена премьера не сулила ничего судьбоносного: тогда, в августе 1999 года, Ельцин снял Степашина, что уже неоднократно проделывал со своими предполагаемыми преемниками, и во всеуслышанье заявил, что следующим президентом хочет видеть назначенного на этот пост некоего Путина. Единодушный отклик всех, кто хоть сколько наблюдал за ситуацией, был тогда даже не отрицательным, а скорее презрительным: как же ты надоел, старый алкоголик! Сидел бы и не высовывался, а то только позоришься по наущению своих клевретов! Объявленного же преемником Путина пожалели: как теперь ему, бедному, жить с клеймом ельцинской рекомендации...

В эту пору в стране буйствовала вакханалия рейтингов. Вообще рейтинги — эти пресловутые списки популярности — очень хороши не только для открытого шантажа тщеславных политиков: будешь себя хорошо вести — попадешь в рейтинг, сослужишь службишку — президенту ли подтявкнешь, или осудишь «русских фашистов», или подольстишь Чубайсу — повысишь рейтинг, но рейтинги важны и в другом: в сознании электората они резко очерчивают круг избранных некими силами лиц, которые, по мнению этих сил, должны и могут публично вершить судьбы страны. Остальные, рейтинга не заработавшие, не выслужившие доверия, — не должны и не могут.

Рейтинг — сильное средство психического давления на человека. Руководитель центра «Общественное мнение» Александр Ослон откровенно заявлял, что составляемые его центром еженедельные предвыборные рейтинги, торжественно оглашаемые по телевидению как последнее слово российского избирателя, на самом деле не являются ни предсказанием, ни прогнозом, ни тем более последним словом избирателя, и будь выборы завтра, рейтинг Ослона вряд ли бы совпал с ними по результатам. «Но, — подчеркивал А. Ослон, — рейтинг необходим, чтобы показать населению *общее настроение*». Так что никто и не скрывает от избирателя, что рейтинговый список популярности — это психическая атака на человека, ведь вслед за переменой рейтинга меняется и настроение толпы, в которой, так уж устроено большинство людей, все хотят быть как все, не отстать от других, подпевать общему хору, — словом, *психоманипуляции с рейтингами весьма эффективны в подавлении воли человека*. Вспомним, как стремительно пополз вверх рейтинг больного Ельцина накануне выборов 1996 года: в феврале за него проголосовало бы четыре процента избирателей, а в июне голосовало уже 35 процентов, и ведь именно 35 процентов голосов обеспечиваются выборными технологиями.

Точно такие же манипуляции проделали и с рейтингом Путина. Тогда, в августе 1999-го, его вообще никто не знал. Лезли вверх показатели Юрия Лужкова (социологи с готовностью объясняли, что население ждет крепкого и ушлого хозяйственника), рос, как на дрожжах, рейтинг Евгения Примакова (нам толковали, что народ истосковался по руководителю брежневского типа, что он устал от реформ и хочет отдохнуть), потом Сергей Степашин резко повысил рейтинг (а это потому, внушали политтехнологи, что мы желаем в правители мягкого, неагрессивного либерала). И вот в рейтингах замелькал Владимир Путин, и сразу оказалось, что все прежние симпатии побоку, народ заждался ежовых рукавиц «силовика»... Тогда Путин выглядел случайным, подвернувшимся под руку Ельцину угодником. Россия с интересом зрителя, наблюдавшего за растасовкой карт в крупной игре, скептически рассматривала очередного надутого политтехнологами туза, который в следующий момент обернется пошлой шестеркой.

Но прошло несколько месяцев, и оказалось, что изредка просыпавшийся, чтобы заехать в Кремль, алкоголик, утративший работоспособность, подчинявшийся сомнительным нашептываниям, все же настоял на своем решении или на решении своих клевретов: он практически обеспечил избрание вторым президентом России того человека, на которого указал в августе 1999-го.

Вот так избиратели, мечтавшие о скором конце эпохи Ельцина, убежденные в том, что этот погубитель России досиживает в Кремле последние месяцы, что от него уже ничто не зависит, и ждавшие, когда следующий, уже с умом выбранный президент начнет каленым железом выжигать из президентской администрации и правительства ельцинских «крысят», всех этих Дьяченко, Юмашевых, Волошиных и Березовских, и многочисленную их челядь в генеральских погонах и без них, все мы, простодушно надеявшиеся на непременное справедливое возмездие если не самому Ельцину, то его Семье, разворовавшей, пустившей в распыл страну, даже не заметили, как эти надежды стали рассыпаться прямо на наших глазах. И уже с октября 1999 года те, кто рассчитывал на перемены в стране, могли при этом уповать только на … самого Ельцина, а вдруг он взбрыкнет и закатит — назло Волошину и Юмашеву, а заодно Чубайсу и Березовскому — еще одну «сильную рокировочку». За полсуток до Нового 2000 года и эта слабая надежда угасла.

Нежданным стал тогда новогодний подарок президента Ельцина измученному им народу, уже накрывавшему праздничные столы, чтобы заглушить стопкой водки мысль о грядущих в очередном 2000 году бедах и трудностях (на лучшее, как показывают соцопросы, давно уже никто не надеется). Это был точно рассчитанный ход — две недели всенародного беспробудного новогоднего и рождественского загула с непременным похмельем давали новичку Путину, оказавшемуся вознесенным на самую высокую кремлевскую высоту, время оглядеться, привыкнуть к «золоченому стулу», все же остальное в его жизни вряд ли изменилось. Ведь именно тогда стало очевидно, что с уходом Ельцина из власти конец ельцинской эпохи не наступит: место Ельцина, его президентское кресло *ушло* вместе с ним. Путин же, его преемник и верный слуга, занял совсем другое место, являющееся президентским лишь по названию, ровно настолько, насколько можно считать престолом королевское седалище в театральной постановке шекспировского «Ричарда Третьего». И каждый новый день из президентского срока Владимира Владимировича Путина становился лишь новым подтверждением марионеточности этого президента.

Кролика вынули из цилиндра фокусника

Был ли Путин «чертиком из табакерки» для ельцинской Семьи, как стал им для ошарашенного электората? Нет, не был. Никак он не мог быть похмельным капризом вздорного, накачанного лекарствами Ельцина.

«Проект «Уходящий Ельцин» существовал года три. Путин рассматривался как возможный преемник с самого начала», — признал политтехнолог Глеб Павловский, не таивший своего участия в «проекте».

Это означает, что с августа по декабрь 99-го все политические и военные действия со стороны правительства и президентской администрации уже четко и слаженно работали на будущую президентскую кампанию Путина. Вспомните, что потрясло общество в осенне-зимние месяцы последнего президентского года Ельцина: взрывы домов в Москве и Буйнакске, которые без расследования приписали «чеченским террористам», ответный ввод российских войск в Чечню, новые зачистки, гибель русских солдат... У нормального человека душа содрогнется принять все это за «избирательную технологию». Но разве Березовский и Волошин, Дьяченко и Юмашев, не будем тревожить полуживого тогда Ельцина, мнения которого вряд ли кто из них спрашивал, разве эти люди, год за годом убивавшие страну и народ, являются нормальными? Да один только страх возмездия при смене власти за все разворованное и уничтоженное в России должен был удесятерить их энергию остаться у руля **любой ценой**. Вполне логично, резонно допустить, что такой ценой могли стать погибшие под развалинами многоэтажек московские семьи, разбомбленные чеченские села, брошенные на смерть русские солдаты. Продуманность действий избирательной команды Путина в 1999 году не оставляет сомнений: им было за что бороться, было что спасать!

Голосовавшие за Путина в марте 2000 года — 52 процента избирателей — вот кто поражает потрясающим легковерием и легкомыслием: что за личность Путин, никто из них не знал, повлиять на него или хотя бы на его дальнейшие дела избирателям было не дано, ведь уже тогда было ясно, что у этого кандидата в народные избранники совсем другие повелители, но, тем не менее, мы его избрали и терпеливо ждали, как эта неведомая никому фигура проявится в делах. Так в очередной раз важнейший вопрос в государстве — вопрос о власти — разрешился для народа экспериментом на собственной шкуре. К концу первого президентского срока Путина этому эксперименту был подведен горький итог — перевалившая за два миллиона ежегодная убыль населения, четыре с половиной миллиона беспризорных и бездомных русских ребятишек, почти половина населения России на грани вымирания — им не на что жить. Маховик развала государства, запущенный при Ельцине, раскрутился при его преемнике на полные обороты. При этом Россия продолжала оставаться страной-производителем самых богатых в мире людей. Ходорковский и Абрамович удвоили за 2002 год свои капиталы — соответственно до восьми и шести миллиардов евро. А главное, Ельцин и его Семья никуда не «ушли» — процветали, путешествовали и развлекались, наслаждались роскошной жизнью, отняв средства даже для нищей жизни у миллионов соотечественников.

Эксперимент под названием «правление президента Путина» продлился и второй срок, нам снова навязали этого президента, именно навязали, потому что выбор зависел не от нас. Роль граждан России в этих грандиозных выборных шоу сводился лишь к одному — обеспечить явку к избирательным урнам, послушно прийти, а еще лучше и проголосовать, как надо нынешним хозяевам России.

Наш опыт участия в подобных экспериментах — это опыт подопытных кроликов, нужные рефлексы которых вызываются в основном мощными разрядами телевизионных информационных технологий. Для тех, кто однажды уже был кроликом, почувствовал себя им и больше не хочет, этот опыт бесценен. Осознание, что тебя принуждают к выбору всеми разрешенными и запрещенными способами, должно заставить человека выйти из шока, очнуться, увидеть свою душу распростертой для препарирования и возмутиться этим.

Вглядимся же в те выборные технологии, с помощью которых привели к власти Путина, используя нас как слепое орудие в руках правителей, обманно добывающих нашими голосами себе мандат на «царствование», а потом еще и кичащихся своей «всенародной избранностью».

Путин опроверг пословицу «насильно мил не будешь»

Когда Борис Ельцин с ловкостью фокусника вытащил из своего цилиндра бывшего помощника Собчака, бывшего подручного Бородина, бывшего подхватного Вали Юмашева и провозгласил его своим преемником, многим не верилось, что этот человек, без году неделю пробывший директором ФСБ и премьер-министром, станет президентом государства Российского. Тогда к назначению Путина премьером и преемником отнеслись как к очередной ельцинской похмельной загогулине. Чтобы вот такой ничем не запоминающийся, напрочь лишенный харизмы человек мог претендовать на любовь миллионов избирателей? В тот момент все предполагали, что Путин — очередная попытка выиграть время в лихорадочном поиске подходящего заместителя Ельцину. Тем не менее Путин, именно он, стал всенародно избранным уже в первом туре 26 марта 2000 года. Число желавших видеть его президентом прямо накануне выборов по разным опросам колебалось от 47 до 56 процентов! Это был невиданный показатель, с которым мог соперничать только Ельцин накануне своих первых президентских выборов. Но Ельцин в те романтические годы был символом героя-одиночки, вставшего против государственной машины КПСС и генсека Горбачева. А Путин? Как же принудили русских людей самозабвенно, буквально потеряв голову, безумно, бездумно «полюбить» Путина?

Социологическая фирма «Валидейта» опросила тех, кто 26 марта собирался голосовать за Путина. Путинский электорат оказался велик, и это были люди совершенно разных политических настроений. Двум группам избирателей во Владимире (одна из голосовавших на минувших думских выборах за КПРФ, другая — некоммунистический электорат), и таким же, абсолютно не похожим друг на друга двум группам избирателей в Москве (одна — преуспевающие молодые люди, отстаивающие ценности рыночной экономики, другая — бедные пенсионеры, считающие себя пострадавшими от реформ), задавали вопросы о Путине. Единодушная любовь к ельцинскому служке людей с разным жизненным опытом, богатых и бедных, про- и антикоммунистически настроенных, просто ошеломляет, и это в век так называемого «плюрализма мнений». Они говорили о Путине *одно и то же*, высказывали *одинаковые* надежды и опасения. А это означает, что в современной России в результате применения избирательных технологий разницы в воззрениях нищего пенсионера-оборонщика, голосующего за КПРФ, и преуспевающего менеджера тридцати пяти лет, отдавшего свой голос Союзу Правых Сил, практически нет!

У людей спрашивали, чего они ждут от будущего президента, которым, как они надеются, будет Путин. Все отвечали расплывчато: «чтобы лучше стало жить народу», «чтобы поднялся престиж страны», «чтобы зарплаты росли быстрее». Ничего конкретного социологам услышать не удалось. Люди даже обижались настойчивости вопросов: «Как мы можем знать, что он будет делать. Откуда мы знаем, какие конкретные шаги? Пусть сделает нормальную жизнь». Зато все опрашиваемые сходились в одном — Путин правильно делает, не оглашая до времени никакой программы: «Сразу на него набросятся. А ему нужно получить власть — зачем ему сейчас с кем-то ссориться».

«Осторожный», — так отмечали во всех группах главную человеческую черту Путина. Это не особо жалуемое русским человеком свойство натуры, сходное с трусостью и зачастую являющееся ее деликатным синонимом, вдруг почему-то выросло в глазах избирателя в достоинство, за которое человека, оказывается, можно даже полюбить. Вообще эпитеты, которыми поклонники-избиратели наделяли будущего президента Путина, очень знаменательны: «аккуратный, деловой, подтянутый, сдержанный, скрытный, умный, жесткий, толковый, хитрый, себе на уме...». А вот характеристики внешности: «незаметный, блеклый, с холодным взглядом...». Да разве в России таких людей когда-нибудь любили? — озадаченно разводили руками трезвые аналитики. Ведь буквально накануне та же социологическая фирма исследовала представления русских о русском национальном характере, и разные люди по возрасту, по профессии выделяли одно и то же, что в России народ открытый, душа нараспашку, щедрый и удалой, рисковый. Именно таким привык видеть себя русский человек, именно эти черты он отмечает с уважением и симпатией. Но ведь Путин, согласно представлениям тех же самых людей, весь состоит из свойств, прямо противоположных этому идеалу.

Единственное качество, свойственное русской натуре и отмеченное участниками соцопроса у президента Путина, — это скромность. Но даже путинская скромность и та отличалась от общепринятой у русских. О нем говорили: «Скромный, не выставляется. Жену повсюду не возит». А о русской скромности иное: «В том смысле, что вот тебя спросят, мол, можешь ли ты это сделать? А ты говоришь: не знаю. А сам можешь сделать лучше всех». Так что и здесь русский человек и наследник Ельцина вроде бы «не сошлись характерами». Но ведь полюбили же! Это же как нужно было извратить наши мозги, чтобы мы, русские люди, видевшие прежде в своих героях-идеалах Илью Муромца, Минина и Пожарского, Евпатия Коловрата, мы, знавшие и побеждавшие с такими вождями, как Жуков и Сталин, — вот наше представление о вождях как людях непременно волевых, бесстрашных, самоотверженных и, разумеется, абсолютно самостоятельных! — ныне опустились до возвеличивания в вожди своими собственными голосами такой «скромности», как Путин.

Обратите внимание: у избирателей не было иллюзий о характере будущего президента. Им, например, задавали вопрос: «Если все наши известные политики живут в общей коммунальной квартире, что в ней делает Путин?» После недолгих раздумий, избиратели отвечали так: «За всеми наблюдает, изучает», «Сидит в своей комнате, закрывшись, и до блеска чистит ботинки», «У него все по часам расписано: когда завтрак, когда в ванную». «А если все работают на заводе?» — следовал новый вопрос. Кто-то представил Путина главным инженером, кто-то мастером, а вот москвичи дружно согласились: «типичный начальник первого отдела». И вновь изумление социологов: давно ли начальник первого отдела стал кумиром российского избирателя?!

Оказалось, что Путин нравится электорату именно таким — не по-русски закрытым, даже скрытным, себе на уме. Принужденные политтехнологами полюбить своего избранника, люди себе в оправдание ревностно искали в Путине хоть черточку, действительно достойную любви. И представьте, даже лицемерные слезы на похоронах Собчака, а какой пятидесятилетний русский мужик проливает их перед телекамерами, ведь не отца-мать хоронит (отец у Путина умер в бытность его премьером, и он прилюдно на похоронах не плакал), а тут похороны бывшего начальника, причем подлого и преступного, и все это знают, и Путин в том числе, но и эти притворные рыдания у микрофона радиостанции «Балтика» избиратель воспринял с надеждой на путинскую искренность. Плач по Собчаку добавил Путину сторонников. «Вы хотели бы иметь такого человека в друзьях?» — спрашивали избирателей. Многие, особенно женщины, с готовностью кивали: «Да. Он надежный. Собчака не предал». Путинскую верность Собчаку, как оказалось, одобрили все его избиратели, в том числе и те, кто самого Собчака, мягко скажем, не любил. Такова сила технологии: герой-разведчик, роняющий скупую мужскую слезу на гроб учителя, поддерживающий твердой рукой убитую горем вдову и прижимающий к груди осиротевшую дочь покойника. Мизансцена хорошо поставленной мелодрамы, рассчитанной на миллионы зрителей. За кулисами же вдова — Людмила Нарусова и герой деловито вытирают слезы и договариваются о наследстве, вдова получает в распоряжение на прокорм фонд с деньгами для узников немецко-фашистских концлагерей, затем должность члена Совета Федерации от Тувы, дочь — возможность безбедно и праздно жить, безнаказанно проедая наворованное папой, по слову Путина, «порядочного человека с безупречной репутацией».

Принужденность путинских сторонников его любить, натужность и вымученность их симпатий читаются во всех ответах избирателей в соцопросах. К примеру, тридцатилетний банковский работник, москвич, всем сердцем отстаивая Путина, все же дружить с ним не склонен: «Нет, дружить, пожалуй, не надо. А вот в начальники — в самый раз. Только не непосредственным, а начальником начальника». Пенсионерка Зоя Васильевна, называющая себя «активной общественницей», высказалась еще определенней и, главное, за всех: «Ну и что, что нам многие путинские черты в людях не нравятся? Президент — совсем другое дело».

Самое парадоксальное, что избиратель горячо полюбил и оправдал немецкое «прошлое» Путина, и это несмотря на нашу крепнущую нелюбовь к Западу, несмотря на неприязнь к Германии, воспитанную двумя мировыми войнами. Из путинского немецкого прошлого народ вынес какую-то неоправданную надежду на будущую мудрость Путина-президента. Во всех группах соцопроса путинская работа в Германии рассматривалась только в одном ракурсе: пожил на Западе — многому научился. О том, что кандидат в президенты России служил в Дрездене заурядным оперуполномоченным КГБ, не засекреченным агентом, а помощником начальника, если верить его собственным воспоминаниям и мемуарам его жены, об этом факте немецкой путинской биографии никто не задумался. Избирателю внушили иное: «Попал туда молодым человеком, сумел воспринять и понять тамошнюю жизнь», «он Запад изучил, это не значит, что он будет слепо копировать, но все хорошее сможет перенести сюда», «он настоящий разведчик, весь законспирированный»… Так сотворили образ Путина-резидента, от которого всего шаг до Путина-президента.

Да, Путина электорат полюбил наперекор неприглядному и непонятному прошлому… В чем же причина такой скорой и сердечной привязанности? В том, что нас просто-напросто поймали на голый крючок технологий. Без наживки поймали! От безмозглости ли, тупости нашей или от пресловутого нашего простодушия, что бы ни явилось ответом, ясно одно — «любовь к Путину» психологически выверенно навязанная нам, внушенная технологами, мастерски и цинично просчитанная, и сам «президент Владимир Владимирович Путин» это прекрасно понимал и своей веры в победу выборных технологий над душами избирателей никогда не скрывал: «Для победы нужны профессионалы, технологи для работы по предвыборной кампании» («От первого лица. Разговоры с Владимиром Путиным»).

Ну что ж, попробуем отделить подлинного Путина от Путина пиаровской конструкции, которую нам создали технологи-профессионалы. Поскольку во всех выборах, и минувших, и грядущих, избиратель должен решать лишь одну задачку: уметь находить отличия нарисованного пиарщиками образа кандидата в наши властители от его подлинной физиономии. Поделимся же опытом отыскания таких отличий.

Как начинал «самый богатый человек в Европе»

Вопрос «кто такой Путин?» возник у журналистов с политологами да и у простых граждан сразу же после объявления Путина наследником Ельцина в конце декабря 1999 года. Правдивой информации о новом главе государства было очень мало. Журналисты изощрялись в сочинении легенд и сказаний, отыскивали путинскую родню то в тверской деревне, то в Коканде, то в Ярославле, даже намекали, что отчим отца Путина еврей Эпштейн, и отсюда у Владимира Владимировича ярко выраженная симпатия и расположенность к этому племени, и впрямь — любимые учительницы — Гуревич и Юдицкая, любимые тренеры — Рахлин и Ионович… Статистика привязанностей впечатляла.

Не сняла, а лишь добавила вопросов спешно выпущенная к выборам книжка «От первого лица. Разговоры с Владимиром Путиным». Ну, что нам говорит о Путине его собственный ответ из книжки на вопрос о работе в Дрездене, на основе которой political технологи «слепили» образ героического разведчика? Вопрос: «В какой должности вы приехали в ГДР?». Ответ: «Я был старшим оперуполномоченным. Следующая должность — помощник начальника отдела. И вот это считалось уже очень хорошим ростом. Я стал помощником, а потом еще старшим помощником начальника отдела…». Вопрос: «За что же вас, интересно, повышали?». Ответ: «За конкретные результаты в работе — так это называется. Они измерялись количеством реализованных единиц информации. Добывал какую-то информацию из имеющихся в твоем распоряжении источников, оформлял, направлял в инстанцию и получал соответствующую оценку» («От первого лица…»). Кстати, именно таким, оформляющим и направляющим «по инстанциям» бумажки, запомнил Путина и его начальник в бытность путинской службы в Ленинграде, бывший генерал-майор КГБ, а ныне гражданин Америки Олег Калугин, который в интервью журналу «Коммерсантъ-Власть» на вопрос: «Как же вас так подвела профессиональная интуиция и вы не обратили внимание на Путина?», пренебрежительно ответил: «У меня было три тысячи подчиненных. Он, по-моему, работал одно время даже в секретариате, сидел, бумажки перебирал. Это, конечно, тоже нужная работа. Я помню его такое бледное лицо. И не более».

Вообще Владимир Владимирович Путин в своей первой официальной публичной биографии, изложенной в форме беседы, предстает этаким кристально-прозрачным, без пятен и пороков, а какие свои недостатки и признает, то искренне в них кается, что читателю понятно и приятно, — сами не ангелы. Перед нами мужской вариант сказки про Золушку. Мальчик из бедной трудовой семьи ставит перед собой высокую цель — стать разведчиком и целеустремленно идет к ней, поступает в университет на юрфак, где конкурс 40 человек на место, трудится в КГБ, учится в Краснознаменном институте разведки.

Перед читателем образ примерного, любящего сына, свято почитающего мать-труженицу, хотя и позволяющего себе вместо помощи матери просадить все заработанные в стройотряде деньги на отдыхе в Гаграх. Избиратель, впрочем, это легко прощает, кто из нас не грешен перед родителями. Затем возникает образ отважного патриота-разведчика, до сих пор скрывающего секретную информацию о своей деятельности, хотя, по собственному признанию Путина, «то, что мы делали, оказалось никому не нужным» (там же). А как соединить этот самый супершпионский образ со словами самого Путина о том, что накануне развала Союза он «потихоньку начал думать о запасном аэродроме» (там же), впрочем, и в этом преступном равнодушии огромная масса избирателей, беспрекословно принявшая развал родной страны, Путина понимает и оправдывает. Немало штрихов в палитре путинского образа уделено семье, жене и детям, причем подчеркивается, что для Владимира Владимировича, беззаветно любящего дочек, семья не самоцель, он умеет жертвовать ее интересами, и это замечательно потрафляет избирателю, которому как раз опостылело ельцинское чадолюбие и диктат кремлевской Семьи. Наконец, щедрыми красками расписан образ Путина как мудрого правителя, бескорыстно и истово выполнявшего свой долг высокого чиновника сначала в Петербурге, затем в Москве. Неустанный труд Путина-хозяйственника подан с намеком, что эти-де обязанности ему душевно тяжелы, что Путин по натуре не диктатор, а просто добрый человек, но с необыкновенным, почти сверхчеловеческим чувством долга. При этом мы так ничего и не узнали о реальных делах кэгэбэшника Путина, кроме разве воспоминаний его приятеля о том, что Путин частенько стоял в оцеплении вокруг православных храмов на Пасху. В биографии как-то мутно помянуто о причинах ухода Путина из КГБ на мелкую и непрестижную работу помощника проректора Ленинградского госуниверситета.

Общими словами отделывается Владимир Владимирович и о своей деятельности на посту заместителя Собчака, практически ничего не говорится о работе будущего президента России в должности заместителя Бородина, Юмашева, а ведь все это не только высокопоставленные лица страны, но и лица, скандально известные своей криминальной деятельностью! Наконец, очень старательно подчищены те кадры из хроники его жизненного пути, где Путин становится верным слугой Семьи Ельцина. На имена Дьяченко, Абрамовича, Мамута в биографии Путина наложено своего рода табу. А Березовский и Чубайс показаны как люди, с которыми Путин встречался не по дружбе и общности интересов, а исключительно по службе... То есть книжка про Владимира Владимировича Путина «От первого лица» не содержит в себе достоверной путинской биографии, она изготовлена по заказу этого самого первого лица, и заказ выполнен весьма умело: лести — в меру, восхвалений столько, чтобы не пересластить, есть даже острые вопросы, на которые тщательно составлены уклончивые ответы, которыми вопросы эти как бы исчерпываются, а у читателя-избирателя после знакомства с книжкой вкус немного приторной, но в общем весьма приятной мятной подушечки во рту.

Вершиной угодливого строительства предвыборного образа Путина стала заказная психолингвистическая экспертиза устных его выступлений, глубокомысленно, на самом «высоком научном уровне» обнаружившая в путинских тирадах, что будущий президент — «человек, склонный замечать лучшее в людях и человеческих отношениях, остро переживать внешнюю событийную канву», что «в системе его индивидуальных ценностей наиболее высок рейтинг понятий дружбы, мужества, порядочности» («Эксперт», 2000, № 6).

Конечно, научная экспертиза несомненного лидера выборной гонки, лидера по административному статусу, а не по личным лидерским качествам, такая экспертиза вряд ли может претендовать на объективность. Впрочем, сама ссылка на авторитет науки, на независимость научных критериев исследования является выборной технологией. Неискушенный избиратель, мало разбирающийся в алгоритмах научного анализа, но благоговеющий перед учеными степенями, всею душой верит, что наука не обманет, что экспертиза — это как аптечные весы, измеряет с точностью до миллиграмма и выдает истинный «вес» политика. Однако это не так. Научные экспертизы, анализы и эксперименты — удобная кулиса, за которой идет умелая подтасовка выводов, их прилаживание к интересам заказчиков от власти.

После «строго научного, абсолютно объективного исследования» оглашают искомый результат: скрытность, к примеру, объявляют скромностью, нерешительность величают сдержанностью, холодность называют спокойствием, а робость выдают за молчание, которое «дороже золота». Был бы заказ, а уж щедро проплаченные, вооруженные научными званиями исполнители распишут вам под заказ любой портрет.

Но не всегда наука в прислугах у власти. Мы провели свою профессиональную психолингвистическую экспертизу речей Путина, взвесив значимость его словес на научных «аптечных весах». И вот что обнаружилось: о личности президента России по его устным выступлениям накануне избрания (письменные, понятно, составляются спичрайтерами, то бишь речеписцами) ничего определенного сказать невозможно. Из его слов даже сейчас, годы спустя, не видно, кто он. Вот как об этом не без недоумения говорило вполне официальное, лояльное к власти лицо, причем зависевшее от нее в бытность директором ВЦИОМа Юрий Левада: «Путин силен своей неопределенностью. Он ни левый, ни правый. Ни такой, ни сякой. До сих пор половина людей отвечает, что не знает, кто он. Никакой программы он не показывает. И если мы говорим, что 70 с хвостиком процентов одобряют его деятельность, это означает, что каждый видит в нем того, кого хочет» («Коммерсантъ Власть», 2002, 4 июня). Даже видавшего виды, прожженого, всей душой преданного и проданного властям социолога озадачило необычайное, но очень типичное для сегодняшней России явление: «На вопрос «Одобряете ли вы политику Путина?» больше 70 процентов отвечают «да». Но несколькими строчками ниже идет вопрос: «В чем состоит политика Путина?» и 60 процентов только что утверждавших, что одобряют политику Путина, честно отвечают «не знаю». Не знают они, что за политику проводит президент, но… одобряют ее.

Ничего не определивший результат нашей независимой психолингвистической экспертизы путинских речей — тоже результат. Он отвечает на вопрос, почему за восемь лет мы так ничего и не узнали о президенте Путине.

Можно, конечно, предположить, что такова PR-технология, рекомендованная Путину еще в предвыборный период. Дескать, политтехнологи могли обязать Путина скрывать свои мысли, чувства и политические симпатии до времени, чтобы разделенные баррикадами ненависти российские граждане, голосуя за президента, поверили каждый в своего Путина и выбрали именно его как воплощение собственных чаяний. Естественно думать, что и сам Путин интуицией угодливого слуги, до этого умевший услужить таким разным хозяевам — от Собчака до Бородина, от Волошина до Ельцина — научился так увертливо и скользко говорить, чтобы, с одной стороны, не вызвать недовольства своих очередных хозяев, заказчиков его выборной гонки, но и при этом не дать повод избирателям подумать, что он угодничает перед Семьей.

Пристальное изучение речей наследника Ельцина уверяет нас, однако, в ином. Наглядный пример — высокопарная риторика многочисленных рассуждений о благе простого народа. То и дело слышим от Путина: *«На народ надо опираться прежде всего». «Опираться нужно только на народ». «В конечном итоге решение всегда останется за народом». «Все мы, кто находится сегодня у власти, получим на это моральное право только в том случае, если хоть что-нибудь сделаем для улучшения жизни народа». «Если правительство действует успешно на основных направлениях своей деятельности, то тогда правительство не может не встречать поддержку населения, поддержку народа, простого человека».*

Два путинских президентских срока ясно показали, что это порожняк, взятый напрокат из речей на партсобраниях эпохи застоя, так и не повлекший за собой никаких действий во благо народа. Вот формула, которую Путин эксплуатировал после своего назначения премьером — *«отсутствие политической стабильности»*. В отличие от более точного слова «нестабильность», которое обязывает тут же указать на причины и виновных, «отсутствие политической стабильности» освобождает Путина от необходимости принятия каких-либо решений. Еще замечательнее, что после восьми лет правления Путина это «отсутствие политической стабильности» быстренько заменили термином «политическая и экономическая стабильность», — вот, дескать, результат правления президента. Но перед нами вновь слово без конкретного смысла, с нерезультативным, расплывчатым значением.

Лингвисты исследовали соотношение слов, обозначающих активные и неактивные действия в речах Путина еще первого предвыборного периода и в течение первого полугодия его президентства, применительно, разумеется, к управлению страной. Оказалось, что слов со значением *активного действия* в президентских речах всего 28 процентов, а вот слов *неактивного действия* в путинских тирадах аж 72 процента.

В своих речах Путин всегда избегал высказывать даже свое отношение к соратникам и противникам его как президента. Хотя именно президент по статусу обязан оценивать работу всех ветвей власти, всех подчиненных ему ведомств и министров, и эти оценки, если судить по состоянию российской экономики, должны быть крайне негативные. Но Путин как раз ускользал от оценок, боялся занять решительную позицию. Это понятно, ведь президентская оценка деятельности ведомства или министра с необходимостью влечет за собой действенные решения, президент, критикующий ведомство или министра, берет на себя ответственность за разрешение кризиса. Путин же не оказывал ни малейшего давления на своих вроде бы подчиненных, ни словом не задевал их.

Даже когда он говорил о прощальной встрече с Ельциным в Кремле, казалось бы, такое яркое событие он даже подал в отстраненно-репортажном стиле: *«Это был вообще день такой, насыщенный эмоциями. Но Борис Николаевич держался очень мужественно. Откровенно говоря, я даже не ожидал, что он так может собраться. Действительно, я сам там чуть не расслабился... Я считаю, что мы должны продемонстрировать очень доброе и человеческое отношение к президенту».* Обратим внимание на это безличностное, расплывчатое «мы». В этой извилистой фразе отсутствуют подлинные чувства Путина к Ельцину, хотя можно предположить, что это были благодарность и демонстрация прежней подчиненности. И прощальные ельцинские слова от его преемника Путина народу услышать не удалось: *«Они (слова Ельцина. — Т.М.) были с пафосом, но сказаны очень по-доброму, человечески».*

Речевое поведение Путина, когда он говорил о политических друзьях и врагах, — типичное поведение несамостоятельного человека. Определения, которыми Путин наделял и друзей, и врагов, опять же максимально нейтральны — смелость (*смелый, мужественный, волевой*), порядочность (*приличный, порядочный, честный*), иногда всплывают *«умный»* (о Примакове), *«независимый, уважаемый»* (о депутатах), *«хитрый»* (о террористах). Путин умудряется не обидеть своими речами даже террористов! Они для него всего-навсего *«хитрые».* Еще очень интересно, что в его речах практически нет таких терминов, как *политик, лидер, депутат, народный избранник, государственный деятель, член правительства,* а все больше — *человек, люди,* и лишь изредка вдруг выскочит — *«опытный работник»* (о Патрушеве).

Конечно же, не политтехнологи научили Путина выступать именно в таком духе. Но есть приемы, которые, несомненно, Путин перенял по рекомендации своих пиарщиков. Таково обилие риторических вопросов в речах президента, причем они возникают там, где от президента ждут не вопросов, а как раз ответов и решений, и решений действенных. Вместо этого избиратель получает очередной вопросец: «*Разве можно вести политические разговоры с террористами?*» «*Если ценой этих отношений (с международным сообществом. — Т.М.) является распад нашего государства, то зачем такие отношения?*». «*Как можно обеспечить армию на Северном Кавказе, если у нас нет доходов в бюджет?*». Риторический вопрос выгоден тем, что легко привлекает внимание к выступающему, но не более. Рано или поздно на такие вопросы все равно нужно отвечать, иначе президент будет восприниматься как вопросительный знак, и только. Применительно же к Путину риторический вопрос всегда служил лишь удобной маскировкой президентской бездеятельности — удачная пиаровская находка.

По рекомендации политтехнологов Путин все время подчеркивал свое происхождение «из простых»: «*Я помню, как у меня папа на пенсию уходил. Он самый был простой человек, работал мастером на заводе всю жизнь*». «*К таким условиям работы, как в Кремле, я, конечно, не привык. У нас в Питере такое только в Эрмитаже можно увидеть. Здесь своеобразная обстановка, такая дворцовая, я никогда к этому не стремился*». По замыслу политтехнологов, это должно резко отделять его от так называемой «элиты», выдвинувшей Путина в президенты, от Семьи и олигархов, купающихся в немыслимой роскоши. Все делалось для того, чтобы избиратели после таких откровений президента не доверяли публикациям о строительстве Путиным в бытность замом Собчака элитной дачки в заповедном месте, об изготовлении для Путина личной яхты по образцу царского «Штандарта», о зарубежной земельной собственности Путина в Испании, о реконструкции под президентскую резиденцию великокняжеского дворца в Стрельне...

Но бывало, что иногда Путин и разразится хлестким словцом, этаким выраженьицем, которое крылато облетит всю страну, станет визитной карточкой президентской жесткости и обнадеживающей решительности. Так возникли всем памятные — «мочить в сортире» (о тех, кто подорвал дома в Москве), «сделать обрезание» (обещание террористам), «выйдут — сядут» (о толпах протестующих, перекрывавших транссибирскую магистраль сидением на рельсах), «нам не нужны военные, которые сопли жуют» (о жесткости задач армии в Чечне). Вырвется такой «афоризм» из путинских уст, потрясенным эхом прокатится по газетам, по телеэкранам... Лишь к концу президентского срока раскрылась эта интригующая тайна филиппик Путина. Она со всей ясностью проявилась в его последней пресс-конференции, когда расслабившийся президент великой когда-то страны, теперь слабой и нищей, в предвкушении долгожданных удовольствий, которые доставит ему звание «самого богатого человека в Европе», вдруг выплеснул на журналистов и зрителей ответы на так называемые «острые» вопросы. Так требования ОБСЕ в отношении наблюдения за выборами в России он обозвал «хотелками» и порекомендовал влиятельной европейской организации «пусть жену учат щи варить там»... Отрицая всякую возможность грядущей денежной девальвации, Путин разразился: «Вы что хотите, чтоб я землю ел из горшка с цветами или на крови клялся?» Ну, и конечно, не могла не запомниться тирада Путина на вопрос о его богатствах. «Вопрос Ассошиэйтед пресс: «Некоторые газеты писали о том, что Вы — самый богатый человек в Европе. Если это правда, каковы источники Вашего богатства?» В. Путин: «Это правда. Я самый богатый человек не только в Европе, но и в мире: я собираю эмоции, я богат тем, что народ России дважды доверил мне руководство такой великой страной, как Россия, — считаю, что это самое большое мое богатство. Что касается различных слухов по поводу денежного состояния, я смотрел некоторые бумажки на этот счет: просто болтовня, которую нечего обсуждать, просто чушь. Все выковыряли из носа и размазали по своим бумажкам. Вот так я к этому и отношусь».

Зритель подчас «клевал» на наживку имиджмейкеров, и потому время от времени возникали навязчивые разговоры о том, что Путин до времени скрывает свою истинно патриотическую позицию, что у него-де связаны руки обязательствами, и придет час, мы еще увидим настоящего Путина — бесстрашного чекиста, героя разведки. Два президентских срока надеялись увидеть, да так ничего и не увидели. Мы смотрели в пустой стакан и уверяли себя, что он наполнен чем-то хорошим, всем нам полезным и необходимым. Но стакан пуст, хотя многим и сегодня очень не хочется верить в очередную пустоту. Это политтехнологи, как всем известные трудолюбивые портняжки голого короля, усиленно питали наши иллюзии, напрасные надежды, ничем не обоснованную веру в волевого, сильного, жесткого, умного и решительного Путина.

Вот отзыв журналистки Е. Трегубовой о первом знакомстве с Путиным: «Во главе стола был едва заметен маленький скучный серенький человечек. Он почему-то нервно двигал скулами… В нем явно происходила какая-то внутренняя работа — он то ли боялся какого-то неприятного вопроса, то ли, наоборот, напряженно ждал, чтобы кто-нибудь этот вопрос задал. При этом глаза его оставались не просто безучастными — они вообще отсутствовали. Было невозможно даже понять, куда именно он смотрит, взгляд его как бы растворялся в воздухе, размазывался по лицам окружающих. Этот человек внушал собеседникам ощущение, что его вообще нет, мастерски сливаясь с цветом собственного кабинета» (*Е. Трегубова*. Байки кремлевского диггера. М., 2003).

Что же сделали имиджмейкеры, чтобы создать Путину внешнюю привлекательность? Как они ретушировали дефекты, какими ухищрениями навели на Путина хрестоматийный лидерский глянец? И ведь так навели, что прежнего восприятия как не бывало. Во-первых, это строгая регламентация видеосъемки, которую ныне дозволено проводить только официальным кремлевским операторам. Чаще в информационных сообщениях представал фотопортрет президента с весьма специфическим наклоном головы, который психологи трактуют как «угрожающий». Для создания образа волевого, духовно сильного Путина политтехнологами была создана легенда о Путине-спортсмене, Путине — мастере боевых искусств, исключительно здоровом и физически сильном человеке, всегда готовом вступить в единоборство с противником. И внушали нам газеты постоянно, что «Владимир Владимирович практически каждый день плавает по километру, делает зарядку, причем набор физических упражнений придумал для себя сам. Не забывает и о дзюдоистском татами, умеет скакать на лошади…» (АиФ, 2003, № 16).

Слава мастера дзюдо — эффектная находка путинских пиарщиков, которые тренированность Путина выставляли за его духовную мощь, с цирковым искусством фокусника подменяя понятие силы духа спортивными достижениями. Прямо-таки вал информации о физической крепости президента: найден его тренер в школьную и студенческую пору, написаны интервью и воспоминания о его спортивных успехах, даже издан учебник «Дзюдо: история, теория, практика» (СПб., 2000), на титуле которого красуется имя Путина. Президент посещал спортивные соревнования по дзюдо, дарил победителям подарки, да и сам то и дело наряжался в кимоно… Электорату навязывалось, в головы избирателей продавливалась мысль: Путин — боец по натуре, по духу и свои бойцовские качества непременно реализует в президентской работе. При помощи, в первую очередь, телетехнологии осуществлялся виртуальный переход от якобы необычайной физической силы Путина к впечатлению о его духовной силе и государственной воле. Классический образчик пиаровского мошенничества: юношеское увлечение самбо и дзюдо раздували до высшего профессионального мастерства, и на этом надуманном фоне слепили легенду о необыкновенных бойцовских качествах человека, а потом эти бойцовские качества перенесли на всю прошлую и настоящую, уже совсем не спортивную, а политическую жизнь.

Технология, как видим, незатейлива, но сколько миллионов простаков доверились виртуальному впечатлению о волевой, смелой и решительной натуре Путина. При помощи подобной технологии имиджмейкерами построен и другой образ Путина — компетентного руководителя, уверенного правителя державы.

Чтобы заретушировать явно выраженную, прямо-таки на лице запечатленную путинскую нерешительность, несамостоятельность, политтехнологи придумали, как изобразить из него вождя, вперед смотрящего рулевого. Они в прямом смысле слова стали навязывать нам образ Путина-рулевого. Его постоянно показывали держащим в руках штурвал управления: то он на командном посту подводной лодки, где капитан уважительно выслушивает его инструкции, то за рычагами всамделишного танка, окруженный бойцами-танкистами, которые внимают ему как батяне-комбату на передовой, то за штурвалом истребителя в летном шлеме… Везде Путин был у руля управления, и непременно крупно, назойливо — руль управления в его руках.

Тщательно и хитроумно подобранные картинки обыкновенные люди воспринимали без обиняков, попросту — Путин умеет управлять — не важно — самолетом ли, подлодкой, танком, в подсознание людей закладывается, что, стало быть, Путин умеет управлять всем, а значит, и государством. Помните, как нам назойливо внушалось: «Партия — наш рулевой!» Теперь очень тонко, при помощи виртуальной пиаровской технологии внушили нечто похожее: «Путин — наш рулевой!» Создается виртуальное впечатление о все знающем, все умеющем кандидате в президенты, потом о собственно президенте, впечатление, настолько вживленное в наши головы, что и по сей день большинство избирателей убеждены, что «идеологические и стратегические установки поступают … от президента» («Российская Федерация сегодня», 2003, № 8).

Надо отдать должное политтехнологам Путина, у них хорошо оборудованная мастерская для конструирования виртуальных президентов. С выдумкой работают, черти! К примеру, через демонстрацию встреч Путина с представителями разных религий мастерят наше представление о том, что он близок людям всех конфессий. Он открывает московскую синагогу и дружески шепчется с раввинами, он христосуется с патриархом Алексием Вторым и ставит свечи в провинциальной церкви, потом ловит монетку ртом в тазике с простоквашей на мусульманском празднике в Казани. Все это не из-за большой любви Путина к иудаизму, православию или исламу. Это всего лишь технология — искренне верующим людям разных религий хотят внушить, что Путин их понимает, он уважает их веру, он верующий, как они, а, значит, честный и искренний, ведь пред Богом фарисействовать и лицемерить верующий себе не позволит. И когда потом этот человек с печатью «честности и искренности» обещает улучшить жизнь народа, этот самый народ, разных вероисповеданий и религий, верит ему безраздельно и голосует с радостью — за честного и искреннего человека. Тем более что, вольно или невольно подыгрывая политтехнологам, православные передают друг другу, что у Путина-де есть духовник — настоятель Сретенского монастыря Тихон Шевкунов, а раввины в хедерах уверяют: «Путин — наш человек».

А вот как технологи соткали из Путина образ президента все-то знающего, все-то понимающего, и чем живет, и чем дышит страна. То с творческой интеллигенцией Путин сбежится — о судьбах России потолковать, то к военным прилетит — в очередной раз пообещать им повышение довольствия, то с ткачихами повидается — о житье-бытье покалякать… Женщины особенно милы на встречах с Путиным, тают от его присутствия, вздыхают, любуются им, а он глазки скромно опускает, вежливый, воспитанный, деликатный, как писала одна поэтесса — «ласковый, приветливый и кроткий». Показ таких встреч по телевизору согревал души избирателей сознанием, что президент-де знает их нужды и беды как свои, что и у него душа не на месте от народных невзгод, и дай срок, поможет, пособит, все переменит к лучшему. Жаль разочаровывать очарованный электорат, но и эти встречи — всего лишь циничная, трюкаческая технология, умелое воздействие на подсознание творческой интеллигенции, военных, ткачих, шахтеров, учителей, врачей: Путин — свой, он знает ваши проблемы!

Технологию, как организуется хождение Путина в народ, наглядно продемонстрировала газета «Московские новости». В сентябре 2000-го Россия с умилением созерцала по телевидению встречу Владимира Путина с жителями деревни Кузькино Самарской области, что неподалеку от правительственного санатория «Волжский утес», и как крестьянка

Кузьмина от души угощала Владимира Владимировича собственного приготовления маринованными грибами.

Через два года жители деревни Кузькино — председатель сельхозкооператива «Кузькинское» Владимир Фомин, приготовивший тогда президенту целый ворох жалоб и просьб о помощи, и мастерица солить грибы Валентина Кузьмина, оказавшаяся, правда, вовсе не крестьянкой, а заезжей дачницей, — рассказали корреспонденту «Московских новостей», «как это было». Их свидетельства еще раз подтверждают, что не для познания жизни народа, не для заботы о нем, загибающемся в нищете и беспросветности, ездят по городам и весям преемники президентской должности, а для съемки себя на фоне народа, которую потом народу же и показывают.

Вот рассказ хлебосольной дачницы Валентины Кузьминой: «В Кузькине за сутки до приезда президента как начали бегать все! Чуть ли не с мылом дорогу мыть... А оказалось, что Путин приезжает. Когда стал он выходить, то все начали хлопать и кричать «ура». А я как-то посчитала, что это неприлично — «ура» кричать. Я просто взяла и поздоровалась с ним громко: «Доброе утро, Вовочка!»... И вот так рукой помахала. Он сначала... ну, обалдел. Он в жизни не ожидал такого... Он только из школы вышел — и сразу ко мне: «Здрасьте!» А я говорю: «Я же с вами уже здоровалась». Он говорит: «Я слышал. Так здорово!» Ну, что-то они разговор начали... ну, надоедает все про политику... и Титов Константин, губернатор Самарской области, говорит: «Что, лес вроде рядом, а грибов нет?»... Я поняла, что ему хочется еще подольше пообщаться, Вовочке-то. А темы нет. А как грибы-то помянули, президент говорит: «Что, есть еще грибы?» Я говорю: «И намариновала, и нажарила...». Он говорит: «А можно посмотреть?» Я говорю: «Пожалуйста». И он меня берет за плечи. Мы, говорит, пошли на грибочки».

Председатель сельхозкооператива Владимир Александрович Фомин, хозяин Кузькинской экономики, тогда тоже был не прочь пообщаться с президентом, но у него не получилось, не захотел президент разговаривать с кузькинским хозяином. «Я стоял позади его, — вспоминает Фомин о своей неудаче. — Мне очень понравилось, как у него охрана работает. Вот про грибочки с Кузьминой поговорили, он поворачивается, — и я уже стою далеко от Путина. И никто меня не подымал, никто не толкал...»

Сказать председателю сельхозкооператива, местному крестьянину, жилы из себя тянущему, чтобы выжила деревня, было о чем. О том, например, что тонна удобрений стоит теперь почти как восемь тонн озимой ржи. Или об отсутствии в России страхования крестьянских рисков. Или о том, что народу на селе не осталось. Хорошо, конечно, что президент школе кузькинской компьютеры подарил, да учиться на них скоро будет некому. В прошлом году в Кузькино с зерновыми вышел полный пролет: цены на рожь снизили в четыре раза. Пшеница полегла, пожгла жара. Энергетики отрубили в хозяйстве свет, хотя перед этим Фомин отдал им 50 тысяч живыми деньгами... Еще недавно было в кузькинском колхозе две тысячи коров, когда Путин приезжал — их еще три десятка оставалось, а теперь — ни одной! «Но с президентом это не связано, — оправдывается Фомин. — А связано это с тем, что сельское хозяйство в стране заброшено». Жалеет Фомин, что с президентом не удалось поговорить, мечтал пожаловаться: «Только мы пытаемся голову поднять. «Ах ты, собака, еще живой». И по ушам!» Но Путина только грибочки заинтересовали...

В то время как крестьянин Фомин, собравшийся поговорить с президентом о деле, отирался на улице, в домике дачницы разворачивалось весьма выигрышное для имиджа действо, тщательно фиксируемое президентскими операторами. Дачница Кузьмина рассказала об этом так: «Приехали. Прям в дом зашли. Охранников — полно! Взяла банку грибов, но мне их не открыть. Владимир Владимирович говорит: «Сейчас сделаем», взял, открыл ее. Я говорю: «Щас тарелочки, все остальное принесу». Он говорит, Вовочка: «Из тарелок меня каждый день кормят. По десять раз. Не хочу! Вилки принесите, и все». Он был до того простой и такой интеллигентный. Мы с ним грибы прям кушали из

272

банки… И выпили еще! У нас водка была, с поминок мамы моей оставалась. Принесли, распили. Очень культурно все, очень мило…» («Московские Новости», 2003, № 17).

Вот такое хождение в народ. Такова пиаровская технология. Обратите внимание, с какой готовностью, исполнительной дисциплиной «вписывался» в эту технологию сам президент. Ведь не дела ищет, не беду народную прямо на месте, в деревне у мужиков узнать стремится… К мужикам и не сунулся, обидеть могут ненароком, о чем-нибудь неприятном спросить. Идеальный актер! Ни на шаг от заданного сюжета. Однако и сценаристы, имиджмейкеры, надо отдать им должное, — молодцы. Таланты, которыми располагает преемник как актер, они всегда раскручивают на полную катушку.

Один из тех, кого называют имиджмейкером

Автором феномена под названием «всенародная любовь к Владимиру Путину» называют обычно Глеба Павловского, которому в прессе приписывают много чего еще из «исторических завоеваний демократии»: победу в 1996 году и отставку в 1999-м Ельцина, увольнение Степашина и назначение Примакова, назначение Путина наследником и разгром блока Лужкова — Примакова, развязывание второй чеченской войны и создание партии «Единство». Павловский ни от чего не отказывается… Если верить тем же слухам, именно он ввел в российскую политику термин *политтехнология* и *политтехнолог*.

По представлению журнала «Профиль» Павловский — одессит по рождению, еврей по крови и историк по образованию. Будучи студентом Одесского университета, он дал показания на своего приятеля Вячеслава Игрунова, обвинявшегося в хранении антисоветской литературы. Того посадили в психушку, Павловского отпустили. Это, наверное, была первая «политтехнология», позволившая Павловскому убедиться в успехе беспринципного, циничного подхода к жизни. Карьера историка его, очевидно, не прельщала, и в Москву Павловский прибыл с амбициями диссидента, рассчитывая на щедрые субсидии своей деятельности из-за рубежа и возможную свою зарубежную карьеру, — привычный путь, которым в то время шли Буковские, Щаранские, Назаровы и прочие. В Москве Павловский стал поклонником и чуть не учеником историка Гефтера, демонстративно бросал камни в окна районного суда, изображая протест против тоталитарной «империи зла». Мелкодиссидентская деятельность Павловского закончилась, однако, не почетной эмиграцией, а арестом в 1982 году, чистосердечным раскаянием и, по-видимому, сдачей подельников, поскольку вместо тюремного срока Павловского отправили в ссылку в Коми АССР, откуда он, трудясь на должности маляра и кочегара, отправлял властям шизофренические письма с рекомендациями, как спасти Советский Союз. Послания Павловского, как вспоминал впоследствии он сам в своих интервью, действительно были довольно истеричные, участковый их читал, хохотал и подшивал в дело.

Прошлое Павловского — бурные всплески истерии, которую можно расценить и как умелый розыгрыш ради того, чтобы, повинуясь авантюризму натуры, потом легко уходить от ответственности. К началу перестройки, когда Павловский вернулся из ссылки, у него была устоявшаяся репутация «стукача», подозреваемого диссидентами в работе на КГБ. Наработанные навыки Павловский стал приспосабливать к новым условиям жизни. Он умело вбрасывал слухи и компромат, которые будоражили общество. В 1994 году Павловский запустил «утку» под названием «Версия I» о государственном перевороте, который якобы готовила группа ельцинских министров. Провокационную дезинформацию напечатала «Общая газета», имевшая к тому времени ничтожный тираж и мечтавшая его поднять. Павловского уличили в провокации, газете вынесли предупреждение, а автор «Версии» приобрел репутацию не брезгующего грязной работой, которую очень скоро стали деликатно именовать «черным пиаром».

Подобная способность придумывать и вбрасывать всевозможные «версии» быстро пришлась к кремлевскому двору. В 1996 году Павловский был привлечен Игорем

Малашенко к созданию «положительного образа» президента Ельцина, а главное, к строительству «отрицательного образа» КПРФ. Эта искусственно возведенная конструкция с наглым слоганом «Коммунисты — голод, нищета, очереди» смешила здравомыслящих людей, но к их изумлению большинство избирателей приняли ложь за правду.

Павловский убежден, что именно он вселил в Дьяченко со товарищи надежду на возможность нового избрания Ельцина: «Тогда, в конце девяносто пятого, было два человека, считавших, что Ельцин избираем и очень избираем. Чубайс и я».

После ельцинского триумфа Павловский уже неотступно обслуживал власть, через созданные им интернет-издания запускал всевозможные слухи, компроматы, раскручивал скандалы. Считается, что в 1997 году при его непосредственном участии в прессу попала скандальная расшифровка телефонных переговоров Гусинского и Березовского, якобы строивших козни против президента Ельцина. Расшифровка оказалась «липой», и тогда Павловский открестился от нее, приписав авторство как нельзя кстати разбившемуся в автомобильной катастрофе Андрею Фадину, обозревателю «Общей газеты».

В 1999 году по совету Дьяченко удачливого информационного шулера, профессионального провокатора привлекли к новой выборной кампании — кампании высокой степени риска. Кремлевское семейство, спасая свои властные позиции и наворованные капиталы, нуждалось в людях, свободных от интеллигентских комплексов, способных на любую ложь, любой скандал, любой политический ход, даже на кровавый исход, лишь бы достичь своей цели. Как говорят, тут Павловский удивил многих: он стал убеждать Семью отойти от выборной гонки, уступив место премьеру Путину.

Павловский не скрывал в интервью, что «Путин рассматривался как возможный преемник с самого начала, но многих отталкивало его специфическое прошлое». Павловского не отталкивало. Его собственное прошлое было еще специфичнее.

Стиль работы Павловского, если судить по его пиаровским заслугам, впрочем, теперь этот стиль стал визитной карточкой кремлевских политтехнологов, это, во-первых, вброс слухов и компромата, очерняющих политических противников заказчика, во-вторых, строительство «образа врага», из борьбы с которым заказчик должен выйти победителем, в-третьих, искусственное нагнетание и даже конструирование провокационных ситуаций, выгодных заказчику. И все это, как мы понимаем, строится на откровенной лжи, мошенничестве и готовности идти на любые преступления для достижения своих целей. В подтверждение процитируем журнал «Профиль», добросовестно пересказавший все элементы сценария по созданию народной любви к кандидату в президенты Путину, как считается, придуманные именно Павловским: «Многие приписали ему план победоносной военной кампании в Чечне, не говоря уж о кампаниях против партии Примакова — Лужкова. Выступая перед прессой в августе 1999 года, он заметил: пока Примаков не дал окончательного согласия присоединиться к «Отечеству», играть против Лужкова можно по правилам.

— А если присоединится? — спросил корреспондент.

— Тогда обычные картежные приемы уже не подействуют, — надо начинать прыгать через стол, — улыбнулся Павловский.

«Прыжки через стол» начались очень скоро, причем без прямого участия Павловского: дело борьбы против главных претендентов на престол взял на себя Сергей Доренко. Тем не менее, Глеб Олегович сочинил и даже опубликовал несколько фельетонов, в которых доказывал, что Лужков — это Катилина нашего времени и что его борьба против Ельцина есть в сущности «легальный заговор».

Авторы этих строк знают людей, которые всерьез уверяют, что и московские взрывы осени 1999 года — дело рук Павловского. Сам Глеб Олегович ответил на это исчерпывающе: «Последствия тех взрывов были непредсказуемы. Нация могла сплотиться вокруг Путина, а могла во всем обвинить Кремль»… По счастью, грамотный аналитик был тогда на стороне Кремля. А не на противоположной» («Профиль», 26 марта 2001 года).

Когда читаешь подобные «сценарии», да еще опубликованные после их осуществления, зловещий холодок морозит душу. Как легко «сценаристы» рассуждают о погребенных под завалами детях, целых семьях, раздавленных бетонными плитами, разорванных на куски. Для путинских технологов, даже если допустить, что взрывы те были не заказными, изуродованные детские трупы — страшно сказать — удачная возможность продемонстрировать героичность своего кандидата в президенты. Даже за готовность сыграть в президентской гонке на этом горе и страхе людей перед новыми взрывами мы не можем считать политтехнологов психически нормальными людьми, тем более того, кто в любую минуту способен «прыгнуть через стол», чтобы завалить противника...

Многочисленные телепередачи с участием Павловского и интервью с ним позволяют нам представить психологический портрет типичного кремлевского пиартехнолога. Он получает от управляющих государством теневых лиц широкие возможности стать пружиной власти, не тайным, а явным советником и одновременно всемогущим магом, уверенным, что изрекает предсказания и двигает массами человеческих стад, что заставляет эти массы падать ниц в исступленном обожании какого-нибудь вчера еще ничтожного маленького человечка, наименованного преемником президента, и в остервенении раздирать портреты недавних своих кумиров и любимцев. Вообще воображение пиартехнолога явно поражено болезненной гордыней, он считает себя в силах изничтожить или возвеличить любого, если уж из Путина сотворили президента, — этакий Бонапарт политтехнологий, свысока взирающий на копошащиеся послушные миллионы «двуногих тварей». На самом же деле кремлевский пиартехнолог — просто информационный шулер, мошенник, провозгласивший свою преступную по сути деятельность «эффективной политикой» или «суверенной демократией».

Вновь вглядимся в примелькавшегося на экранах телевизоров Павловского — другие пиарщики преемников президентской власти предпочитают пребывать в тени, — один ли холодный расчет, помноженный на ум «гениального технолога», движет им? Когда Павловский начинает оглашать свои пиаровские идеи с экрана ли телевизора или в газетных интервью, а ныне он заделался очень популярным человеком, возникает острое чувство общения с сумасшедшим. Главный вопрос, который должен беспокоить сегодня каждого из нас, действительно ли это сумасшествие, психическая болезнь, привязавшаяся к Павловскому с молодых студенческих лет, или это умелая симуляция, одесское хохмачество, розыгрыш «лохов» с тем, чтобы к нашему монстру политтехнологии относились как можно менее серьезно.

Психолингвистический анализ речей профессионального имиджмейкера Павловского может дать ответ на этот вопрос.

Во-первых, Павловский открыто говорит, что Путин — это не реальный человек, а «продукт» деятельности политтехнологов, то есть наш Бонапарт от политтехнологии видит президента простым рупором своих имиджмейкерских идей: «Путин — это как бы своеобразное, может быть, единственное подлинное средство массовой информации у нас» («Эксперт», 2002, №16). «Он — единственная политическая коммуникация в стране, ось и устой нового режима, ... это политический производственный комплекс. Комплекс Путина производит, судя по всему, основную массу политических коммуникаций, поддерживающих в системе стабильность и доверие...» (там же). «Путин выступает как менеджер и координатор этих слоев, которые я условно называю городскими активными группами» (там же с. 19). «Путину придется действовать... Это должна придумывать его политическая голова и *люди, которые входят в состав этой головы*» («Эксперт», 2000, №1-2).

Политическая голова Путина, как мы понимаем, — это сам Павловский, намеревающийся при помощи такого нехитрого устройства, как президент-марионетка, и далее управлять, как он говорит сам, «этими вот нашими непу-

тевыми гражданами». Воспаленное воображение Павловского представляет «непутевых граждан» как послушную
его волшебной дудочке толпу идиотов, действующих по
тем программам, которые он пишет: «Это именно то, что
ищут массы…. Они ищут альтернативы в самой власти…из
Ельцина харизма власти вытекала, а в него (*Примакова. —
Т.М.*) втекала» («Эксперт», 2000, №1-2). «У народа был внут-
ренний страх от того, что хозяин (*Ельцин. — Т.М.*) уходит,
а другого нет» (там же). «В каком-то смысле народ получил
ответ на вопрос, кто вместо Ельцина, и успокоился… Он
теперь ждет от власти определенных действий. И даже не
просто действий, а определенного *стиля* действий» (там
же). «Путинская стабильность это и есть режим доверия
между массами и элитами. Все крутятся, все недовольны, все
ворчат на правящих, но в принципе все-таки готовы принимать руководство» («Эксперт», 2002, №16). «Избиратель у
нас очень ценит, что Путин осторожен и расчетлив в дви-
жениях, что он спокоен в ситуациях крайней опасности…
И кстати, избиратель очень неодобрительно относится ко
всему, что пахнет возвращением к антагонизму, зовет на
фронты и баррикады» (там же). «Новый путинский класс за-
хочет увидеть себя в большом политическом зеркале» (там
же). Спрашивается, откуда Павловский так детально знает
народ, ведь со времени его работы маляром в Коми много
воды утекло. Но по весьма специфическим, мягко сказать,
представлениям этого жуликоватого одесского «гения»,
течь может не вода, а харизма, а также из одного лидера
вытекать, а в другого — втекать… Все эти рассуждения
очень похожи на уверенность подростка, севшего за компьютерную игру, где он заведомо повелитель марионеток, и
если они вдруг будут действовать против его воли, так ведь
компьютер всегда выключить можно, а марионеток стереть
из памяти виртуальной игры.

Разглагольствования «политической головы Президента» — политтехнолога Павловского о том, как этот самый
президент взаимодействует с электоратом и правящими
элитами, непременно должны привлечь внимание психиатра:
«Есть масса тонких условий принятия сигнала внизу, ко-

торые Путин, похоже, чувствует кожей… (*своих подошв?. — Т.М.*). Вот почему заточка формул идет до последнего…» («Эксперт», 2002, № 16). «Путин ощутил перегрев осевого канала коммуникаций, превратил ощущение в систему корректирующих команд и передал по цепи дальше. Важно адекватное реагирование Путина на сигналы, получаемые при взаимодействии с обществом» (там же). «Путин «вдруг» немотивированно активизируется и ломает сценическое равновесие шоу-политики» (там же). «Вот когда процесс разбалансируется, Путин начинает сам давить на систему, пересылать сигналы своему правительству и непосредственному окружению» (там же). «Путин понимает, что без быстрой коррекции следующим шагом или там через два шага система вернется в состояние, в котором она перестает быть управляемой вообще… И Путин начинает очень жестко наезжать на шоу-политику и на мнимую вертикаль власти» (там же). «И только постепенно проступил дефицит нашей политической индустрии — политическое одиночество Путина порождает «вторичную виртуализацию», подрывающую ось доверия…. Надо проложить параллельную коммуникацию к массам» (там же).

Во всей этой безумной нагроможденности умных слов — вертикалей власти, режимов и осей доверия, актуализаций и немотивированности — отчетливо проступает виртуальное, оторванное от действительности представление кремлевского политтехнолога о нашей стране, о народах России, об их действительных нуждах и чаяниях. Он видит себя конструктором некой абстрактной информационной системы под именем «президент России», которую надо то и дело отлаживать, менять ей платы, заправлять картриджи, запускать новые программы, и верит: что нарисует на экране дисплея, то и воплотится в реальной жизни реальных людей.

Откровения Павловского обнажают всю марионеточность фигуры президента в России, его несамостоятельность, более того, послушливость президента командам, поступающим от плохо ориентирующегося в живой действительности имиджмейкера. Речи Павловского — тирады человека нездорового, погруженного в выдуманный им самим мир «перегревающихся осевых каналов, пересылки сигналов и параллельных коммуникаций».

Президент — марионетка в руках политтехнолога? Получается, не только он, но и большинство из нас. Это ведь мы с бараньей покорностью по команде Павловских ли, Сурковых возлюбили Путина. Теперь нам приказано возлюбить Медведева, поскольку Павловские с Сурковыми решили, что «он избираем, и очень избираем». Неужели и дальше будем покорно влачиться в толпе восторженно приветствующих всякого, на кого укажет нам рука воинствующего психопата? Да, зябко оказаться вне толпы, не просто стряхнуть с себя мороку экранного гипноза, трудно все время быть начеку, зная, что тебя обманывают, но разобраться, как возомнившие себя наполеонами технологи лепят нам президентов, а попутно скручивают мозги избирателям — это важнейшая задача всякого человека, желающего сохранить рассудок и душу неповрежденными.

Как это делается

Объявление стать кандидатом в президенты — фактический старт выборной гонки. Владимир Владимирович облачился в черную мантию и сообщил соотечественникам, что дал согласие выдвинуть себя на пост Президента России. С этой целью он уехал из Москвы в Санкт-Петербург, на родину, чтобы, «проанализировав поступившее ему от инициативной группы граждан предложение», все взвесить, просчитать, обдумать, и — принять историческое решение. Церемония вручения регалий почетного члена ученого совета юридического факультета Петербургского университета как нельзя кстати подошла для знаменательного оглашения. Черные мантии и колпаки почетных профессоров, раболепно склонившиеся перед новым «выбором» России, подобострастные улыбки свиты и тщательно отобранного студенчества, символизировавшего собой молодую поросль страны, ее будущее. Над всем этим взмывает Он — молодой, со строгим и одновременно скромным лицом, весь — воплощенная надежда России.

Ритуал продуманный и торжественный: мантии и колпаки, регалии и награды действуют на зрителей завораживающе. Люди науки в сознании обывателя сродни небожителям, им одним доступно высшее знание. На этом и строился расчет технологов, представивших «судьбоносное» решение Путина как послание свыше, как божественный дар России, авторитетно утвержденный ученой профессурой.

Подобную церемонию однажды уже разыгрывали в Екатеринбурге-Свердловске, где о своем «судьбоносном» решении объявил в 1996 году Ельцин. Ритуал сочли подходящим и для ельцинского последыша, имевшего перед Ельциным одно большое преимущество: о Путине, в отличие от Ельцина, у «дорогих россиян» никаких воспоминаний пока не было, одни радужные, как разноцветные мыльные пузыри, надежды. Впрочем, Медведева возить в Питер на церемонию не стали, чтобы не проявились негативные ассоциации. Его попросту провозгласили наследником «избранные мужи Отечества» — Б. Грызлов, С. Миронов, М. Борщевский.

Поездку Путина в Питер для обнародования «исторического решения» никто не посмел назвать предвыборной технологией. Ведь Путин, как было заявлено сотрудниками еще ельцинской администрации, не собирается агитировать за себя, сами дела и. о. президента должны говорить о нем лучше всяких предвыборных слоганов. Уточним, что за граждане, собравшись в московском «Президент-отеле», проявили инициативу, на которую откликнулся Путин: Анатолий Чубайс, Рэм Вяхирев, Марк Захаров, Михаил Боярский, Юрий Любимов и другие, уже собиравшиеся вместе за четыре года до этого дня, чтобы поддержать Ельцина. Теперь «лучшие люди страны», как они именовались захлебывающимися от восторга комментаторами, спешили засвидетельствовать свое почтение наследнику Ельцина, успевали обозначить поддержку и понимание, безусловную любовь и восхищение.

Точно такое же ликование изобразили примерно те же люди — люто любимый населением Чубайс, всенародной ненавистью обожаемый Гайдар и ряд других проверенных в мошенничествах против государства Российского личностей, когда очередным преемником президентства назначили Д. Медведева.

Тогда, на презентации Путина как преемника президентства, особенно лизоблюдничали люди искусства, которые, видать, с большевистских времен запомнили горьковское с угрозой произнесенное — «с кем вы, мастера культуры?». С тех пор не устают льстиво заглядывать в глаза властям: с вами, конечно, с вами, как всегда с руководящей и направляющей... Елена Образцова назвала Путина «настоящим мужчиной» (такие обнадеживающие похвалы обычно расточают не совсем уверенным в себе юношам) и заявила, радостно глядя в телекамеру: «Мы поддержим сейчас Путина, а он, став президентом, будем надеяться, поддержит культуру». Лидия Смирнова, так та вообще обнаружила у Путина важное для президента достоинство — красивую походку, как будто нам предстояло выбирать его в топ-модели.

Деятели отечественной культуры давно рассматривают себя как неотъемлемый элемент политтехнологий, цинично торгуя своим телом, голосом и лицом, своими «заявлениями в поддержку». В ельцинскую пору, к примеру, Марк Захаров, заглядывая в глаза стоявшему против него Ельцину, громко, в микрофон, сравнивал книгу «Записки президента» с романом «Война и мир» и не краснел, и присутствовавшие на торжественной презентации не краснели, понимающе кивали — такая работа. Вот и на этом историческом собрании Константин Райкин затмил своим артистическим холуяжем всех, он поведал трогательную историю о том, как, оказывается, Путин со своей будущей супругой Людмилой познакомился на концерте Аркадия Райкина. «И я надеюсь быть в дальнейшем тоже полезен Путину», — загадочно добавил Райкин-младший, оставив зрителей в недоумении. К концу президентского срока стало ясно, что борьбу за доступ к телу Путина выиграл ловкий Никита Михалков, оставив своих соперников по культуре и искусству далеко за дверями президентского кабинета. К великому сожалению Михалкова, со сменой хозяина властительного кресла актерская челядь не передается по наследству новому президенту вместе с кабинетом и ядерным чемоданчиком. Так что и бойкому Никите, и Константину Райкину, и Марку Захарову предстоят новые «гонки на выживание» в дворцовых покоях Кремля.

Тогда, при объявлении Путина преемником, изо всех сил к нему подольщались и политики, многие из которых еще накануне расточали комплименты московскому мэру Лужкову и готовились поддержать кандидата в президенты Евгения Примакова. Как всегда, показал пример политической гибкости Ментимер Шаймиев в вечной готовности целовать фаворита. Татарский президент, основатель движения «Вся Россия», стоявший у истоков блока «Отечество — вся Россия», который так и не сумел выбиться в партию власти, теперь неожиданно, возможно и для самого себя, обнаружил и радостно объявил, что «и в Татарстане, и в российском обществе в целом идет консолидация вокруг фигуры Владимира Путина», закрепляя за собой место мудрого политика, не желающего расставаться с властью над огромным куском российской территории, совсем не в оппозиции, а в славном путинском стане.

Другой хваленый оппозиционер, отец-основатель «Всей России» Владимир Яковлев, первый оппозиционер, переметнувшийся на сторону нового хозяина Кремля, расточал хвалы кандидату в Петрозаводске и Санкт-Петербурге. За ним последовал Муртаза Рахимов, башкирский бай, публично пообещавший собрать для Путина столько денег, сколько тот запросит...

Поддержка региональных политиков — тоже своего рода технология выборов. Избиратели в регионах не то чтобы ориентируются на мнение своих часто ненавидимых ими региональных хозяев, но, видя, как съеживаются, раболепно подтягивают увесистые животы губернаторы и мелкопоместные президенты, глядя на угодливые их физиономии, склоненные перед Путиным фигуры, «электорат» наметанным глазом определяет: эти холуи скорее шляпу съедят, но нового хозяина на кремлевское кресло подсадят. Значит, все решили без нас, нечего и рыпаться...

Ну, ладно бы, политики и политологи, они, как и полагается в их древнейшей профессии, «любят» за власть и деньги. А мы-то с вами, граждане когда-то великой державы, с какого перепою «полюбили» сначала Вовочку, а потом Димочку? Да потому что с самого первого появления так называемого преемника на президентском горизонте пиартехнологами накладывается строжайший запрет на его критику.

Это проявилось как раз на церемонии объявления судьбоносного решения Путина стать народным вождем. Церемония хоть и была списана с ельцинского сценария, и обставлялась той же научно-профессорской бутафорией, и состав инициативной группы был тот же самый, и мастера культуры засвидетельствовали свое почтение, и губернаторы с президентами изобразили благоговение, все же у путинской церемонии была особенность. Члены инициативной группы Санкт-Петербургского университета по выдвижению и. о. президента В. В. Путина кандидатом в президенты России, ректор Л. Вербицкая и декан юридического факультета Н. Кропачев, выступили в прессе против программы НТВ «Куклы», которые вызывают у них «чувство глубокого возмущения и негодования и могут служить красноречивым примером злоупотребления свободой слова, с чем в преддверии президентских выборов граждане Российской Федерации все чаще сталкиваются». По мнению профессоров Санкт-Петербургского университета, будущего президента России и их выпускника пытались «шельмовать с особым озлоблением и остервенением, не считаясь с его честью и достоинством». Достойнейшие ученые-правоведы требовали квалифицировать действия обидчиков Путина по статье 319 УК РФ, дело по которой возбуждается «независимо от воли и желания того лица, которое они затрагивают». Страсти, оказывается, разгорелись даже не из-за самой путинской куклы, а больше из-за мотивчика известной песенки, под который появилась кукла Путина: «Я его слепила из того, что было, а потом что было, то и полюбила». Кукла вкупе с песенкой очень не глянулась инициативной группе. Путин, поблагодарив наставников молодежи через пресс-секретаря за сочувствие, подчеркнул, что сам он ничего такого от них не просил, однако тут же включил бдительную профессуру в число своих доверенных лиц на президентских выборах. Вперед смотревшие наблюдатели осознали, что золотое времечко плюрализма мнений на телевидении истекло, хозяева Кремля рисковать своими интересами ради соблюдения идей демократии не намерены и будут жестко продавливать, пробивать, пропихивать своего кандидата.

Гиперспектакль политтехнологов

Подлинная выборная кампания началась, как всегда, задолго до официального старта. Ее начало совпало с кошмарными ночными московскими взрывами, которые повергли страну в цепенящий обезволивающий ужас. Каждый москвич, каждый обитатель многоэтажек почувствовал себя приговоренным к смерти, родной дом перестал быть крепостью и в любой миг грозил обернуться могилой. Началась паника, которая умело подогревалась ежедневными сообщениями о безуспешном поиске злоумышленников с «кавказской внешностью».

В кровавом сентябре 1999 года многие увидели, согласно официальной версии, бунт вконец обезумевших чеченских боевиков, обещавших и сдержавших свое слово перенести войну в российские города. Но можно и иначе, циничным взглядом политтехнолога взглянуть на эти события, как на выпавшую Путину счастливую возможность начать новый поход на Чечню и стать в глазах избирателей их защитником, победителем злобных и жестоких врагов России. А то, что именно так — с откровенным цинизмом — смотрят на развязанную чеченскую войну режиссеры-постановщики избирательных кампаний, свидетельствуют слова политтехнолога Григория Островского, сказанные в интервью журналу «Эксперт»: «Властью становится тот, кто вдохновляет. Причем я вовсе не имею в виду такую частность, необычайно важную и значимую, но при этом все-таки частность, как чеченская война. Потому что важна не война, важна демонстрация того, что власть готова брать обязательства и их выполнять» («Эксперт», 2000, № 1-2). А вот свидетельство кремлевской журналистки о единственно выигрышном пиар-трюке для «раскручивания Владимира Путина в президенты»: «После августовского провозглашения преемником рейтинг у Путина был просто копеечный — 2%. Это, как известно, вообще в пределах статистической погрешности. Я специально пользуюсь здесь данными Фонда «Общественное мнение», это предельно лояльная Кремлю служба социологических исследований. Но даже она не питала насчет Путина никаких иллюзий. На протяжении как минимум месяца вся политическая тусовка (за исключением самих авторов проекта под названием «Путин») от души смеялась над его президентской потенцией. Даже у Степашина рейтинг в тот момент был гораздо выше: в августе его готовы были выдвинуть в президенты 10%. Причем за время его премьерства очевидна была динамика: с мая количество поддерживающих Степашина в качестве кандидата в президенты выросло на целых 7%. Рейтинг доверия к Степашину, судя по ФОМовским исследованиям, рос с огромной скоростью: в мае ему доверяли 14%, в июне — уже 23%, а в июле — 28%. А в августе (то есть ровно к тому моменту, когда Волошин и Семья решили отправить Степашина в отставку) рейтинг доверия к нему достиг целых 33%. Путину же, сидевшему в тот момент во главе ФСБ, в смысле «доверия населения» блеснуть было нечем. В августе 1999 года доверяли ему всего 5% населения. А НЕ доверяли Путину в августе 1999 года — целых 29% населения.

Зайдя к опытному пиарщику Алексею Волину в РИА «Новости», я поинтересовалась у него:

— Ну, как тебе Путин? В смысле как потенциальный клиент? Ты бы взялся его раскручивать в президенты?

— Не приставай с глупостями... Безнадежен, — отмахнулся от меня Лешка и продолжал заниматься какими-то более важными текущими проблемами... Но я не отставала:

— Лешка, вот давай предположим такую гипотетическую ситуацию: у тебя на руках вот такой безнадежный клиент, с таким вот низким рейтингом и вот с такими никакими публичными данными... Давай смоделируем ситуацию: существует ли хоть что-то в мире, чем его пиар-команда могла бы резко поднять его рейтинг и сделать из него президента?

Лешка почесал репу и ответил:

— Да, есть. «Маленькая победоносная война».

Заочный рецепт Волина (пришедший, очевидно, в голову не только этому пиарщику) был выполнен безнадежным пациентом с пугающей точностью. Начиная с 9 сентября, после того как был взорван девятиэтажный жилой дом в Москве на улице Гурьянова, рейтинг Путина стал расти как огурец в Чернобыле: по 3 — 4% в неделю. И к декабрю, на пике вновь развязанной операции в Чечне, достиг 45%. Кстати, глава ФОМа Александр Ослон тоже неоднократно подтверждал мне, что, даже по их исследованиям, главной составляющей дрожжей, на которых вспучивало путинский рейтинг, была именно война. Удачно преподнесенная общественному мнению» (*Е. Трегубова.* Байки кремлевского диггера. М., 2003).

Для политтехнологов Островского и Волина гибнущие в Чечне русские солдаты — живая бутафория, расставленная на чеченской земле, как на громадной, кровью залитой сцене, ради одного — ради предвыборной демонстрации вдохновляющей роли будущего президента Путина. Поверить в это жутко! Еще страшнее оказаться беспомощным безмолвным статистом в жестокой драме, разыгранной ради удержания власти в стране. Невозможно поверить, что только ради этого представления тебя привезут грузом «200» к обезумевшей от горя матери или что гробики твоих детей и жены, раздавленных гексагеновыми взрывами, по сценарию этого вот спектакля будут аккуратным рядком стоять на Митинском кладбище, ожидая своей очереди на отпевание...

Но вслушайтесь в слова политтехнологов, демонстрирующих свои выборные технологии, разве не об этом в них речь: «Сегодня настоящая идеология не может позиционироваться через текст, потому что слишком много текстов в мире. Идеология сегодня может позиционироваться только через *гипердраму, гиперспектакль*» («Эксперт», 2000, № 1-2). Еще раз медленно и внимательно перечитайте только что процитированное жуткое откровение политтехнолога, чтобы усвоить хоть толику ужаса, чинимого над нами командой Путина. Ведь это сказано в самом начале 2000 года: в самом разгаре гиперспектакля со страшным названием — война. Тогда действительно избирателям перестали быть интересны предвыборные программы других кандидатов — эти самые тексты, которые, как уже успело убедиться большинство населения, никогда не выполнялись, нечего на их чтение и время терять. Но спектакль, но драма, а еще захватнее — трагедия, да если она вершится на соседней улице, — от такого избиратель содрогнется и оцепенеет и день за днем будет завороженно следить за развертывающимися событиями, тщательно отслеживаемыми телевизионным оком.

Что избирателю за дело до соперников Путина, что ему альтернативные программы кандидатов в президенты! Для него сейчас важно только одно — возмездие за теракты в российских городах, он ждет победоносной военной кампании по пресечению террора, а от кого ее можно дождаться — только от действующей власти. Потому Путин — главное лицо *гипердрамы, гиперспектакля*. Он, как первый человек в государстве, естественно выступает защитником народа и с готовностью обещает «мочить» террористов везде, где их найдут, в сортире так в сортире. Он, как верховный главнокомандующий, берет на себя роль отца солдату, и в порыве единства с армией летит с женой в Гудермес, рискует собой, лишь бы быть в трудную минуту рядом с любимой им армией. И хотя чеченцы обещали его убить и вроде бы даже приговорили к смерти, он, отважный и смелый, ничего не боится, ездит по городам России, заставляя избирателя, трепещущего за его жизнь, с тревогой следить за президентским кортежем: взорвут — не взорвут? Наконец, он в случае победы, а победа должна была быть непременно к концу избирательной гонки, становится единоличным победителем Чечни. Он, как верховный победитель, прославляется, объявляется спасителем Отечества, выставляется хранителем его единства. Таков, вероятно, и был сценарий того *гиперспектакля*, в котором центральная роль отводилась Путину, а бессчетный пешечный строй, которым в пылу игры не грех и пожертвовать, были мы с вами — все граждане России, в первую очередь, русские солдаты.

Об этом мало кто знает, потому что одни бессовестно трусливо промолчали, другие были участниками предвыборного полит-шоу, и не хотели, боялись подпортить так хорошо начавшийся гиперспектакль, его лучшую, ударную ключевую сцену — Путин, рискуя своей жизнью, жизнью дражайшей супруги, летит на войну, чтобы лично, прямо на поле боя, правда, в присутствии целого самолета прилетевших с ним журналистов, поздравить воюющую армию с Новым годом. А то, что этот спонтанный, предвыборный пиаровский, рекламный трюк-полет Путина стоил жизни 16 (шестнадцати!) геройским бойцам разведгруппы, честно и мужественно рассказала лишь одна «Новая газета».

Для обеспечения безопасности вдруг свалившегося, как черт с неба, исполняющего обязанности президента Путина охранять подступы к грозненскому аэропорту «Северный» были стянуты все имеющиеся резервы, в том числе сняли с марша и туда же бросили — Путина стеречь — десантную бригаду, задействованную в операции по уничтожению крупного соединения чеченских боевиков в Чеберлойской горловине. Из-за этого высадившаяся накануне вечером штурмовая разведгруппа, вступившая в неравный бой с намного превосходящими силами противника, оказавшись без подкрепления, потеряла 16 человек. Тринадцать убиты на поле боя, еще трое умерли по пути в госпиталь («Новая газета», 2000, № 19).

В развертывавшихся кровавых сценах *гиперспектакля* Путину отводилась заглавная выигрышная героическая роль: он вступал в символическое единоборство с жестоким и беспощадным врагом — многоликим, тысячеоким вездесущим чеченским терроризмом. Образ виртуального врага с лицом кавказской национальности был просто необходим в этом сценарии. Против такого врага легко поднять

290

и сплотить Россию. Люди забудут разногласия, отдадут власть Путину — бери, побеждай, только бы жить спокойно! Враг — злой чеченец — был выгоден и в том отношении, что все внимание населения сосредоточилось на борьбе с ним, и вопрос об ответственности «уходящей» якобы кремлевской Семьи казался на фоне крови и взрывов мелким, второстепенным, неважным. Главное — обвинить во всех бедах России кавказцев. Блестящий избирательный ход! Все раздражение от тягот жизни, вся ненависть к власти поработителей умелой рукой политтехнологов направлялась на «черных», а тех, кто дал им безнаказно взрасти, кто вскормил чеченский сепаратизм и кавказскую рыночную наглость, просто не замечали, настолько была раздута страшилка под названием «выходцы с Кавказа».

Итак, вторая чеченская кампания задумывалась как победоносный путь и. о. президента Путина к президентской власти. Горячее и искреннее обещание гражданам России, потрясенным взрывами домов в Москве, «мочить в сортире» всех, кто виноват в жестоких терактах, стремительное наращивание войск в Чечне, победные реляции о зачистках...

То, что дела в Чечне шли не так гладко, как о том рапортовали речистые генералы, стало ясно уже к середине декабря 1999 года, когда российские войска застряли у Грозного. И накануне торжественной передачи власти от Ельцина Путину войска ввязались в кровопролитные бои с боевиками, неся крупные потери. Пока было возможно, политики делали вид, что в Чечне все идет, как по маслу. Кремлю было принципиально важно, чтобы накануне выборов Путина, под которого и затевалась вторая чеченская кампания, граждане-избиратели пребывали в уверенности: мы побеждаем легко, быстро и без потерь.

Все расчеты партии власти строились на популярности Владимира Путина, заработанной именно на развязывании войны. И вот же незадача! Ельцинско-путинские генералы увязли в партизанском сопротивлении.

Кремлевские имиджмейкеры запаниковали. Они прекрасно понимали, что три оставшихся месяца предвыборной кампании вряд ли пройдут под знаком военных удач. Перед ними встала новая технологическая задача — оторвать возможные военные провалы и саму чеченскую войну от Путина, как исполняющего обязанности президента, Верховного главнокомандующего.

Это, безусловно, стало тогда ноу-хау пиарщиков. Известно ведь, что за все происходящее в стране с неизбежностью несет ответственность первое лицо государства. В развале СССР в 1991 году виновен Горбачев, и время это названо «эпохой Горбачева». За изничтожение России, как великой державы, за ограбление и истребление ее народа должен ответить Ельцин, и последнее десятилетие ушедшего века так и именуется позорным «временем Ельцина». Логично и ельцинского последыша связать со всеми деяниями, свершавшимися в период его пребывания у власти. Но весь фокус в том, что не связывают! Такая вот пиаровская технология!

«Котлеты отдельно, мухи отдельно, как учит нас президент Путин», — высказался недавно один льстивый журналист в адрес президента. И президент Путин при этом действительно все время в стороне. Ловкий трюк политтехнологов по уводу от ответственности первого лица в государстве. Отрабатывать эту технологию принялись накануне президентских выборов 2000 года, когда неудачи чеченской войны и сама война, от которой «избиратель устал», стали представлять как явление очень далекое от деятельности Путина. Поражения в войне не соединялись в информационных блоках с президентом, и они не оказывались благодаря этому поражением президента, его личной политической неудачей. Кровь русских солдат не оставляла зловещих пятен на светлом образе Путина. Это были два параллельных мира — война, там, далеко, неизвестно кем начатая и неизвестно когда будет закончена, а президент здесь, добрый, любимый, и всегда говорит только о хорошем, о радостном. Избиратель с Путиным забывал о войне, о крови, вообще о плохом, ведь Путин ему об этом не напоминал, такова была установка политтехнологов. Из Путина делали «наше светлое завтра», мечтая о котором как-то неприлично и неприятно вспоминать о темном и кровавом «сегодня».

Технология по отделению образа Путина от чеченской войны, нагло внедренная и успешно отработанная в три предвыборных месяца военных неудач в Чечне, в дальнейшем стала главным приемом имиджмейкеров по уводу Путина от ответственности за разразившуюся при его, путинском президентстве, катастрофу в стране. Ведь это при Путине лишились мы главных военных баз, позволявших хоть как-то противостоять глобалистским планам США, это по его воле уничтожена космическая станция «Мир» и Россия перестала быть великой космической державой. А разве не при нем полностью разрушена армия, а наемничество, продавленное им через реформу армии и закон, дозволяющий принимать на службу солдат-иностранцев, добьют ее окончательно. Продавлены через Думу все грабительские законы, и главный из них — о продаже земли, окончательно делающий нас рабами в родной стране. Успешно реализован и убийственный для России закон о ввозе в страну ядерных отходов со всего мира, обернувшийся устройством гигантской ядерной свалки — могильник «Русь» — в Челябинске, в географической сердцевине России. Отданы Китаю наши земли и готовятся новые территориальные уступки…

Но вот странно: с Путиным эти преступные деяния в сознании электората не связываются. Они аккуратно выставляются как волюнтаристские, стихийные действия Минобороны (военные базы и реформы в армии), Главкосмоса (МКС «Мир»), думских фракций (закон о земле), правительства Касьянова (реформы ЖКХ), министра Минатома Румянцева (закон о ввозе ядерных отходов), министра иностранных дел Лаврова (готовящаяся передача Японии Курильских островов), да мало ли чубайсов и грефов, на которых можно стрелки перевести, всех собак навешать, и лишь Путина, одного его искусно уводят от ответственности за все, как будто не он подписывал законы, не он одобрял решения. Даже анекдот по этому поводу среди журналистов появился.

— Разрешите взять у вас интервью?

— Почему у меня? Что я: дом — работа, работа — дом.

— Но, господин президент…

Не на пустом месте возникший анекдот. В жизни страны дело Путина — сторона. Его в новостях подают отдельно «от котлет, от мух», от войны и крови, от реформ, от слез народных, от беззакония и коррупции, творимых в стране властью. И во вторую президентскую кампанию в 2004 году эта технология увода Путина от ответственности за все совершенное им, именно им, ведь он являлся первым лицом в государстве, такая хитроумная технология стала главной движущей пружиной предвыборной гонки. Имиджмейкеры тогда привычно отделили в сознании избирателя образ Путина от разваленной, дограбленной при нем России, сданной по его попустительству Америке и Израилю, вновь указали нам на Вовочку, — «ласковый, приветливый и кроткий», — как на «наше светлое завтра», в мечтах о котором так не хочется вспоминать о несчастном «сегодня».

ДЛЯ НОВЫХ ВЫБОРОВ — НОВЫЕ ТЕХНОЛОГИИ

Обновление имиджа

Никто не сомневался, что Путин будет избран президентом повторно. Президентские выборы 2004 года так цинично и называли голосованием за Путина или даже плебисцитом о доверии действующему президенту. Дело было предрешено по двум причинам. Во-первых, упускать власть ельцинская Семья по-прежнему не собиралась, и удобней фигуры, чем проверенный Путин, не сыскать. Во-вторых, механика продавливания Путина в президенты была уже отработана: тридцать процентов избирателей, как мы убедились, автоматически голосуют за него под воздействием избирательных технологий. Недостающие до большинства двадцать процентов плюс один голос добираются тем же самым способом, за который, по-видимому, директор ФАПСИ Старовойтов сразу после избрания Путина в 2000 году закрытым указом президента получил Героя России и еще одну генеральскую звезду.

Бесцеремонное продавливание властью народных избранников на последних выборах в Госдуму и столь же наглое устранение ею неугодных кандидатов и партий показали, что генеральная репетиция спектакля под названием «Всеобщие, тайные, равные и прямые выборы президента» прошла без сбоев и накладок, если не считать таковой заявление ОБСЕ о широком использовании на выборах так называемого «административного ресурса».

Но ведь и тридцать процентов избирателей, подчинившиеся воле технологов, не окончательно безмозглые куклы, — просто они наивно верили в то, что Путин, о котором на все голоса говорили и говорят как о единственном выборе России, достоин этих высоких слов. Но и эти тридцать процентов блаженно верующих второй раз на мякине старых выборных фокусов было не провести, теми же самыми ухищрениями не облапошить. Надо было изготовить что-то новенькое, неожиданное для избирателя, надо было исхитриться сыграть на самых глубинных струнах человеческих душ и так мастерски подыграть этим струнам на волшебной дудочке телеэфира, чтобы избиратели завороженно последовали за Путиным вновь, плененные хитроумными сладкоголосыми обещаниями.

Путинские пиарщики это прекрасно сознавали, уверяя всех, что «на следующий срок должен быть избран другой президент, им вполне может быть и тот же человек с фамилией Путин, но с совершенно новой программой». Старую программу, все, что наобещал Путин в 2000 году, предстояло вытравить из памяти электората, чтобы о ней ни слыхом было не слыхать, ни видом не видать, а то порой случалось, как с «Московскими новостями», которые в припадке демократического либерализма, захотев сделать «как лучше», — ведь эту газету никак не заподозришь в оппозиции к путинской клике, — попытались взвесить все, что натворено Путиным и при Путине на весах добра и зла, подсчитать решили, что перевесило в его политике в первом сроке правления. Вглядитесь сами в то, что получилось. «Позитив» — одни лишь общие словеса, заверяющие нас, что страна готовится к грядущему процветанию, «негатив» собрал многое из испытанного каждым на собственной шкуре:

«Позитив»

— медленный, но неуклонный рост средних показателей зарплат и пенсий;

— относительно небольшой темп роста потребительских цен;

— отсутствие новых очагов межнациональных конфликтов;

— некоторое восстановление международного авторитета России.

«Негатив»

— нищенская зарплата учителей, врачей и всех бюджетников;

— непосильные тарифы на оплату жилья и жилищно-коммунальных услуг;

— война в Чечне;

— война США в Ираке и потеря Россией внешнеполитического влияния.

Убийственный результат! За неимением реальных дел в успехи правления президента России Владимира Путина «Московские новости» были вынуждены протащить «медленный рост зарплат и пенсий», «рост цен» и «отсутствие новых межнациональных конфликтов», что в переводе на нормальный, всем понятный язык означает — спасибо «всенародно избранному» за то, что зарплаты при нем росли медленно, что цены росли, но относительно, и за то, что не успел разжечь войну в других регионах. Впрочем, сам Путин «позитив» своей деятельности оценивал накануне нового президентского срока, не без гордости бахвалясь, к примеру, перед прессой государственной поддержкой сельского хозяйства: «У нас организована значительная поддержка сельхозпроизводителя, которая на первый взгляд незаметна» (Стенографический отчет о пресс-конференции Президента России В. В. Путина в Кремле для российских и зарубежных СМИ 20 июня 2003 г.). Хорошая поддержка, если ее заметить и то трудно!

На чашу «негатива» к перечисленному «Московскими новостями» добавим то, что назвать газета, конечно же, не решилась, — это резкое социальное расслоение общества, криминальный беспредел, коррупция невиданных масштабов... Чтобы не звучал этот перечень голословным наветом, выразим путинские «достижения» всего в двух цифрах, в один и тот же день озвученных с телеэкрана. По официальным данным, средний вес 18-летнего призывника из сельской местности, крестьянского сына, бывшего всегда символом русского богатыря, составляет сегодня 51 килограмм (при норме в 71 килограмм). Такое возможно только от голода, от ежедневного блокадного недоедания, от сокращенной хлебной пайки, которой, сами недоедая, оделяют своих детей крестьянские матери (ТВЦ, 22 июня 2003 г.). Другая страшная цифра: в детских домах Иркутской области при норме сахара в 5 граммов (меньше чайной ложки) на порцию каши детям дают три грамма, и на вопрос, о чем мечтаешь, детдомовский сирота говорит о тарелке манной каши... (РТР, 22 июня 2003 г.). Вот они, реальные «достижения»!

О таких президентских заслугах, ясное дело, политтехнологи не поминали, их задача была убедить всех, что старая программа предвыборных обещаний «в общем и целом» выполнена, время ли теперь сирот по головам считать да новобранцев взвешивать. Настало время новой программой народу мозги дурить, а под новое платье и румянец на щеках президента, то, что имиджмейкеры называют харизмой, требовалось основательно подретушировать.

Многоголовая гидра солидаризма

Новым платьем президента на предстоящих выборах, последним писком моды выборного сезона 2004 года, путинские политтехнологи предложили новую идеологию, глашатаем и символом которой должен явиться президент. Название новой идеологии, этому хиту выборов-2004, сыскали подобающее, чтобы сразу возвысить Путина над всеми соперничающими в России идеями демократизма, коммунизма, национализма — солидаризм! — и Путин для пробы уже озвучил его в своем президентском послании Федеральному Собранию РФ 2003 года, как говорится, примерил: «...Нам понадобится — консолидация политических сил, общества. Консолидация всех властей. Объединение лучших интеллектуальных сил. Поддержка общественно-политических структур. Сотрудничество парламента и Правительства. Консолидация всех наших интеллектуальных, властных и нравственных ресурсов позволит России достичь самых больших целей. Великих целей, достойных великого народа» («Российская газета» №93, 17 мая 2003 г.).

Разумеется, красивые, ловко составленные спичрайтерами, ладно пригнанные друг к другу слова об объединении всех «здоровых сил» для создания «сильной России» являлись такой же театральной бутафорией, какой в бытность президентских выборов 2000 года был летный шлем и штурвал истребителя. Ведь учиться летать тогда Путин не собирался, вот и сейчас не думал вовсе собирать до кучи так называемые «здоровые силы». Он всего лишь *демонстрировал намерения*, недвусмысленно давая понять при этом каждому политику и избирателю, что если тот считает себя здоровым и хочет блага любимой России, то он просто обязан влиться в ряды сторонников президента. А все, кто в эти ряды вливаться почему-то не желает, ну не жаждет, «задрав штаны», за Путиным бежать, те, значит, блага России не желают. Вот так мило, просто и доступно: любить Путина, значит любить Россию, и наоборот, любишь Россию — значит обязан любить Путина. Никак не меньше. Известный перифраз на давно известный лад: мы говорим «Путин» — подразумеваем «Россия», мы говорим «Россия» — подразумеваем «Путин». Таков был очередной пиаровский ход.

Идеология солидаризма — козырная карта Путина, но она же оказалась очень удобна всем политическим деятелям страны, которые мечтали прислониться к власти, покормиться от власти, хоть шматочек урвать у власти, не запачкав «имиджа» принципиального либерала или пламенного патриота. Путин по предписанию имиджмейкеров ведь как призывал, что обещал: тех, которые придут к нему, считать «здоровой, граждански ответственной силой», да и цель провозглашал благородную — созидать сильную Россию, «достойную великого народа». И собирались под путинские знамена солидаризма «граждански ответственные» полки — привел боевой отряд тимуровцев Чубайс, рядом, делая вид, что не замечают Чубайса, маршировали патриоты Бабурин, Павлов, далее семенили Немцов с Хакамадой, на другом фланге толклись коммунисты в ассортименте, ведь все они тоже очень хотели казаться здоровыми и вставить свой виртуальный кирпич в виртуальное здание «сильной

России». Дефилировали перед Путиным они как бы порознь, но маршировали дружно и в ногу, строго по команде.

В рвении угодить Путину и подстроиться под власть все участники этого политического марша, перебивая друг друга, восхваляли «Владимира Владимировича», и в точь с расчетами политтехнологов в многоголосье льстивых дифирамбов каждый избиратель слышал то, что грело именно его душу. Православный патриот радостно читал в интервью «духовника» президента архимандрита Тихона Шевкунова, что «этот президент будет управляться лишь Богом, своей совестью, любовью к России и здравым разумом» («Профиль», 18 сентября 2000 г.). Иудей брал на вооружение восхищенные оценки путинской деятельности, данные «Международной еврейской газетой» и обоими главными раввинами России. Для либерала мерилом деятельности Путина служили липкие, как сахарный сироп, безудержные восхваления Путина Марком Захаровым, Иосифом Кобзоном и Зурабом Церетели. Коммунисты оценили, как взвешенно корректен в своих оценках президента Геннадий Зюганов.

Чувство солидарности «народа» с президентом путинские политтехнологи старательно подогревали частыми раздачами премий и орденов в Кремле людям самых разных политических окрасов, — соперникам между собой, оппонентам, открытым противникам, а то и заклятым врагам. Гостеприимно, по-отечески примиряюще собирал их всех Путин в Кремле и не только на раздачу наград, но и на праздники, то конституции, то некой независимости, то Нового года. Из них же по принципу «всякой твари по паре» путинские помощники формируют при президенте различные многочисленные комиссии, комитеты, советы, к примеру, совет по культуре при президенте, чтобы Никита Михалков привычно озвучивал заботу Путина о русском человеке, а Михаил Швыдкой доверительно вещал о преклонении президента перед общечеловеческими ценностями…

На самом же деле, солидаризм, выстроенный технологами под Путина с тем, чтобы обеспечить ему доверие всех слоев общества, был не многоголосый хор, слаженный и гармоничный, управляемый талантливым и волевым дирижером, — это была многоголовая гидра, каждая голова которой жаждала отхватить под корешок соседскую, и уж если не голову целиком, то на худой конец урвать, перехватить, откусить, надкусить у соседа тот жирный кус, что кидает власть каждой голове. Единственное, что их объединяло, так это хвалебные гимны, которые они, ревностно и ненавистно кося́сь друг на друга, воспевали Путину. Галдеж этих зубастых голов отвлекал избирателя от реально творимых в России преступлений, от того, что в экономике страны царит безудержный тоталитаризм Чубайса и Абрамовича, в культуре и средствах массовой информации Швыдкой и Лесин насаждают беспощадный сионизм, что православие и ислам вырождаются в слепое угождение властям, которые, как обосновывают нам религиозные поводыри, — «от Бога».

Шапка Мономаха

В выборную кампанию 2000 года Путин многим был мил уже тем, что резко отличался от постылого Ельцина: физически здоров, говорит без бумажки, не рискуя выдать «загогулину», не пьет, не играет в осточертевший всем теннис, не дирижирует оркестром в Германии, месяцами не пропадает на даче, «работая с документами»… Впрочем, если судить по этим, так понравившимся народу качествам Путина, то на должность президента годится любой нестарый человек без вредных привычек. Принцип контраста так выгодно сработал на Путина, что имиджмейкеры не отказались от него и в последующие годы, лишь слегка подновляли краски. До сих пор в народе, не без напоминания телевидения, сравнивают трезвое поведение Путина с пьяным куражом Ельцина, еще работает гипноз дзюдоистского татами, езды на горных лыжах и поздравления населения с новым годом на морозе без шапки как символ несокрушимого здоровья преемника немощного Ельцина. Но кремлевским пиарщикам стало со временем все труднее находить выигрышные ходы, срабатывающие на контрастах бывшего и нынешнего президентов. Этот технологический ресурс к 2004 году был практически исчерпан.

Даже абсолютно лояльные к Кремлю «Московские новости» за год до президентских выборов 2004 года были вынуждены признать, что «представление о Путине, не накачанное особым PR-ходом, может оказаться таким: слабый правитель» («Московские новости», 26 марта 2003 г.).

И политтехнологи, эти хитроумные портняжки голого короля, хорошо понимали то, на что намекали «Московские новости», а потому принялись за грандиозный проект — лепить из Путина «царя-батюшку» в прямом смысле этого слова. На первый взгляд, совершенное безумие. Но это только на первый взгляд. У пиарщиков расчет хоть и циничный, но здравый. Ведь безумство, а особенно безумство идей может быть заразным, вот пиарщики президента и рассчитывали, что их технология «Путин — царь-батюшка» заденет самое глубинное в душах русских людей, разбудит в их генетической памяти веками хранящуюся в ней монархическую идею, и надеялись они на это не зря.

Путина стали навязчиво показывать в атрибутике царской власти. По-царски был отпразднован юбилей Санкт-Петербурга. Вбивали в мозги, что Путин, собрав великие державы в юбилейной Северной столице, воплотил то, о чем только мог мечтать Петр Первый: «Все флаги в гости будут к нам». Ни меньше, ни больше: Великий Петр только мечтал, а Путин сделал. Не постояв за многомиллиардными расходами (в нищей-то стране, где 80 процентов населения страны не может свести концы с концами, в голоде и холоде), отделывают для президента, под «морскую» президентскую резиденцию, Константиновский дворец в Стрельне и с царским размахом строят роскошную яхту, а политтехнологи не только не стесняются все это рекламировать, наоборот, назойливо подчеркивают императорскую роскошь новоделов, сравнивая Путина с русским царем Николаем Вторым, у которого резиденция именовалась Александровским дворцом и тоже была вне столицы, в Царском Селе, а уж об императорской яхте «Штандарт» не известно разве что дошкольнику. Наконец, торжественное заседание

Государственного Совета Путин собирает в Тронном зале Зимнего дворца — прямая аналогия с царем Александром Вторым. Чтоб сомнений в царском образе и подобии Путина не оставалось, телевидение то и дело прореживает показ президента то фотографиями времен Царя Александра Второго, то кинохроникой дореволюционных лет Государя Николая Второго. Следом официальный визит Путина в гости к английской королеве, подобного которому (по указке политтехнологов это усиленно подчеркивает пресса) не было 150 лет, со времен все того же Александра Второго. То есть, конечно же, русские цари приезжали в Англию по-родственному, да и не только русские цари, кто только сюда не наведывался, и Горбачев бывал, и Ельцин, но чтобы в «таком формате», — давит нам на мозги, прессует наше сознание телевидение, как принимали сегодня Путина, — с таким почтением и благоговением, ну точно, после Александра Второго подобного триумфа никто из историков не припоминает.

Образ Путина, умело вмонтированный в царские интерьеры Зимнего дворца и Кремля, волей-неволей заставлял избирателя примерять на него и корону, и горностаевую мантию императора, а дальше безудержно, по инерции внедренных ассоциаций, уже и наделять этот виртуальный образ и качествами богоданного царя, имеющего право казнить и миловать, награждать и карать. Нам внушали, что этот некто, обитающий во дворцах, и есть подлинный отец нации, ее кормилец и радетель. Прорисовка батюшки-кормильца, народного благодетеля накануне выборов 2004 года делалась все активнее и обманнее. В Тамбове Путин демонстрирует царский жест — объявляет о выделении из государственного бюджета двух миллиардов рублей на страховую медицину для пенсионеров. Политтехнологи тут же завопили многоголосое «ура» по всем телеканалам, чуть не охрипли, бедные. Но не успели у них еще глотки остыть от ликующего «Виват, Президент!», и слезы восторга и умиления не успели просохнуть на глазах «осчастливленных» пенсионеров, как умные головы подсчитали, что два миллиарда рублей, поделенные между 60 миллионами пенсионеров, дают каждому из них жалкие два с половиной рубля ежемесячного обеспечения на лекарства и лечение. Но, во-первых, это уже потом подсчитали, во-вторых, цифра эта ни в какой комментарий не попала, растолковывать старикам, как их дурят, никто не стал.

Действуя по принципу «больше наглости», пиарщики Путина и в этом случае добились желанного — народ искренне возблагодарил благодетеля. Провал случился с другим «подарком» Путина, когда от «царских» щедрот своих он отвалил народу шестипроцентную прибавку к пенсии. После того, как в теленовостях показали стариков, отсылающих Путину издевательские тридцать рублей стариковского приварка, товарищи из пенсионного фонда и Минфина поспешили объяснить, что индексация была внеплановой, что ожидается еще одна, другая, всамделишная. Путин обещал провести ее в августе: «В абсолютных цифрах это будет примерно в среднем 121-122 рубля». В который уж раз разбогатели наши старики!

Образ «царя-батюшки», кормильца народа по мере приближения даты президентских выборов лепился телевизионщиками из новых даров Президента детям, солдатам, старикам, малоимущим, беженцам, музеям и библиотекам, церквам, мечетям и синагогам. Облагодетельствованные граждане принимались безудержно, с проникновенной слезой благодарить «нашего дорогого, любимого Владимира Владимировича Путина», а он скромно отнекивался от благодарности, и все эти до крайности трогательные сцены, хорошо отрепетированные и мастерски отрежиссированные, заставляли избирателя забыть о скверном сегодняшнем дне и, как всегда, дурацки наивно надеяться на светлое завтра.

Как сваять культ личности

Хорошо понимая, что ни делами, ни авторитетом Путину вторично выборную планку не взять, одним «царским ресурсом» и идеологией солидаризма не наскрести вожделенных тридцати процентов голосов, политтехнологи Путина не брезговали и прямым давлением на избирателя — за счет его безудержного, наглого восхваления создавали культ.

Даже Александр Ослон, один из тех, кто помогал в 2000-м «делать Путина», заявил в интервью: «Сейчас Путин — как Брежнев» («Коммерсантъ-Власть» 2002, 4 июня).

Конечно, говорить, что Путин — это Брежнев сегодня — явный перебор в сравнении, ведь и возрастом, и здоровьем, и умением четко произносить слова Путин многократно превосходит «дорогого Леонида Ильича», да и правит он страной мало, а культ Брежнева начали ваять лишь через десять лет после его прихода к власти. Но вот стиль возношения президента Российской Федерации накануне выборов 2004 года стремительно приблизился к стилю восхваления Генерального секретаря ЦК КПСС.

Уже через год после первого путинского избрания средства массовой информации стали старательно проталкивать тему «лучшего вождя всех времен и народов». Солидно, на высоком научно-социологическом уровне сооруженная таблица с оценками по пятибалльной шкале всех российских лидеров XX века была широко разрекламирована в печати. Из этой социологической эквилибристики следовало, что «Путин — абсолютный чемпион», по всем человеческим качествам, обогнавший и Сталина, и Ленина, и Брежнева, и Хрущева, на последнем месте оказался Ельцин. «Лишь по лидерским качествам, и то немного, Путин уступает Ленину и Сталину, а по человеческим уверенно обгоняет всех» («Stringer», декабрь 2001 года).

Дифирамбы Путину стали упорной навязчивой идеей политики нашего времени. Как в застойные годы принято было во всех речах «лично Леонида Ильича Брежнева» благодарить за все хорошее, включая ремонт сантехники в собственной квартире («пришла весна, настало лето — спасибо партии за это»), так и ныне не помянуть прилюдно и всенародно добрым словом Владимира Владимировича Путина становилось выражением явной оппозиции к власти. Что, от большой искренности и горячей любви к Президенту каждый клерк в самом затрапезном жэке вколачивает в стену гвоздь и вешает на него фотопортрет Путина? Конечно же нет, просто все, от пронырливых политиков, желающих пристроиться в хвост партии власти, до шизофреников, как в зеркале отражающих в своем больном сознании извивы российской действительности, мгновенно уловили «тенденцию политического момента». Из чудовищной смеси хладнокровной конъюнктуры и судорожной психопатии возникла монументальная «путиниана», воспевающая нового вождя всех времен и народов.

Как пишет газета «Новые известия»: «Что Путин на подхалимаж «клюет», видимо, хорошо знают люди, давно с ним знакомые. И не забывают использовать. Давний соратник Путина по Санкт-Петербургу Сергей Миронов, как только был избран в декабре 2001 года по рекомендации президента председателем Совета Федерации, сразу же отметился: «На всю жизнь запомнился стиль работы Путина с законодательным органом власти. Стиль просто замечательный, надо его рекомендовать *всем на все времена*». А через пару недель заявил, что считает необходимым увеличить срок полномочий президента с четырех лет до семи» («Новые известия», 2003, 20 февраля). От этого льстивого «всем на все времена» так и дохнуло обязательным ритуалом дифирамбов Хрущеву, Брежневу, Черненко... ритуалом, который очень эффективно действовал на умы граждан. Непререкаемость авторитета власти в глазах масс — вот результат лести и подобострастия путинских соратников к нему.

В феврале 2001 года губернатор Ростовской области Владимир Чуб решил построить в поселке Красный Сад «храм в честь членов семьи Романовых и *в память избрания Владимира Путина президентом*» (НТВ, 13 февраля 2001 года).

В августе 2002 года во Владивостоке мэр города Юрий Копылов к приезду Путина развесил на улицах растяжки «С Путиным победим!», «Путин — сила России». Растяжки висели почти полгода, значит, Путину понравились.

В октябре 2002 года президент Ингушетии Мурат Зязиков назвал именем Путина улицу в ингушском селе Ольгетти.

Именем Путина в 2003 году назван парк в Новосибирске.

В Изборске Псковской области открыли туристический маршрут «прогулка по местам пребывания в Изборске президента Владимира Владимировича Путина». «Экскурсовод проходит с туристами по маршруту Путина и рассказывает, что делал президент: как осматривал старинную крепость, общался с местными жителями, угощался малосольными огурцами, пробовал блины, загадывал желание у специального дерева и пил воду из родника». Удивительно, что до сих пор то же самое не сделали власти в Кижах, где Путин «и рыбу поудил, и блинов из печки попробовал, и лосей покормил, и ткачеством позанимался, но с гораздо большим удовольствием слепил глиняный горшок» (журнал «Итоги», 4 сентября 2001 года). А еще в Кижах «в дом местной старожилки Марии Степановны» зашел, поговорил о житье-бытье, с детьми поиграл, в колокол позвонил, с английскими туристами пообщался… Впору мемориальную доску вешать и маршрут новый прокладывать для туристов — «Путин в Кижах». Опыт еще не забыт: «Ленин в Горках», «Ленин в Разливе»...

Вот уж кто впереди планеты всей, так это наше школьное образование. К началу учебного 2000 года питерское отделение партии «Единство» решило воспеть Путина в учебниках. Книга для учащихся начальных классов посвящена Конвенции ООН о правах ребенка. Текст конвенции сопровождается в книжке оригинальными комментариями, сочиненными заместителем председателя регионального отделения «Единства» Виктором Юраковым: «Все мальчишки и девчонки знали, что Володя Путин настоящий друг и на него можно положиться. А тренер по самбо и дзюдо знал, что Володя настоящий боец с сильным характером, что он будет бороться до конца и никогда не предаст… А потом друзей стало так много — целая-целая страна, и они выбрали его президентом. И теперь все говорят: «Россия, Путин, «Единство»… Летает на истребителе, спускается с гор на лыжах и ездит туда, где воюют, чтобы война перестала…». В книжке целых три портрета Путина: младенец на руках у матери, подросток, взрослый. Слащавый текст и фото маленького Вовочки — как все это напоминает советский букварь: «когда был Ленин маленький, с курчавой головой, он тоже бегал в валенках по горке ледяной...» и тоже с портретом маленького Вовы.

Эстафету питерского «Единства» по воспитанию ребятишек в духе культа личности Путина приняло Томское отделение партии «Единая Россия», которое организовало в области детский конкурс под названием «Вовочка — 2002». Мероприятие было посвящено Владимиру Путину и прошло под девизом «Мама, я хочу быть Президентом!». Учащимся средних классов предложили провести собственные избирательные кампании и выбрать главу государства. Семеро Вовочек прошли во второй тур выборов. Для большинства участников самым сложным оказался конкурс на эскиз новогоднего костюма для президента. Победителю финала «Вовочка — 2002» вручили главный приз — путевку во всероссийский лагерь «Орленок».

Молодые партийные функционеры «Единства» на фронте созидания культа Путина от старших товарищей не отстали, может, даже и опередили их. Создали движение «Идущие вместе», без всякой скромности и тени приличия так преуспели на поприще путинского холуяжа, что журналисты прозвали их «путинюгендом». Годовщину инаугурации Путина юные жертвы технологов и политической конъюнктуры отметили на Васильевском спуске митингом в его поддержку. Все выступавшие вопили одно, опять же очень знакомое: «Мы поддерживаем Путина за нашу счастливую юность!» Банальный перифраз известного всем «Спасибо товарищу Сталину за наше счастливое детство!». Рефреном митинга было залихватское «Все путем!». Майки верных юных путинцев украшал путинский скальп.

Вожди не каждой общероссийской партии, не всякий лидер думской фракции удостаиваются встречи с президентом, а вот руководителей этой демонстрации Путин принимал в Кремле. Выходит, понравилось, угодили! Их пример — другим наука.

Несмотря на откровенно заказное мероприятие и нескрываемое лицемерие подростков, акция беспроигрышно подействовала на умы юных зрителей по ту сторону экрана. Сверстники, толкущиеся и орущие у стен Кремля, в их глазах — счастливчики. В Москве побывали, весело, празднично, интересно! Пригласил и ублажил юных путинцев сам президент! И потому на вопрос: «Ради такой удачи в жизни, славу и честь Путину воспеть готовы?» — миллионы юных в ответ прокричат: «Всегда готовы!»

Но основные каменщики, возводившие новый культ были, конечно же, не дети, не подростки, а очень взрослые дяди, грамотные да умелые литераторы и беллетристы, всегда готовые поклевать с рук власти. Среди застолбивших участки в путинианской золотой долине как известные авторы Рой Медведев, Александр Рар, Вадим Печенев, так и неизвестные до последнего времени вовсе, как Блоцкий, но возраст, опыт, мастерство, известность не разделили их в оценках Путина, которые уложились в интервале от «выдающийся деятель современности» (Медведев, Рар) до «Вы гений, Владимир Владимирович» (Олег Блоцкий). Эпопее Блоцкого, а вышло уже две книги из его трилогии «Владимир Путин», публицист Владимир Прибыловский резонно посоветовал дать более подходящее название — «Владимир Россиянбаши», поскольку книга написана исключительно в духе туркменского культа личности, а журналист Дмитрий Быков предложил переименовать самого автора трилогии в Блоцкого-Поцелуева.

Другие книжки про Путина написаны в том же спектре хвалебных красок, которыми писатели и журналисты разрисовывают наше «белое пятно» в зависимости от своих надежд, устремлений и заказа политтехнологов. Есть, к примеру, книжка про Путина-патриота — «Спасет ли Путин Россию???», вот так, с тремя вопросительными знаками. Ее автор Ю. Козенков, русский националист, увидел в Путине наследника Сталина и тщетно надеялся, что Путин, тишком пробравшись в Кремль, одолеет-таки жидомасонов и поднимет над Спасской башней черно-бело-золотой триколор. Но если Козенков написал книгу про Путина-патриота, то Вадим Печенев так же страстно и убедительно вывел на своих страницах Путина-демократа, озаглавив свое творение тоже вопросом «Владимир Путин — последний шанс России?». Печенев узрел в своем герое иные — демократическо-либеральные устремления — «авторитаризм (желательно просвещенный) плюс управляемая демократия».

Образ Путина как героя спецслужб, мужественного, неподкупного и решительного, наваял в политическом боевике «Президент» Александр Ольбик. Путин лично возглавляет антитеррористическую операцию в Чечне и «мочит» там чеченских бандитов из стволов и подствольников всех марок и калибров.

Таков замысел политтехнологов, продолжение мастеровой игры в раскраску — Путин на любой читательский, любой политический вкус. Каждый избиратель выберет для себя книжку про того Путина, который стоит с ним на общей идеологической платформе, и успокоится в уверенности, что теперь в Кремле — свой человек.

Про Путина не только написали книги. Сняли художественные фильмы. Правда, пока только про маленького Вовочку. Цитируем журнал «Профиль» от 25 ноября 2002 года: «В Госкино состоялась презентация художественного фильма «Вовочка»: история мальчика, выдумщика и озорника, который приезжает на зимние каникулы к бабушке на дачу, и с его приездом размеренной жизни тихого поселка приходит конец. Создатели фильма, режиссер Игорь Можжухин и продюсер Сергей Жигунов аналогии со знаменитым именем отрицают, но в околокиношных кругах поговаривают, что элемент конъюнктуры имел место быть. Вместе с профессиональными актерами в кино снялись губернатор Архангельской области Анатолий Ефремов — в роли рыбака, заместитель председателя Комитета по культуре Государственной думы Николай Сорокин — в роли участкового милиционера, а лидер группы ДДТ Юрий Шевчук — в роли бомжа-философа. Ясно, что подобный фильм обязательно «преподнесут» президенту в подарок, оттого и прыть губернатора и депутата — когда еще можно попасть на глаза первому лицу в государстве, только и надежда, что в кино про Вовочку.

Особый, весомый вклад в путинославие сделали поэты-песенники. Радиоэфир разнес по городам и весям их угодническую гимнографию. Первым преуспел Владимир Пеленягрэ с группой «Белый орел», спев мужественно-воинственное: «А в чистом поле система «Град», за нами Путин и Сталинград», лукаво и ловко соединив святое для нас имя города-героя Сталинград с ничего не значащим для народа именем Путин, что вмиг овеяло имя Вовочки ветром боевой славы. Стала популярной и песенка группы барышень «Поющие вместе» — простая и незамысловатая, как промытые пропагандой мозги путинского электората:

Мой парень снова влип —
Дурные дела,
Подрался, наглотался
Какой-то мути.
Он так меня достал,
Я его прогнала,
И я хочу теперь —
Такого, как Путин!
Такого, как Путин, —
Полного сил,
Такого, как Путин, —
Чтобы любил!
Такого, как Путин, —
Чтобы не обижал!
Такого, как Путин, —
Чтобы не убежал!
Я видела его
Вчера в «Новостях»,
Он говорил о том,
Что мир на распутье,
С таким, как он, легко
И дома, и в гостях,
И я теперь хочу
Такого, как Путин!

Только не подумайте, что это издевка. Для женского электората Путина это сильнейший по эмоциональному воздействию пиаровский текст. Лишь на первый взгляд он выглядит издевательским и глупым. С точки зрения политтехнологии, в песенке есть все, чтобы влезть в мозги обывательницы навязчивой мыслью — это твой, твой, твой выбор, это мужчина твоей мечты. Танцевальная ритмика заставляет легко и быстро запомнить слова. Сами стишки построены на контрасте — плохой парень и хороший президент. Эта песенка умело убеждает каждую женщину «примерить» Путина к себе и сравнить его со своим благоверным. Благоверный чаще всего «проигрывает» — на нем костюмчик сидит не так красиво, он не улыбается под светом софитов, и, главное, его не показывают по телевизору. Это же самое настоящее заражение женщин любовью к президенту.

В выражении любви к новоявленному чудо-богатырю Отечества самодеятельные творцы не уступают профессионалам. Челябинский студент-юрист Михаил Анищенко на полном серьезе предлагает «Песню о Президенте»:

> Ты скажи мне, Россия,
> Ты ответь на вопрос:
> Почему президенту ты веришь?
> И, смотря на него,
> Ты не чувствуешь слез
> И душой за него ты болеешь?
> Все плохое уйдет,
> И вернется рассвет,
> Тот, который мы все
> Долго ждали.
> Это наш президент,
> Это наш президент,
> Россияне его поддержали.

Газета «Новые известия» писала, что к этим верноподданическим стихам композитор Олег Ярушин, сын известного музыканта Валерия Ярушина, создателя ансамбля «Ариэль», тут же написал музыку. Сразу же нашелся и певец — солист

Челябинской филармонии Павел Калачев, в исполнении которого шедевр записан на лазерный диск. «Через министра налогов челябинца Александра Починка, — развивают тему «Новые известия», — кассета была передана в Администрацию президента. По версии студента, песня понравилась самому герою и даже попала в комиссию по подготовке гимна, где текст песни назвали самым профессиональным».

Вот еще искренние от души стихи, ведь не заподозришь самодеятельного поэта Владимира Нестерова в конъюнктуре, просто у него, что называется, «крыша съехала» от сверхсильного программирования политтехнологами пламенной любви к президенту, от активного строительства в средствах массовой информации культа Путина:

> Владимир Путин —
> Он Россию возродил,
> Объединил умело все народы.
> Политик гениальный от природы,
> И у него на все хватает сил.
> …Владимир Путин —
> Самый светлый Гений
> И самый лучший на планете Человек.

Даже у профессионалов случаются «заскоки» от передозировки политтехнологиями. В песенке «Гуливер» Романа Неумоева и Артура Струкова тема величия Путина раскрывается в духе шизофренического абсурдизма:

> Путин! Наш милый Путин!
> Ты не Распутин,
> Но Жанна д'Арк!
> Путин! Наш добрый Путин! —
> Не лилипутин, но Гуливер!
> Он не ходит в кабак,
> Уважает собак,
> Целый день напролет
> Он не курит, не пьет,

Посещает спортзал,
Тренируется в тире,
Террористов гов…ых мочит
Прямо в сортире!

А дальше пошло то, что сегодня называется раскруткой «бренда Путина», за счет которого граждане попросту хотят пополнить свой бюджет. Здесь и выпуск торта «Наполеон» с портретом Путина на коробке, и попытка зарегистрировать сорт помидоров (весом 1,5 кг) под названием «Владимир Путин», и производство значков, медальонов с профилем Владимира Путина — медных, серебряных, золотых, и портреты Путина на коврах, гобеленах, майках, часах и даже на фальшивых денежных купюрах. Конечно же, не обошлось без чугунных и бронзовых скульптур, портретов маслом на фоне Кремля, и даже открылся кафе-бар в Челябинске все с тем же родным именем «Путин». В Питере, на родине президента, его двойник рекламирует ресторанные блюда. Журналист Владимир Прибыловский уверяет, что все блюда в кафе имеют отношение к президенту — шашлык «Вертикаль власти», квас «Кремлевский», коктейль «Когда Вовочка был маленький», сухарики «ВВП».

Песни, гимны, кино, конкурсы, бронзовые фигуры, значки, медали, ордена … — не каждый такой натиск выдержит. И не выдерживают. Девятнадцатилетний Андрей Александрович Волохов из Томска, совершенно запутавшись, где реальность, где виртуальность, сменил свою фамилию на «Путин», отчество — на «Владимирович» и откликается теперь только на них. «Новые известия» уверяют, что новоиспеченный Андрей Владимирович Путин сделал заявление для прессы, сказав, что он «видит в президенте образ идеального отца и постарается воспитать себя идеальным сыном».

«Путин — народный защитник»: вхождение в образ

Когда политические технологи Путина вышли на финишную прямую президентских выборов 2004 года, приготовили площадку под монтаж декораций, установили софиты, запасли пиротехнику, попробовали актеров второго плана и четко прописали сценарий действа, где главный герой — тот же, сценаристы, режиссеры, и прежде всего, зритель в роли массовки — те же, то, уже зная стиль, манеру игры всей этой известной публики по прежним спектаклям, можно было предположить, как будет развиваться грандиозное выборное шоу на этот раз. Можно было с большой уверенностью предсказать, что кремлевские шоумены, постановщики гиперспектакля «выборы — 2004» вряд ли откажутся от ими уже однажды найденной и прекрасно воздействующей на зрителя-избирателя фабулы — накануне выборов хорошенько напугать публику, сконструировать для нее образ врага, против которого восстанет «чудо-богатырь» Путин и защитит свой народ, спасет его от очевидной всем опасности, отведет беду.

Понятно, что технология «Путин — народный защитник», ловко сработавшая в гиперспектакле чеченского терроризма президентских выборов 2000 года, прежде всего благодаря умелой прорисовке образа «врага народа — исламского террориста», в новых условиях потребовала сюжетных перемен, иначе избиратель, уже однажды обманутый, так и не дождавшийся окончания «маленькой победоносной чеченской войны», сразу бы понял, что его вновь нагло водят за нос. Так что в 2004 году нам уготовили гиперспектакль с новыми вариациями сюжета, но в формате все той же полюбившейся народу сказки про «чудо-богатыря».

Политтехнологи стали проталкивать сценарий «Путин — победитель международного терроризма», который предусматривал союз с США и президентом Бушем, имитацию совместной борьбы Путина и Буша с международным исламским экстремизмом. Всем хороша была идея: довольная Америка наблюдала, как Россия покорно следует в ее фарватере, критические поползновения радикально настроенных сил России власти придавили, запретили как экстремистские. Не давая зрителю дремать и скучать, его внимание будоражили постоянным напоминанием «трагедии

11 сентября», чтобы избиратель в панике и ужасе снова возжелал от президента самых радикальных и жестких действий, воспринимая его как спасителя. Напоминания эти были не только словесные, по «странному совпадению» именно накануне президентских выборов, в последний предвыборный год случились взрыв во время рок-фестиваля «Крылья» (16 погибших), взрыв автобуса с милиционерами в Северной Осетии (3 погибших), взрыв госпиталя в Моздоке (50 погибших), два теракта в пригородных поездах в Ессентуках (48 погибших)... Но и у этого сценария оказались серьезные изъяны: во-первых, нас уже пугали терроризмом на прошлых выборах и пуганый электорат догадывался, что угроза терроризма не что иное, как спецэффекты в арсенале политтехнологов, во-вторых, и это главное, американское союзничество не поглянулось десяткам миллионов российских избирателей, чьи голоса рассчитывали заполучить политтехнологи, — «медовый месяц» любви к США у России давно позади.

Но на то кремлевские пиарщики и Яковы, что у них товара всякого. Кремль уже давно примеривался, обкатывал сценарий «Путин — защитник страны от олигархов». Олигархов сначала символизировали отдельные одиозные личности вроде Березовского и Гусинского, предусмотрительно удаленные из России со всеми своими награбленными миллиардами. На время выборного шоу для «оживляжа сценарного действа» к ним был удачно присоединен Ходорковский, к этому времени увлекшийся настолько, что стал намекать на свое возможное участие в президентских выборах 2008 года. Больше никого не тронули, хватило шума, поднятого вокруг Ходорковского и «Юкоса». Сценарий же «Путин — борец с олигархами» хорош еще и тем, что в нем подспудно таился намек на противоборство Путина с еврейским засильем. Избирательную массовку усиленно подталкивали к мысли, что такова «тайная доктрина» Путина, и часть националистически настроенных избирателей охотно заглотнула наживку, в наивном восторге побежала голосовать за Путина.

Выборы 2004 года прошли с триумфом для нашего героя. «Всенародная любовь», взошедшая на компосте политических технологий, удобренная административным ресурсом, то бишь циничной возможностью фальсификаций, расцвела на ниве, где прежде выпололи всех хоть сколько-нибудь опасных для Путина соперников и конкурентов, да еще протравили ту выборную ниву «гербицидами» в виде компромата, шантажа и прямых угроз тем незваным «сорнякам», кто посмеет высунуться, как высунулся Глазьев. Но уже скоро появился на горизонте времени мираж новой президентской кампании — 2008 года, и старую песню затянули на новый лад.

В россыпи сценариев выборного шоу преемника Путина предлагались очень рискованные авантюры, но ничего не поделать, власть стоит свеч. К примеру, было перспективно действо — «преемник Путина — защитник народа в беде». Но для развития такого сюжета требовалась катастрофа, стихийное бедствие, техногенное крушение со многими жертвами, где преемник Путина мог явиться во всем блеске спасителя, сострадальца, разделяющего с народом общее горе. Повторить гениальную сцену Председателя Совета Министров СССР Н. И. Рыжкова, который, будучи во главе Правительства, ничего не сделал, чтобы предотвратить катастрофу страны, но его благодарно помнят и любят за одну-единственную слезинку, так хорошо и так вовремя скатившуюся по щеке премьера на развалинах Спитака во время армянского землетрясения. Однако если «слезинку преемника» заказать можно, стихийное бедствие на то и стихийное, его к выборам не закажешь, а техногенная катастрофа еще не известно чем обернется, может стать угрозой и для самих властей. Ведь и так газеты сумрачно размышляли: «После черного августа 2000 года, с терактом на Пушкинской, с гибелью экипажа атомной подводной лодки «Курск» и пожаром на Останкинской башне, ситуация стала напоминать первые годы горбачевщины: трагедия «Новороссийска», Чернобыль, авария подлодки «Комсомолец», взрыв газопровода под Уфой... Вернулись тяжкие предчувствия». Вот почему сценарий со стихийным бедствием или катастрофой припасен на самый крайний случай.

На чем же остановились пиартехнологи, разрабатывая стратегию выборов преемника Путина — Медведева? Они избрали простенький, незатейливый ход — представить Медведева *наследником* Путина, то есть почти родным, практически сыном. «Царь-батюшка» Путин, возивший с собой наследника, представлявший его то на саммите глав СНГ, то на совещаниях глав администраций государства Российского, то во время переговоров на международном уровне, — вот что было главной находкой Сурковых с Павловскими в 2008 году. Весьма недорого и, главное, населению очень доходчиво внушают: наследник делает на властном поприще первые самостоятельные шаги под отеческим приглядом «папаши» Путина.

ПРИ ПРЕЗИДЕНТЕ ПУТИНЕ

Награжден разрушитель России Ельцин высшей наградой страны

«Президент РФ Путин подписал Указ о награждении г-на Ельцина орденом «За заслуги перед Отечеством» первой степени. Прежде чем принять это решение, Путину полезно было бы ознакомиться с многотомным заключением Специальной комиссии Государственной думы от 15 мая 1999 года. Там сформулированы признаки тяжких преступлений, совершенных Б. Ельциным, когда он был Президентом РФ. Это разрушение Советского Союза, расстрел Верховного Совета РФ, развязывание войны в Чечне, разрушение российской армии, геноцид русского и других народов России. Все эти деяния содержат признаки таких тяжких преступлений, как государственная измена, заговор с целью захвата власти, умышленное убийство при отягощающих обстоятельствах. Однако, по мнению Путина, бывший Президент РФ за все это достоин высших почестей».

«Советская Россия», 4 декабря 2001 г.

Дорушена государственную власть

«Существующая в России политическая система не поддается определению в рамках действующей мировой типологии таковых. Наблюдается некий симбиоз: налицо регент (бывший президент России), наследник (нынешний президент), теневая власть, состязательная олигархия, полное исключение участия населения в судьбоносных процессах. И все это на фоне «борьбы за сохранение и углубление демократии». Вместо системы ответственной государственной власти Администрацией президента Путина сформирована, по существу, частная корпорация под названием «государственный аппарат», приватизировавшая функции государства и делающая бизнес на продаже должностей в госаппарате, силовых структурах, Федеральном собрании и других органах, на продавливании хорошо оплачиваемых законов, указов президента, решений правительства».

«Независимая газета», 20 января 2003 г.

Расплодились во власти воры

«В 2001 году в целом по России зарегистрировано почти 8 тысяч фактов взяточничества, что в четыре раза превышает аналогичный показатель состояния преступности 1991 года. В первом полугодии 2002 года количество преступлений указанного вида достигло уже 5,4 тысячи».

Информационно-аналитическая справка к заседанию межведомственной комиссии Совета Безопасности РФ по вопросу: «О состоянии борьбы с коррупцией в правоохранительных органах РФ».

«В московских деловых кругах Касьянова называют Миша Два Процента — именно такие комиссионные, мол, получает он за любую сделку, договор или закон, приносящие выгоду московским капиталистам... Швейцарский следователь Лоран Каспер Ансерме пришел к заключению, что четыре миллиарда 800 миллионов американских долларов, предоставленных России Международным валютным фондом в августе 1998 года, до Москвы так и не дошли, а по команде Михаила Касьянова, тогда министра финансов Российской Федерации, были переведены на зарубежные счета».

«Коммерсант», 18 июня 2000 г.

«Вот строки из документов Счетной палаты, проверявшей законность проведения аукциона по продаже акций «Сибнефти»: Все три конкурса проведены с нарушением действующего законодательства. Члены конкурсной комиссии, представляющие интересы государства, явно действовали в пользу участников конкурса — фирм, контролируемых Б. Березовским и Р.Абрамовичем... Несмотря на вышеперечисленные нарушения, конкурсные комиссии, в состав которых входил Волошин А.С., признали состоявшиеся результаты указанных аукционов, т.е. способствовали незаконному получению Березовским и Абрамовичем 85 процентов акций «Сибнефти», чем нанесли крупный ущерб федеральному бюджету».

«Совершенно секретно», №8, 1999 г.

«Министр труда Починок прикупил себе квартиру за 6 миллионов рублей и свозил юную жену на роды в одну из самых дорогих клиник США, заодно сделав своего дражайшего отпрыска гражданином США».

«Завтра», №10, 2002 г.

Усугубились бедность и нищета

«Быстро увеличивается число семей, проживающих за чертой бедности. За один год этот рост составил почти 8 процентов. Сегодня эту черту переступили 22 миллиона семей, или каждая вторая.

«Права ребенка», №2, 2001 г.

«Размер базового федерального ежемесячного пособия на ребенка составляет 70 рублей (4 процента от официально установленного прожиточного минимума!)... Каждая вторая семья, имеющая одного ребенка, живет ниже черты прожиточного минимума. Там, где двое детей, бедность уже в 65 процентах семей, а где трое детей — в 85 процентах».

«Российская Федерация сегодня» №12, 2003 г.

Ускорился демографический кризис

«С 2001-го по 2003 год количество детей в России (до 18 лет) уменьшилось на два миллиона 800 тысяч человек».

«Российская Федерация сегодня» №12, 2003 г.

«В 2001 году показатель материнской смертности в России был в пять раз выше, чем в Узбекистане, и в 27,5 раз выше, чем в Финляндии».

«Права ребенка», №2, 2001 г.

«В 2002 году уровень материнской смертности превысил на 30 процентов тот же показатель 2001 года».

«Стрингер», июнь 2003 г.

«Только за последние два года в стране закрыто более двух тысяч детских больниц, поликлиник, родильных домов. Сокращено финансирование программ «Дети России» — на четырнадцать процентов, «Дети-инвалиды» — на шестнадцать, «Дети-сироты» — на шесть процентов».

«Российская Федерация сегодня», №8, 2003 г.

«Если в 2001 году на одну тысячу населения приходилось 15, 6 смертельных исходов в результате болезней, то в 2002 году — уже 16, 3... Увеличение числа умерших в 2002 году отмечалось в 78 регионах России. В целом по стране превышение числа умерших над числом родившихся, как и в 2001 году, составило 1,7 раза, причем в 24 регионах — 2 — 3 раза... Десять регионов России с наиболее высоким общим коэффициентом смертности в 2002 году в порядке убывания: Псковская, Тверская, Новгородская, Тульская, Ивановская, Смоленская, Ленинградская, Владимирская, Костромская области, Коми-Пермяцкий АО».

«Стрингер», июнь, 2003 г.

Лишены будущего дети России

«По данным Правительства, в стране один миллион беспризорных детей. Генпрокуратура называет другую цифру —

три миллиона. Независимые эксперты считают, что у нас 4—5 миллионов детей выброшены на улицу».

«Российская Федерация сегодня», №17, 2002 г.

«По данным опроса старшеклассников 77 процентов из них регулярно употребляют алкогольные напитки. Правоохранительные органы свидетельствуют, что 76 процентов потребляющих наркотики — подростки. Ежегодно на 9—10 процентов возрастает число зарегистрированных молодых наркоманов. Венерические заболевания среди молодежи возросли в десятки раз».

«Права ребенка», №2, 2001 г.

«Увеличивается насильственная смертность. Даже среди младенчества она составляет 8 процентов от всех умерших в этой возрастной группе. А смертность подростков от убийств, суицидов и травм достигла 84 процентов (то есть только в 2002 году по этим причинам погибло 28 тысяч детей в возрасте 12 — 16 лет)! Диспансеризация 2002 года показала, что более или менее здоровыми можно считать лишь четвертую часть детей в стране».

«Российская Федерация сегодня», №12, 2003 г.

Подтолкнул отчаявшихся к последней черте

«Суицид. 55 тысяч наших сограждан ушли из жизни за 11 месяцев прошлого года. В 1976 году на весь Советский Союз было 16 тысяч самоубийств».

«Права ребенка», №2, 2001 г.

Подорвана национальная безопасность страны

«СССР и Россия располагали всего двумя базами радиошпионажа за рубежом — на Кубе (Лурдес) и во Вьетнаме (Камрань). Обе базы традиционно вызывали сильнейшее неприятие со стороны США… Недавно Россия решила обе базы закрыть, что никак не отнесешь к нашим внешнеполитическим победам. Ведь значение такой базы важнее, чем маневры вражеского флота у берегов страны. Еще в 1993 году министр Революционных вооруженных сил Кубы Рауль

Кастро заявлял, что около 75 процентов информации разведывательного характера Россия получает с помощью Центра в Лурдесе...

«Версия» № 4, 29 января — 4 февраля 2002 г.

«Генштаб принял решение ликвидировать Российскую военную группировку в Приднестровье. Директива вступила в действие 1 октября 2002 года. После ликвидации кто будет охранять оружие, боеприпасы и военное имущество, скопившееся на складах 14-й армии? В конце 80-х годов под Тирасполь перевезены боеприпасы и тыловое имущество советских войск, оставивших Венгрию и Чехословакию. Сейчас в Приднестровье находится порядка 50 тыс. единиц стрелкового оружия, более тысячи автомобилей «Урал», полевых кухонь на 4—5 дивизий и обмундирования на 100 тыс. человек. В Россию предстоит вывезти порядка 16 тыс. тонн снарядов и еще 26 тыс. тонн по согласованию с ОБСЕ планируется уничтожить на месте».

«Новые известия», 9 октября 2002 г.

Добиты вооруженные силы

«По сведениям председателя думского Комитета по обороне Андрея Николаева, в текущем году в Вооруженные силы не будет поставлено ни одного самолета, вертолета, танка, БМП, зенитного комплекса... Как признал Александр Починок еще в бытность свою руководителем налогового ведомства, 90% предприятий оборонно-промышленного комплекса вообще никакого оборонного заказа не имеют, а если б и имели, не смогли бы его выполнить».

«Итоги», 10 апреля 2001 г.

«В 1991 году в СССР на вооружении находилось 64 тысячи танков (в два с половиной раза больше, чем у НАТО), 67 тысяч орудий и минометов (в два раза больше, чем у НАТО), 76 тысяч БМП и БТР, 6 тысяч самолетов и вертолетов (в 1,5 раза больше, чем у НАТО), 437 боевых кораблей 1-го и 2-го класса и более 3000 подводных лодок.

Сегодня у России осталось около 7 тысяч танков, около 10 тысяч орудий и минометов, 1500 самолетов, 100 кораблей и 80 подводных лодок.

«Завтра», №10, 2002 г.

«К прошлому году выведено из эксплуатации 189 подводных лодок».

«Период распада. Атомная отрасль России умрет и с деньгами из США, и без них».

«Версия» № 41, 21—27 октября 2002 г.

«Три года назад мы освобождали от призыва примерно 50 тысяч призывников с гипотрофией. Сейчас уже 80 тысяч. У 120 тысяч выявляем пониженный уровень питания. То есть 200 тысяч призывников у нас по сути дистрофики... В госпиталях таких больных 70 процентов».

«Права ребенка», №2, 2001 г.

Добита оборонная мощь России

«Автомобилестроение, авиастроение, металлургия, химическая и легкая промышленность, входящие в обороно-промышленный комплекс (ОПК), приватизированы уже на 80—90%. В авиастроении, например, акционировано более 240 предприятий, и всего лишь на семи из них у государства остался контрольный пакет акций, а на 94-х у государства вообще нет ни одной акции...

Основная цель программы «Реформирование и развитие оборонно-промышленного комплекса», этого детища Касьянова — Клебанова — Грефа: укрупнение предприятий ВПК путем слияния их по 5-10-15 фирм в так называемые «интегрированные структуры» или «холдинги». Образовавшиеся из ныне существующих 1600 с лишним предприятий оборонки «холдинги» тут же приватизируются.

На декабрь 2002 года, по данным Минимущества, приватизированы предприятия, имеющие лицензию на разработку и создание оборонной продукции, в авиационной промышленности — 73% (146 предприятий из 200), в ракетно-космической отрасли — 21,5%, в промышленности обычных вооружений — 66% (81 предприятие из 121), в радиопроме — 51% (66 предприятий из 129), в промышленности средств связи — 47% (43 предприятия из 90), в электронной промышленности — 68% (59 предприятий из 86), судостроительной промышленности — 44% (44 предприятия из 100)».

«Советская Россия», 17 июня 2003 г.

«По данным Минпромнауки, 29 процентов предприятий военно-промышленного комплекса полностью частные».

«Новая газета», №41, 9 — 15 июня 2003 г.

Лишили Россию космоса

«Постановление Правительства Российской Федерации «О завершении работы орбитального пилотируемого комплекса «Мир» было подписано Председателем Правительства РФ Касьяновым 30 декабря 2000 года. 23 марта 2001 г. станция «Мир» была сведена с орбиты и затоплена в акватории Тихого океана».

«Завтра», №43 2002 г.

«Ученые едины во мнении, что уничтожение орбитальной станции нанесло урон отечественной космонавтике… Решение о ликвидации «Мира» принято под давлением США. То, что ее утопили на участке, контролируемом 7-м американским флотом, — прямая угроза безопасности России. В руки американцам передано почти 12 тонн бесценной космической аппаратуры… Американцы полностью контролировали спуск «Мира». Информация из ЦУПа напрямую передавалась в НАСА. В итоге они получили ценнейшую информацию, которая позволит им вычислить нашу суперсекретную схему управления высокоточными баллистическими ракетами. То, за чем их шпионы безуспешно охотились десятилетиями, буквально свалилось с неба прямо им в руки!»

«Отчизна», №11, 2003 г.

Возобновилась бойня в Чечне

«Американцы воевали в Ираке 21 день, мы в Чечне — семь с половиной лет. Потери США и Англии — 132 убитых. Наши потери в Чечне перевалили за 10 тысяч. Иракцев погибло около 4 тысяч. В Чечне — более 100 тысяч. Территория Ирака: 438,3 тыс. кв. км, население — 22 миллиона. Чечня: территория 16 тыс. кв. км, население — 1 миллион».

«Московский комсомолец», 11 апреля 2003 г.

Россия стала рабой Америки

«Подводя итоги прошедшего года, приходится констатировать очередной виток геополитического отступления России. Пожалуй, ни одна страна мира, начиная с уровня региональной державы, не понесла столь масштабных геополитических потерь, как Российская Федерация.

Москва добровольно отдала Соединенным Штатам все постсоветское пространство… В Центральной Азии прочно закрепились американо-натовские базы… Геополитический откат России наблюдается и на европейском направлении. Невнятная позиция администрации Путина в вопросах выхода США из договора по ПРО, принятие резолюции СБ ООН по Ираку, самоустранение от процесса балканского урегулирования, поддержка американцев в их экономическом противоборстве с ЕЭС вызвали разочарование в европейских столицах. Пражское решение о включении стран Балтии в НАТО, принятое под аплодисменты в Москве и Санкт-Петербурге, где сразу же после этого прискорбного для нашей страны акта президент РФ торжественно встречал своего друга Джорджа Буша …

«Независимая газета», 20 января 2003 г.

«Беспрецедентным свидетельством усиления антитеррористического альянса США и России стала информация о том, что Москва дала свое согласие на транспортировку американского военного снаряжения в Афганистан через территорию России…. В течение нескольких месяцев огромные партии американского вооружения переправляются железнодорожными составами через территорию России — из северных портов Мурманска и Хельсинки и из Владивостока... Президент России Владимир Путин способствовал продвижению американских вооруженных сил на бывшие советские военные базы в Узбекистане, Киргизстане и Таджикистане...»

«Стрингер», ноябрь 2002 г.

Стала невыносимой жизнь граждан России

«В России более 40 процентов работников предприятий и организаций заняты на тяжелых и вредных работах...

Ежегодно на производстве более 360 тыс. человек получают увечья, около восьми тысяч погибают...

По данным Госстроя РФ, 80 процентов граждан страны нуждаются в улучшении жилищных условий...

Уровень реальных денежных доходов населения снизился по сравнению с 1991 годом примерно на 50 процентов...

Число граждан, имеющих доходы ниже прожиточного минимума, составляет около одной трети населения».

Из доклада Уполномоченного по правам человека в Российской Федерации О.О.Миронова, «Новая газета», №42, 16 — 18 июня 2003 г.

«В 2001 году среди юношей призывного возраста только 68 процентов по состоянию здоровья были годны к воинской службе. В стране 12 миллионов инвалидов (в 1985 году их было 3,9 миллиона)».

«Стрингер», июнь 2003 г.

Народ подвели к критической черте — уничтожению генофонда

«За время пребывания у власти новой администрации созданы тепличные условия для развития алкогольного рынка. По темпам роста он опережает даже нефтяной. Начиная с 1991 года в России идет рост потребления спиртного. В пересчете на каждую живую душу к 1996 году мы выпивали примерно 7,5 литра чистого алкоголя. В 2001 году мы пили уже по 17 литров. При том, что Всемирная организация здравоохранения считает, что уже при среднем показателе в 14 литров начинается вырождение генофонда.

Начиная с 99-го каждый год мы приращиваем в питии примерно на четверть. Например, в этом году спирта россияне уже выпили на 18 процентов больше, водки — на 10, коньяка — на 37, пива — на 60! Так в чем же дело? Почему в конце срока такого, скажем мягко, выпивающего президента как Ельцин, народ вроде стал пить меньше, а у ведущего исключительно здоровый образ жизни Путина — дошел до критической отметки? Ответ — в действиях руководства страны, которая в последние годы проводит политику спаивания собственного народа.

«Московский комсомолец», 14 октября 2002 г.

«В 2002 году 40 тысяч 121 человек скончался в России от алкогольного отравления. По сведениям Национальной алкогольной ассоциации, это почти на две тысячи больше, чем в 2001 году».

«Версия», 24 — 30 марта 2003 г.

Наркомания стала эпидемией

«Наркомания в России приняла характер эпидемии, угрожая генофонду нации. Нет ни одного субъекта Федерации, свободного от этой напасти, — к такому выводу пришли участники парламентских слушаний в Государственной думе.

В России количество потребляющих наркотики, по официальным данным, достигло трех, по неофициальным — шести миллионов человек. Около двадцати миллионов, в том числе пять миллионов учащихся, наркотики пробовали. За десятилетие число подростков, больных наркоманией, выросло в 10 раз, смертность — в 12, а среди детей — в 42 раза. По данным МВД России, за это же время число зарегистрированных преступлений, связанных с наркотиками, выросло на 1407 процентов! Ежемесячный оборот зелья только в Москве и Санкт-Петербурге составляет 90 миллионов долларов».

«Российская Федерация сегодня», №21, 2002 г.

Разнуздан криминал

«По числу умышленных убийств на 100 тыс. населения страна занимает второе место в мире…

В 2002 году остались нераскрытыми 924,2 тысячи преступлений из числа зарегистрированных, то есть практически каждое третье преступление не раскрывается…

Ежегодно прокуратура выявляет свыше 100 тыс. преступлений, скрытых милицией.

В отечественном законодательстве до сих пор отсутствует состав преступления, определяемый термином «коррупция»…

Из доклада Уполномоченного по правам человека в Российской Федерации О.О.Миронова, «Новая газета», № 42, 16 — 18 июня 2003 г.

Отдана Россия на разграбление

«В России, по мнению журнала Forbes, в 2003 г. насчитывается 17 человек, состояние которых превышает один миллиард долларов. Летом прошлого года их было семь. Список российских миллиардеров, как и в прошлом году, возглавляет Михаил Ходорковский («ЮКОС Ойл»), состояние которого оценивается в 8 миллиардов долларов (в 2001 г. — 3,7). За ним следует Роман Абрамович («Сибнефть», «Русский Алюминий») с 5,7 миллиарда (в 2001 году — 3). Состояние Михаила Фридмана («Альфа-групп») на начало 2003 года оценивается в 4,3 миллиарда долларов (в 2001 году — 2,2). Виктор Вексельберг (ТНК) впервые попал в список Forbes с 2,5 миллиарда долларов…»

«Отчизна» №11, 2003 г.

«Полгода идет следствие по факту хищения 786 тонн золота. Генпрокуратурой уже найдены самолеты, страны, банки, куда все увезли… 14 миллиардов долларов лежат сейчас в Бельгии невостребованными. Мы знаем, что и сейчас каждый год по 20 миллиардов долларов уходит из страны — теневые потоки так называемые. Но меры никакие не принимаются по пресечению ни одного из этих преступлений».

«Отчизна», №10 2003 г.

«У нас творится небывалое в мировой истории: природная рента достается владельцам и менеджерам добывающих компаний. Ими присваивается до 80 процентов сверхприбыли. А ведь в основных нефтедобывающих странах доля государства в доходах от добычи нефти составляет от 60 до 90 процентов».

«Российская Федерация сегодня», №20, 2002 г.

КАК ИЗ НАС ДЕЛАЮТ БЫДЛО

Виртуальная Россия в кривых зеркалах экрана

Сколько шума, сенсационной суеты наделала овечка Долли, полученная шотландскими генетиками путем клонирования из клетки! Какие страсти разгорелись вокруг не планов даже, пока только идеи создания в будущем такой же искусственной, как овечка, копии человека! Гудел весь мир, возмущенный безнравственностью ученых, и вправду потерявших всякий страх Божий. А в это время у нас в Москве, на Шаболовке, в Останкине, тихо-мирно, без скандалов и сенсаций полным ходом продолжается работа по созданию человеческой роботомассы. Здесь экспериментируют со *словом как инструментом для получения* **управляемой биомассы.** Испытательный полигон — 140 миллионов отечественных душ.

Да, именно **слово** средствами технического прогресса превращено в опасную агрессивную силу, направленно меняющую человеческое сознание, принудительно действующую как на отдельные личности, так и на нацию в целом. Человечеству и прежде было известно о грозной силе слова, как разящей, разрушительной, так и созидательной, целительной. Не случайно из поколения в поколение передавалось в назидание — за измену *слову* мщения не избежать. О силе *слова,* о его организующем воздействии на земной мир знаем из учения Русской Православной Церкви. Евангелие глаголет: «*Искони было Слово*». Св. Писание исповедует: «*Словом Божиим Небеса утвердились*». И это не метафора. Каждое Таинство Св. Церкви говорит о том, что Слово есть Дело, через Слово действует Святой Дух. Церковь предает анафеме колдунов и экстрасенсов, тех, кто творит словом зло.

Но если опыт предков и Церковь не авторитет досужим неверам, поверьте современной науке — волновой генетике, которая опытным путем доказала реальность словесного воздействия на ДНК человека, и целительного воздействия слова на человеческую генетику, и губительного. Молекулярный биолог доктор биологических наук Петр Гаряев на основе многочисленных экспериментов показал, что наследственный аппарат всего живого понимает человеческую речь. *Слово,* представляющее собой волновое поле, попадая на генетический аппарат животного, растения, человека, передает ему команды, которые воздействуют на генетику живых организмов. Над радиационно поврежденными семенами читали молитвы на русском, немецком, английском языках и в этом же ряду просто несли абракадабру. Семена поняли молитву на всех языках: радиационно убитые, разрушенные клетки ответили на нее всхожестью, но к абракадабре остались глухи: не взошли! Другие эксперименты показали, как словесное воздействие способно разрушать, искажать генетику живого организма. Любое существо, и человек не исключение, представляет собой принимающую и излучающую антенну. Каждое слово, услышанное или увиденное нами, слышат не только наши уши, видят не только наши глаза, но вся наша личность несет в себе (хотим мы того или нет, это от нас не зависит) отпечатки — «впечатления» услышанного и увиденного. Вторгаясь словом в генетику человека, можно изменять его личность, руководить его действиями, формировать из людей, из целых народов послушную биомассу — армию биороботов. По сравнению с этим открытием одинокая овечка Долли — всего лишь забавная детская игрушка, не более. Выработка биоматериала из народов России путем словесного воздействия уже поставлена на теле-, радио-, газетный поток, и все явственнее, все значительнее в обществе продукт этого страшного поточного производства.

Для чего нужны в эпоху переживаемой нами демократии управляемые человеческие стада, что за пастухи гонят нас заранее уготованными тропами и в какие стойла? Главная цель погонщиков — власть, получаемая ими на всеобщих, прямых, равных и тайных выборах. Все эти рвущиеся сегодня к власти погонщики нетерпеливо щелкают бичами: но-но, родимые, безмозглые, безвольные, вперед, голосовать!

Уговоры, обещания, понукания, гиканье, или, выражаясь языком науки, словесная обработка электората, имеют серьезную научно-исследовательскую основу. Платежеспособным клиентам готовят избирательные программы целые научно-исследовательские институты, лаборатории, аналитические центры, в арсенале которых интенсивная психология — умело направленное мощное воздействие на психику человека. Здесь главный инструмент — методы нейролингвистического (словесного!) программирования. Это страшнее, эффективнее любого зомбирования, потому что всякое зомбирование обычно понуждает человека совершать примитивные действия в достаточно короткий, ограниченный отрезок времени, нейролингвистическое же программирование напрямую воздействует на подсознание человека, как антенну настраивает его на волну поступающих извне команд, и способность к «приему» может сохраняться у человека без ограничения во времени.

Людей, подвластных чужому слову, в выборных кампаниях не менее 35 процентов. Эту цифру называли и американские консультанты после победы Ельцина на президентских выборах в 1996 году, когда говорили об эффективности своих избирательных технологий. Сегодня побеждают не сами кандидаты в депутаты, мэры, президенты (вы только вглядитесь в них, разве нормальному человеку с непомутненным рассудком придет в голову сказать о них: «Я хочу, чтобы они управляли мной, моей страной»?), ясно, что побеждают выборные технологии. Российские специалисты не хуже американских владеют искусством одурачивания. Алексей Ситников, например, консультант в избирательной команде Ельцина, оттачивал свое искусство в *лаборатории активных средств психологического* **воздействия** Академии общественных наук при ЦК КПСС. Вице-президент Международной академии психологических наук А. Жмыриков, бывший заведующий кафедрой психологии на Высших курсах КГБ СССР, еще в 1979 году возглавлял секретную научную лабораторию, в которой отрабатывались *специальные методики по воздействию на* **сознание.** Методики эти до сих пор государственная тайна, но разве не парадокс, что секретным оружием бывший офицер КГБ запудривает мозги не врагам России, а за высокие гонорары оболванивает граждан России. Все равно, что офицер-ракетчик на боевом дежурстве даст команду «Пуск» комплексу, нацеленному на Ярославль с Костромой или Тюмень с Томском, только потому, что ему, офицеру-ракетчику, кто-то за это хорошо заплатил. Если один офицер за хорошую плату может секретным оружием дурить головы своему народу, то почему другой офицер за ту же плату не может их вовсе поотрывать?..

Нас убеждают, что технологии «промывания мозгов» — всего лишь безобидная агитация, рекламные трюки. На самом деле воздействие подобных технологий на нацию страшнее бомбардировок, потому что информационное оружие поражает генетику человека, воздействует не только на конкретного человека, но и на его потомство. Это генетическое оружие с обманно успокаивающим названием «информационное» по своей мощи, по своему поражающему воздействию должно по праву занимать сегодня ключевое место в ряду оружий массового поражения, и занимает. Только те, кто пользуется им, никогда добровольно не признаются в том, хорошо сознавая, что это тягчайшее преступление против человечества.

Но и без признаний мы воочию видим масштабы поражающей силы информационного оружия, эффективность технологий информационного террора, когда население России все больше и охватнее превращается в блеющее, мычащее, послушное кремлевским властителям быдло. Чтобы убедиться в этом, достаточно анализа итогов голосований, результатов опросов, графиков рейтингов. В каком безумном порыве отдает большинство населения свои голоса тем, кто ободрал их до нитки, лишил всяческой социальной поддержки, отобрал у них бесплатные здравоохранение, образование, гарантию иметь жилье, работу и заработок, и, продолжая истощать им, коренным народам России, принадлежащие природные богатства, лишь обогащается сам и обогащает Америку?

Телевидение — наиболее эффективное техническое средство обработки сознания масс. Вот почему на заре «перестройки» первое, что сделали с нашими мозгами, — их максимально настроили на телевизионный передатчик. Появились невинные с виду, наивные по форме и содержанию «мыльные оперы», замельтешили на экранах сериалы «Рабынь Изаур» , «Просто Марий», из-за которых почти все население России, включая отнюдь не сентиментальных мужчин, стало сживаться с телевизором, не отходить от телевизора; мыслить телевизором. Из жизни большинства людей стали уходить книги, газеты, даже радио, с которыми человек чувствует себя гораздо более свободным в суждениях. Телевизор стал всем — окном в мир, другом, советчиком, сотрапезником, собутыльником, наконец. За сериалами последовал второй заранее рассчитанный информационный залп — на телеэкраны выпустили колдунов-гипнотизеров Кашпировского с Чумаком, чтобы опробовать массовое введение людей в транс на десятках миллионов подопытных. Без малого год проводились «психиатрические» сеансы, преступные по сути, чудовищные по своим последствиям, доказавшие, что средствами нейролингвистического программирования, словесного, а потому, на первый взгляд, безобидного воздействия, можно легко и безгранично увеличивать число внушаемых людей.

Нейролингвистическое воздействие на наши умы, искажающее здравые, нравственные понятия, подобно жесткому радиоактивному излучению, когда крови нет, кости целы, а человек болен, ничтожен, немощен, того и гляди замычит. Да и как сохранить ясный ум и твердую память, если реальный мир с его действительными понятиями добра и зла, истины и веры все время предстает в кривых зеркалах телеэкрана. Одно из зеркал искаженно представляет происходящее, другое — уродует русское языковое общение, третье — искривляет наше здравое восприятие мира с позиций добра, справедливости, правды, четвертое — ломает каноны национального мышления... И все эти экранные кривды, фокусируясь в человеческом мозгу, формируют из нормального человека безвольного, безрассудного, легко управляемого, послушного чужой злой воле болвана, готового голосовать за кого велят, — чего и добиваются специалисты по информационному террору.

Для искажения информации не обязательно всегда нагло врать, достаточно нескольких простеньких приемов сокрытия правды через умолчание — и цель достигнута. История с дефолтом 17 августа 1998 года тому пример. В течение года мы слышали ежедневные почти военные сводки теленовостей: «доллар вырос — рубль упал». А что, доллар — цветок в горшке, который растет на биржах и вянет под воздействием природных стихий? И с какой такой крыши «стремительно падает» рубль? Но эти двое субъектов — доллар и рубль — навязывались нашему сознанию прямо-таки в очеловеченном виде, они могли самостоятельно расти, безоглядно падать, отчаянно бороться друг с другом, но с помощью олицетворения, литературного словесного приема умело скрывалась информация о том, кто на самом деле проделывает преступные финансовые аферы с валютой в стране, пока прикованные к телеящику граждане-зрители привычно заворожённо, словно это очередной мыльный сериал, наблюдали, как вчера рубль чуть приподнялся, а сегодня, несчастный, опять упал, хорошо хоть не разбился, — переводили дух телезрители. Дело, как известно, кончилось разорением сотен тысяч простаков, прозевавших спланированную финансовую катастрофу.

Более сложный маневр искажения информации: инсценировка событий, своего рода театральный розыгрыш с немногими посвященными в пьесу участниками-лицедеями. Горько признавать, но почти все мы когда-то оказались доверчивыми зрителями спектакля под аншлаговым названием «Бунт Ельцина против Коммунистической партии и Горбачева». И конфликт был ненастоящий, и герои — противники по сюжету пьесы — деловито обсуждали дальнейшие коллизии за кулисами, настоящей была только развязка, та, что произошла в Беловежской Пуще, настоящими были аплодисменты одураченных ротозеев за бутафорской победой «демократии над тоталитарным режимом» прохлопавших развал страны. А вот «инсценировка» масштабом помельче, как говорится, для частных нужд и выгод.

Поимку жуликов с долларами в пресловутой коробке из-под ксерокса сами жулики через кривое зеркало своего телеэкрана представили в виде попытки... государственного переворота. Помните, как лихо закрутили сюжет! Посреди ночи внеплановый эфир, всклокоченный Киселев на экране, разбуженный демократами Лебедь, ощущение, что он в исподнем и ночном колпаке рычит о пресечении очередного ГКЧП. Обыватели дрессированно припали к экранам, заблажили «лишь бы не было войны», минута высшего напряжения, многократно усиленная решительными призывами демократов всех шерстей «стоять до конца», — и вот она, развязка, моментальная, как во всяком подобного рода лицедействе: «заговорщики» Сосковец, Коржаков и Барсуков, заклятые враги Чубайса, организовавшего аферу с коробкой из-под ксерокса, и все те, кто поймал воров с поличным, сняты президентом Ельциным со всех постов, победители Березовский с Чубайсом дают пространные интервью, глупые зрители, облегченно вздохнув, — переворот отменяется, войны не будет, — натягивают одеяла на головы.

Меняются лишь подмостки и актеры, сама режиссура одурачивания народа уже второе десятилетие остается прежней. Инсценировка к первой президентской кампании Путина, к примеру: чеченцы угрожают будущему президенту России физическим уничтожением. Какой ход в выборной гонке: кандидат в президенты подвергается смертельной опасности, но не трусит, делает смелые заявления, появляется на людях, а телекамеры напряженно следят за всеми передвижениями героя, зрители в азарте не отрывают глаз от телеэкрана: убьют — не убьют... Не убили — и всеобщее облегчение!

Особым случаем искажения информации являются так называемые рейтинги, которые готовят почву для нужных властям итогов выборов. Уже в 2000 году стало очевидно, что с уходом Ельцина конец эпохи разрушения государства Российского не наступит: президентский пост, как эстафетную палочку, принялись передавать друг другу так называемые преемники, не интересуясь при этом волей народа, а попросту подделывая ее под себя именно при помощи рейтингов.

Эстафета преемников опирается на феномен высокого рейтинга очередного назначенца в президенты. Все годы президентства Путина он имел запредельный рейтинг — 70—80 процентов поддержки населения. В 2007 году у толком никому не известного Дмитрия Медведева рейтинг тоже был просто рекордный, ни один самый успешный и любимый народом лидер, много лет управлявший государством, не мог бы похвастаться таким. Всероссийский опрос ВЦИОМ в январе 2007 года, согласно данным авторитетного журнала «Профиль», привел фантастическую, запредельную цифру — 82 процента избирателей готовы проголосовать за Медведева на выборах президента России. С чего это вдруг так прытко скаканул рейтинг Медведева с ничтожных четырех процентов, что замеряли в опросах населения еще год назад? Что за повальная любовь фонтаном забила из щедрых русских душ? Любовь эта именуется манипуляцией. Был опрос — был. Сколько человек опросили? — 1600 респондентов в 153 населенных пунктах 76 областей. Как проверишь? А никак! Многие граждане, потрясенные огромной цифрой рейтинга, кинулись сами опрашивать своих родных и знакомых, действительно ли народ так возлюбил очередного преемника. Ответы родных и знакомых с рейтингом упорно не сходились. Если кто и собирался голосовать за Медведева, то исключительно потому что «больше не за кого». Где же эти пламенной любовью обожающие преемника проценты?

Ни для кого из пиартехнологов не секрет, что процент искренних ответов на вопросы социологов крайне низок. Не потому что люди склонны ко лжи или скрытны по характеру. А потому что мало кто желает впускать в свою душу какого-то стороннего, неизвестного ему чужака. Даже если социологи вас спросят, какой вы пьете сорт чая или какое радио слушаете, не все готовы признаться в том, что три раза шпарят заварку кипятком, или наслаждаются творениями радио «Алла». Кто-то постесняется своей бедности, кто-то приукрасит свой моральный облик, не суть. Главное, правды не скажут очень и очень многие. А теперь представьте, что социологи вам звонят по телефону домой, то есть знают, где вы живете, и весьма угрожающе интересуются, как вы относитесь к будущему президенту России, которого все равно выберут. И какой простак признается, что глаза бы его на преемника не смотрели. А если вы живете в маленьком городке, где все друг друга знают, и в результате своей простодырой искренности можете потерять работу, и у жены будут неприятности, и дочку в школе замордуют… «Нет уж, ищите дурака! А я вам правды все равно не скажу!» Вот психологическая причина неправдоподобно высоких рейтингов преемников президентского кресла. Но эти фальшь-рейтинги рикошетом бьют по нам же, ибо, доверяя лжеопросам, избиратель пытается следовать за общим мнением толпы, которого не существует.

При помощи телевидения манипуляторы массовым сознанием применяют особые приемы давления на человека. В обыденной жизни мы редко слышим команды, телевизор вколачивает их в нас одну за другой, как гвозди забивает в наши головы: *покупай* дубленки, *пей* кофе, *выбери* меня, *раздави* гадину.., телевизор шантажирует: «*заплати* налоги и *спи* спокойно», а то и вовсе угрожает, запугивает: «*голосуй, а то проиграешь*»…

Ежедневно включая телевизор, люди подвергают себя словесному насилию, в полной мере подпадающему под статьи Уголовного кодекса Российской Федерации за принуждение, угрозу, шантаж, запугивание. Это прямое причинение человеку вреда, и не важно, что одним лишь *словом*. Законодательство признает подобные действия уголовным деянием, но, к сожалению, только в тех случаях, когда их совершает частное лицо против частного лица, за массовое же *телезапугивание*, общероссийский *телешантаж*, всенародное *телепринуждение* никто ответственности не несет, хотя эти деяния архипреступны и по целям, и по результатам своего воздействия.

Кривые телезеркала умышленно меняют привычные, веками складывавшиеся законы национальной жизни, формируют ложные идеалы, искажают правильное, с позиций добра и истины, совести и справедливости, восприятие людей и событий, создают «виртуальную реальность» — придуманный образ страны, то нищей и никчемной, не способной себя ни прокормить, ни защитить, как это демонстрировали при Ельцине, и это было тогда, когда Россия еще сохраняла и мощь, и силы для сопротивления разграблению, то вдруг все в той же виртуальной реальности наша страна предстала могучей и процветающей, поднявшейся с колен, как беззастенчиво стали лгать при Путине именно тогда, когда вымирание населения достигло более трех с половиной миллионов душ в год!

«Виртуальная Россия» — страшное достижение нынешних манипуляторов мозгами, злоумно воспользовавшихся успехами в области компьютерных игровых программ. Виртуальная, то есть искусственно нарисованная в недрах компьютерных извилин, «действительность» заставляет человека поверить в то, что она существует. Известный случай, когда ребенок, привыкший в виртуальном компьютерном мире преодолевать препятствия поворотом головы, закончив развлечение, вышел на улицу и при встрече со столбом попытался разминуться с ним все тем же способом — повернув голову. Телеэкран погружает нас в свой виртуальный мир, и, когда надо выходить из него, окунаться в живую жизнь, смотреть на реальный мир своими глазами, не всякий уже в состоянии сделать это, сбросить с глаз пелену теленаваждения.

Блестящий урок по созданию виртуальной реальности российская власть получила от американцев, когда они, установив телекамеры на крыше гостиницы «Украина» в октябре 1993 года, показывали русским русскую национальную трагедию точно так же, как показывают охоту туземцев на слонов в африканских джунглях. Почти вся Россия, уже приученная к стрельбе и погоням в телебоевиках, припав к телевизорам, с азартом следила, возьмут «Белый дом» или не возьмут, будет штурм или не будет… Повальное национальное равнодушие тогда, в 1993 году, — плод телевизионной виртуальной реальности. Грандиозная победа пастухов человеческих стад. Русские не восстали помочь русским, а, открыв рот, уткнувшись в телевизор, смотрели, будто кино, как убивают их единокровных братьев... Спустя пятнадцать лет те самые русские, что не поднялись выручать своих, начинают сознавать, что явились жертвами бескровной, но от этого не менее жестокой и сокрушительной бойни. На заседании «круглого стола» в Совете Федерации по проблемам демографии и охране здоровья детей в марте 2007 года прозвучала страшная цифра: за первые два месяца 2007 года население России уменьшилось на 561 тысячу 200 человек. Больше чем полмиллиона народу ушло на тот свет только за два месяца одного года! Но если в два месяца гибнет 561 тысяча 200 душ, то за год — в шесть раз больше. Умножим, чтобы получить реальную годовую потерю жителей России: три миллиона триста шестьдесят тысяч человеческих душ теряем ежегодно! А население России в это время благостно галлюцинирует в «виртуальной реальности».

Такие потери народонаселения — более трех с половиной миллионов в год — может нести только страна, ведущая активные боевые действия! Сравните с гибелью народа в годы Великой Отечественной войны. В войну на гораздо большей территории страны, включавшей, кроме России, Украину, Белоруссию, Крым, Кавказ, Прибалтику, Среднюю Азию, погибло более 20 миллионов человек. Если разделить эти потери на военных пять лет, то получается, что в самую кровопролитную для русского народа Великую Отечественную в стране с гораздо большим населением, чем сегодняшняя Россия, наш народ терял по четыре миллиона жизней в год. То есть сегодняшнее вымирание русских и других коренных народов России в абсолютных цифрах вплотную приближается к потерям народонаселения во время Великой Отечественной войны, а в соотносительных цифрах уже давно превысило эти потери.

Но то была война — жестокие бомбежки городов, многосотеннотысячные котлы, крупнейшие в мире сражения под Курском и Сталинградом... Тогда народ загибался от голода в блокадном Ленинграде. Захлебываясь в крови, тогда наши армии форсировали Днепр, штурмовали Кенигсберг, Берлин... Тогда тиф косил людей в эвакуации, а на оккупированных территориях после партизанских диверсий немцы десятками тысяч расстреливали заложников. А что происходит сегодня? Почему мы так же мрем? Ведь ни бомбежек, ни сражений, ни блокад, ни котлов, ни эпидемий, даже вторая чеченская компания, как нас уверяют, успешно завершена. Но народ гибнет так, как будто наша страна воюет, как будто новая Великая война вступила на нашу землю и смерть косит народ, заметьте, в тех же размерах, что в Великую Отечественную.

Вдумайтесь в еще одну цифру, озвученную в Совете Федерации: за те же два месяца, за которые мы потеряли больше полумиллиона человек, смертность трудоспособных мужчин превысила смертность женщин в четыре раза. Трудоспособных мужчин — это значит и боеспособных, — их прежде всего выскребает смерть. Но если в войну — в Великую Отечественную — это было понятно, воевали мужики, жизни свои клали за жен и детей, за Родину, за землю Отцов, то где эти фронты сейчас, на которых гибнут ваши мужья и сыновья, и кого они защищают, жертвуя собой?

А нет фронтов, и никого они не защищают, и собой не жертвуют. Наоборот, вместо достойного отпора насилию, творящемуся в России, — запрограммированные телевидением пьянство, наркомания, бандитизм, тихое или буйное помешательство, безвольное слабоумие. У высокой смертности трудоспособных, боеспособных мужчин две причины: потеря истинного смысла жизни, нет желания жить в бессмысленности, но напрочь подавлена успешно ведущейся информационной войной воля что-либо изменить к лучшему; вторая причина — страх, стремление приспособиться к этому подлому миру, выгрызть в нем себе норку и затихориться в ней, оправдываясь в собственных глазах, у меня-де семья, дети, старики-родители, их надо кормить. И что мы можем противопоставить этим всеохватным внушенным страхам, безволию, апатии, когда понятия Отчизны, Родины, Присяги, Рода, Долга погребены под толстым могильным наслоением психического внушения, умело вдалбливаемого наущения — «лишь бы не было войны», «жизнь — это удо-

подняться выше своих эгоистичных, корыстных желаний, у нее, напротив, атрофированы понятия нации и Отечества, выжжены порывы творчества и способность к сопротивлению врагу — два высших свойства человека, которыми он служит Богу и своему народу. С помощью информационного оружия народ превращается в легко управляемую биомассу, в самый «идеальный народ», о котором мечтают сегодняшние руссконенавистные правители России, желая получить покорливых с вненациональным мышлением людей, напрочь забывших, что они русские.

Информационная война есть не что иное, как нашествие идей, разрушающих национальное сознание. Это стратегия информационной войны. Тактических приемов, уловок, способов, ухищрений в информационной войне поболее, чем на войне обычной, где стреляют и взрывают.

Разрушительные идеи, в их числе тараном продавленный лозунг о выходе России из состава СССР, поветрием прошедшая по русским головам идейка «демократизации тоталитарной империи зла», вытесняют из сознания народа понятия о национальном единстве и государственной крепости. Здоровое и полезное народу осмеивается, развенчивается, обличается как непотребное. Таким непотребным, к примеру, выставляют шаги к возрождению союза России и Белоруссии, — исторической России, ставят идейные заслоны на пути восстановления рассеченного русского корня. Против Белоруссии так называемые российские средства массовой информации развязали беспощадную войну.

Информационная война есть наступление лжи, изгоняющей правду. Когда в руках врага сосредоточен весь теле- и радиоэфир, основная масса газет, ложь легко побеждает правду. Правда просто не доходит до людей.

Слухи, сплетни, лживые обещания, откровенные вымыслы и бездоказательные обвинения — сладкая наживка для любопытствующего обывательского ума, и не важно, что потом мелким шрифтом явится опровержение, наживка проглочена, и попавших на крючок лжеинформации человеков уже тянет ловкий удильщик. Гигантская по своим масштабам афера с приватизацией, к примеру, вся была построена на заведомой лжи об автомобильной стоимости ваучера.

Информационная война — это война пришлых самозванцев против национальных вождей. В идеологи и кумиры русскому народу выдвигают ненавидящих нас чужеродцев или, того хуже, русских предателей, которых для этого усиленно готовят, приручают должностями, подкупают премиями, их имена забивают в эфир, возносят на волне славы и почестей. И, одновременно, клеймят, предают забвению, сажают в тюрьмы, уничтожают природных русских вождей, способных к сопротивлению. Вместо них назойливо всовывают в наши глаза разных зюгановых, жириновских, явлинских, касьяновых... — кукол, послушных рукам хитроумных кукловодов.

Все, что способно ныне сохранять и воспитывать русских как нацию, — осмеяно, оболгано, отвергнуто и усилиями информационной агрессии загнано в подполье, а вся страна, будто ловчей сетью, накрыта «единым информационным полем», в узких ячеях которого бьются, тщетно пытаясь найти спасение, еще не потерявшие себя русские люди.

На сегодня русские полной чашей хлебнули поражений в информационной войне. Разрушение СССР, под ковровой информационной бомбардировкой, направляемой идеологическими вождями из ЦК КПСС, агентами влияния Запада, такими как А. Н. Яковлев, показало, что информационная война сумела подавить наш национальный здравый смысл, свойственный, казалось бы, любой семье, чей дом начинают крушить чужаки.

Выборы «кумира демократии» Б. Н. Ельцина, очевидного виновника катастрофы разделения русско-славянских народов, расстрельщика русских в Белом доме, развязавшего гибельную чеченскую войну, выборы парламента, где всякий раз в большинстве оказываются чужеродцы, профессиональные подлецы и преступники, показали, что информационно-агитационная агрессия умело управляет нашей национальной волей, делает нас неспособными найти и выдвинуть собственных вождей, хотя даже стая голубей не пустит себе в вожаки ворона.

Таков для нас, русских, жестокий опыт поражений от информационной войны, а потерь в этой войне — жертв информационного террора — не счесть, их миллионы — безумных, нерассуждающих, слепо повинующихся чужой воле, у которых голова превратилась в тот же мешок, что положат, то и несет.

Не всех русских поразил шквальный огонь информационной войны, но большинство из нас, в ком пока жив разум, цел рассудок, не вполне понимают масштаба ее разящей силы. Информационное оружие страшно как раз своей бескровностью, оно сродни радиационному оружию, когда и крови нет, и кости целы, а человек гибнет, разрушается, истлевает. Средства нападения, применяемые в информационной войне, не стреляют, не взрываются, не сжигают огнем, уж это бы заставило русских людей ответно взяться за оружие и гвоздить им врага, покуда тот ходит по нашей родной земле. В своем гнезде и голубь коршуну глаз выклюет. Но средства информационного поражения бескровны, это газеты, книги, теле- и радиоэфир, компьютерные сети, общественные организации, партии, движения, клубы и центры и даже система общеобразовательных и высших школ. Они являются бесчисленными проводниками лжеидей, каналами лжеинформации, трибунами лжевождей, они не пугают очевидной опасностью, не угрожают видимой угрозой, они не ранят и не убивают человеческую плоть. Напротив, уничтожение национального рассудка и омертвение души происходит для человека не только безболезненно, но и с известной приятностью. Люди пьют соблазняющий хмельной напиток информации, замешанный на странных и привлекательных своей необычностью идеях, настоянный на хитроумной, бесстыдной выдумке, сдобренный язвительным словцом комментатора, и не замечают за его волнующим вкусом яда, отравляющего кровь, туманящего мозг, парализующего волю.

Так уже устроен современный человек, что наиболее безоружным он оказывается перед словом, не подозревая, чаще всего в силу материалистического воспитания, всей мощи Слова, и созидательной, и губительной. А ведь человечество издревле знало, что Слово исцеляет, воскрешает, Слово убивает. Учение о Слове во всей его полноте хранит Православная Церковь. В Церкви живет Слово — благое и благодатное, и в ней же под страхом отлучения запрещается наложение проклятия, а Заповеди Божии зарекают: «Не клянись!»

Православное Учение о Слове подтверждает современная наука. Согласно открытиям русских ученых-генетиков, наш наследственный аппарат, наши ДНК не безразличны к получаемой информации, к Слову — звучащему, написанному и даже мыслимому. Хотим мы того или нет, но Слово воспринимается нашим наследственным аппаратом принудительно, при этом одни речения пробуждают душу человека, благотворно влияют на нее, другие калечат, угнетают, подавляют. От злого слова весь организм испытывает сильнейшее потрясение, словно он подвергся радиоактивному облучению. О губительном действии слова знает каждая мать и бережет свое дитя от «сглаза и порчи», то есть от словесного воздействия и колдовства. Вот и современные исследования подтверждают верность материнского чутья и истинность древней мудрости: злое слово, ложь, проклятие вызывают в человеке мутации — начинаются болезни, а затем и генетическое вырождение, которое может привести даже к выморочности рода.

Биогенетические законы воздействия слова на человека распространяются на целый народ, если подвергать его ежедневно и ежечасно по всем информационным каналам жесткому словесному облучению, травить словесным ядом, заражать словесным вирусом, выжигать словесным напалмом. Результат — больной дух нации, а затем, когда дух сломлен, начинается генетическое вырождение нации. Вот что происходит сегодня в России, вот что творят сегодня с русским народом. Имя этому — война.

Информационная война — не гипербола, не метафора, а единственно точное название происходящему. Как на всякой войне, здесь свои долгосрочные, хорошо разработанные стратегические наступательные операции, короткие тактические атаки, есть разведка и сокрушительный штурм, есть артиллерийская подготовка и ковровое бомбометание... На этой развязанной в России полномасштабной войне нет лишь одного — нашего мощного ответного сопротивления врагу, потому и успешны все наступательные действия противника.

Одна из самых широкомасштабных информационных операций против русской нации, нацеленная на государственное дробление русских, начата в середине прошлого века, когда мы беспечно, как несуразицу, приняли выгодную полякам, немцам, евреям идею разделения русских на три народа: русских, украинцев, белорусов. Новоиспеченным народам стали лепить отдельную от русских историю. В самостийных украинских учебниках 20-х годов украинцы повели свое происхождение от «древних укров». Начали разрабатываться искусственные литературные языки — украинский и белорусский, ориентированные на польские литературные модели, хотя в ту пору малорусское и белорусское наречия русского языка, именно так они называются у В. И. Даля, отличались от русского литературного языка, как диалекты Смоленщины или Вологодчины, и языковеды по сию пору не находят на картах четких границ между говорами русских, белорусских и украинских земель. За это поначалу невинное разделение русских на «три восточнославянских народа» в годы революции и Гражданской войны мы заплатили кровавую цену, и все же, как злое чертополохово семя на крыше порушенного храма, оно укоренилось в сознании. Укоренилось и дало новые побеги сегодня, окончательно раздробив Россию и русских на «самостийные» государства и народы.

Эта успешно проведенная информационная наступательная операция в наше время получила дальнейшее развитие. Уже на наших глазах и с нашего попущения на информационное поле России вброшена новая словесная зараза. Русских, живущих на национальных окраинах исторической России, в Казахстане, Киргизии, Прибалтике, перестали называть, а следовательно, и считать русскими.

Их имена теперь — казахстанцы, киргизстанцы, прибалтийцы, приднестровцы, общее прозвище — русскоязычные. Русских же, живущих в самой России, отныне кличут россиянами. Тут не простая игра слов, не невинная перетасовка имен в суете геополитических перемен. Идеологи информационной войны прекрасно знают, да и нам, порабощенному ими народу, не худо бы знать, что племенное имя для нации, пусть даже и разделенной, есть залог будущего воссоединения. Именно оно дало возможность евреям тысячелетиями сохраняться в рассеянии, оно помогло соединиться немцам. Но смогут ли почувствовать, узнать друг в друге родную кровь казахстанцы и россияне, прибалтийцы и приднестровцы, если украинцы, бывшие малорусы, открещиваются сегодня от русских, как от навязывающегося в родню чужака.

Имя русские последовательно и методично вытравливается из русского национального сознания — задача, давно поставленная генералитетом информационной войны. Еще в 1994 году на сахаровских чтениях Е. Боннэр учила президента Ельцина никогда не пользоваться этническим именем *русский*, а заменять его прозвищем *россиянин*. «Андрей Дмитриевич, — говорила она, — никогда не пользовался словом *русский*, только — *россиянин*». И буквально на следующий день повсюду замелькало — *россияне, российский*. Президент и его присные взяли под козырек. Заинтересованность в этом самого «первого президента России» и его соправителей понятна, к ним русское национальное имя не относится, ведь фамилия Ельцин-Эльцин согласно лингвистической статистике, — достаточно заглянуть в алфавитные каталоги Российской государственной библиотеки, которые наиболее полно отражают состав национальных фамилий России, — обозначает лиц еврейского племени. Но как допустили эту подмену мы, русские, в одночасье ставшие россиянами и русскоязычными? Как русские вне России терпят прозвища казахстанцев и приднестровцев. Все равно что Ивана Богатырева и Петра Великанова записать Яном Попрошайкиным и Пьером Приживалкиным, и бумагу справить, что так искони было, и кликать Ивана с

Петром на всех углах по-новому, и кормить, как собак, лишь когда отзываются на смешное прозвище.

Вдумайтесь в хитроумные игры с национальным именем. Для русского народа это то же самое, что смена родовой фамилии у человека на позорную кличку. Мы к этим играм почти равнодушны, позволяем называть себя и уже сами себя называем — *этнические россияне*! Очередное вражье информационное наступление завершается очередным нашим поражением: русские в России и русские в национальных республиках носят разные имена и скоро будут не способны к воссоединению.

Но и это еще не конец агрессивного словесного натиска, направленного на дробление русской нации. Совсем недавно стратег информационной войны З. Бжезинский провозгласил: «Имперский цикл в России должен быть завершен». Теперь расчленение русских идет уже внутри самой России. По примеру казахстанцев появились татарстанцы, башкортостанцы, чувашцы и карельцы, — так называют русских в отличие от татар, башкир, чувашей и карелов в автономных республиках. В прессе и в эфире мигом явились абсурдные фигуры «татарстанец Иванов», «башкортостанец Петров», «карелец Сидоров». У новой игры имен прежний замысел: отъединить татарстанцев в Татарии и карельцев в Карелии от русских из остальных краев России несравненно легче, чем русских Татарии и Карелии от прочих русских. Отломать у дерева сухую ветку легче, чем свежий, живой побег. Даже в тех землях России, где русские ни с кем не соседствуют, все равно идет злонамеренное дробление русских. От Дона до Забайкалья обнаружился новый народ — *казаки*, которым настойчиво внушают, что они отдельная нация и с русскими ничего общего не имеют. В создании казачьей нации генералитет информационной войны заинтересован особо. Идея натравливания русских казаков на просто русских про запас держится.

Итогом же государственного дробления русской нации внутри России стал проклюнувшийся в коридорах Думы, выведенный, подобно чумной палочке в пробирках бактериологических военных лабораторий, проект создания для русских в России «собственного суверенного государства с последующим определением отношений с государствами, ранее входившими в состав Союза ССР и иными государственными образованиями». Думаете, нам — восьмидесяти процентам жителей России — отдадут нашу страну? Нет, речь идет о формировании резервации для русских людей. Это и станет «завершением имперского цикла в России», к чему призвал Бжезинский, — победоносным для всех врагов России итогом.

Обушком информационного топора от России откалывают кусок за куском, острым информационным лезвием от русских отрезают ломоть за ломтем, а мы молчим, как скот, уготовленный к убою, и это воодушевляет агрессора на все более наглые и жестокие действия. Вспомните, ведь и убийство Государя в 18-м заклятом году произошло не вдруг. Боясь справедливого возмездия русского народа, большевики провели информационную «пробу». Очевидец вспоминает: «Я остановился на улице, услышав крики мальчишки-газетчика: «Расстрел Николая Кровавого!» Я схватил газету. Это было, как выяснилось позже, первое фальшивое сообщение, типа пробного шара большевиков с целью узнать, как русский народ воспримет новость об убийстве своего Императора. Русский народ не сказал ничего».

Отчуждение национального имени *русский* от самих русских к сегодняшнему дню уже лишило нас миллионов и миллионов соплеменников, а мы так и не сказали ничего.

Русские, это наша природная черта, очень чутки к иноязычному, чужезвучному окружению. Мы либо совсем не выносим чужеязычной среды и готовы скорее умереть, чем каркать в чужой стае, либо полностью покоряемся господствующему народу, его языку, обычаям и очень скоро меняем национальность. В концентрационных лагерях немцы дотошно изучали психологические возможности плененных народов, среди них только русские вызывали у фашистов тревогу, потому что среди наших преобладали два типа пленных: непокорные герои, бунтари и самые низкие и подлые предатели, середины не было. Вспомним, что и массовый исход русских из России после революции 17-го года закончился таким же разделением, русские эмигранты либо умирали в тоске по Родине, стремясь в Россию, готовые на все предстоящие муки лагерей и гонений, лишь бы быть со своим народом, либо спокойно обживались на новом месте и меняли национальность, а их потомки, уже не владея русским языком, слабо помнят, что они выходцы из России.

Русские, оказавшиеся сегодня за пределами политических границ России, обречены на ту же участь: либо умереть, бежать некуда, в России их никто не ждет, либо сменить национальность. Умирают... Виной тому не только страшная нищета, но и резкая смена языкового окружения: закрываются русские школы, нет русского телевидения, книг и газет на русском языке. Такое не всякое сердце выдержит. Те, кто выдерживают, меняют национальность. В Литве, к примеру, русские с горечью признают, что их дети уже и думают по-литовски: без знания языка здесь не получить ни образования, ни работы.

Пока в отрыве от России гибнут, теряют свой национальный облик миллионы русских, в самой России идет кропотливая информационная обработка той потенциальной массы русских, что, как установили когда-то гитлеровцы, предрасположены к предательству. Генералитет информационной войны готовит их к окончательному покорству. С момента внедрения в Россию идейного вируса «перестройки» русский народ воспитывается в духе служения собственному чреву. Пестрые экранные картинки ежедневно заклинают: «Еда — это наслаждение», «Жизнь — это наслаждение», «Ваша цель — наслаждение», «Живем один раз — давайте наслаждаться!»... Нас запугивают, внушая страх пред малейшей опасностью для себя и близких, вот отчего на экранах телевидения, на страницах газет громада криминальной хроники. Не столько потому, что это лакомо обывательскому любопытству, сколько потому, что обыватель, наблюдая на экране преступный разгул и беспредел, становится пугливым как мышь, которая трусливо поводит усиками, выглядывая из своей норки бусинками настороженных глаз, готовая при любой опасности уйти в глубокое подполье, залечь, притаиться, замереть в смертельном страхе.

С кропотливым расчетом нас приучают к иноязычной среде, навязывая множество чужеземных речений, которых больше всего оказывается в сфере политики и экономики. Понятно, что без иноязычных слов не обойтись: новинки техники, научные достижения, даже модная одежда приходят к нам с уже готовыми для них названиями, и в этом нет ничего страшного, как пришли, так и уйдут. Но когда о судьбах нашего Отечества, о том, что сегодня происходит в стране говорящие головы эфира стрекочут на языке *секвестров, холдингов, мониторингов, саммитов*... ум простого русского человека, ослабленный ежедневным поглощением телесериалов, ум, намеренно разрушаемый шизофреническими рекламными заставками с раздвоением фигур и оживлением картин, прием, приводящий в ужас психиатров, такой ум не способен освоить иноязычные премудрости и сдается перед ними. Словесное воздействие строго направлено на оглупление человеческой массы, на воспитание у нее рефлекса равнодушия, когда заходит речь о будущем нашего Отечества.

Идеологи информационной войны знают, что русские без средних величин, что русским свойственны крайности, и нельзя поручиться, что в массе добровольных предателей и вымирающих рабов не найдется горстки отчаянных храбрецов, не отыщется малой русской когорты. Оттого, что такие люди есть, обязательно должны быть, идеологов информационной войны, сегодняшних поработителей России одолевает страх. Из-за этого страха генералы информационной войны бросают все силы и средства на дальнейшую гонку информационных вооружений. Знают, что информационная война не сможет оскотинить всех русских, для не сдавшихся, не покоренных изобретаются новые информационные петли, информационные ловушки. Одна из них — программирование самоубийств. Национально мыслящие люди душой болеют за свое порушенное Отечество, а активное информационное поле жестким излучением создает сконцентрированную энергию пессимизма, отчаяния, безысходности. Человек осознает, что в России нет правды, кругом ложь, нет истинных вождей, кругом проходимцы и предатели, и выхода у России нет! Нет выхода! Вот психическая информационная ловушка, черная дыра, породившая уже сотни тысяч случаев расчета с жизнью за минувшие два десятка лет. Россия вышла на второе место в мире по числу самоубийств, и на первом месте в мире по числу самоубийств стариков. Больше 40 тысяч самоубийств, совершенных в России за один только 2007 год, — это же целый город, в одночасье решивший свести счеты с жизнью!

В свое время французы убрали из парижского метро таблички с надписью «Нет выхода», и в метро резко сократилось число самоубийств. У нас же телевидение подталкивает к последней черте даже в игривых песенках:

Будьте здоровы, живите богато,
Если позволит ваша зарплата.
А если зарплата вам не позволит,
То не живите, никто не неволит.

Страх понуждает наших врагов применять к нам все более жесткие средства информационного воздействия. Надежда должна удерживать порабощенных, но не сдавшихся русских от отчаянья. Не масса бездумных, предавших, струсивших русских будет решать судьбу России, а те русские, кто прошел через горнило информационной войны, как через жестокую школу укрепления национального самосознания, выучившись на ее фронтах распознавать противника, сражаться с ним и побеждать.

Русский язык и национальная безопасность

Перехватив в 1991 году власть и разрушив важнейшие государственные институты, «молодая российская демократия», подобно «молодой советской республике» 1918 года, стала насаждать учреждения, права и обычаи — прилежные копии с западных образцов. Замельтешили «мэрии», «администрации», «офисы», «округа», «федеральные» службы... По западному указующему персту даже понятие «государственная безопасность» вместе с одноименным ведомством было с торжеством выкинуто на свалку архаизмов, освободившееся место заняло сверкающее американским лоском нововведение — «национальная безопасность». За ним последовали ведомства и должности — Совет безопасности при Президенте, Комитет национальной безопасности в Государственной думе, помощник Президента по национальной» (!) безопасности. Явилась даже Доктрина национальной безопасности России, по-обезьяньи скопированная с американского шаблона. Однако новшеством этим демократы сильно себе навредили, сами того не желая, они озадачили русский народ очень нужной идеей: политика государства должна служить безопасности нации.

Какими бы лживыми толкованиями этого важнейшего понятия не отговаривались теперь, спохватясь, власть имущие, мы понимаем его единственно верно: национальная безопасность России означает в первую очередь создание условий для духовного, физического, государственно-политического развития стодвадцатимиллионного русского народа — основы, опоры, корня и стержня России, всех многочисленных народов России. Будет нравственно здоров, умен, физически крепок русский народ — будут крепкими все народы России. Случись что с русским народом, никому не спастись от иноземного геноцида.

Физическое развитие русской нации — рост числа русских людей, многодетные семьи, здоровые и добрые дети, благоденствующие старики, крепкая и нравственная молодежь — все, что создает численный запас русских, который не могут разметать ни природные катастрофы, ни мировые политические катаклизмы.

Духовное развитие русской нации — это сохранение национального духа и русского характера, всего того, что воплощается в Православном Богопознании, в русском творчестве, в культуре, искусстве, науке и изобретательстве.

Государственно-политическое развитие русской нации — государственная и племенная сплоченность русских, единство которых невозможно разрушить ни внешними войнами, ни гражданскими стычками, ни переделом границ России.

Развитие русской нации немыслимо без сохранения русского языка, потому что язык не есть одно лишь «средство общения», как внушают нам досужие общечеловеки, презирающие святыни рода-племени. *Язык — это прежде всего народообразующий стержень, который соединяет нацию воедино.* Язык связывает настоящее народа с его историческим прошлым и веком грядущим. От своих предков мы отличаемся привычками, обиходом, одеждой и ученостью, а наши потомки, очевидно, не будут похожи этим на нас, *но все мы, русские, говорили, говорим и будем говорить одним языком, а значит, во все времена мы одинаково мыслим, одинаково чувствуем, одинаково веруем! Язык — вот связующая нить между русскими людьми прошедших и будущих времен. Изуродуйте язык, исказите его, уничтожьте его национальное самостояние сегодня, и мы не узнаем себя ни в наших предках вчера, ни в наших потомках завтра; утратив прошлое, не обретем будущего, перестанем существовать как нация русских.*

Вот почему сохранение русского языка есть основа безопасности русской нации, и на его защиту должны быть направлены охранительные действия государства, положившего во главу своей политики доктрину национальной безопасности.

Но как фальшивы в устах нынешнего правления заверения о радении за национальные интересы, лицемерно провозглашаемые посреди вымирающего народа, так лживы и обещания властей проводить национальную языковую политику посреди разрушаемого ими же русского языка. На деле власти проводят антинациональную языковую политику, последствия которой столь же губительны для русской нации, как и многочисленные экономические диверсии сегодняшних правителей России против национального народного хозяйства.

Сегодня много пишут и говорят, что опошление русского языка уродует духовную жизнь нации, что развращение русского языка поражает физическое здоровье нации, но важно увидеть главную опасность: помрачение русского языка, искажение его понятий и слов, насаждение чужих и чуждых ему понятий и слов стремительно помрачает рассудок нации, лишает русских способности отличать добро и зло, искажает коренные понятия чести и совести, как ржа разъедает государственно-политические основы нации, делая нас неспособными к самоуправлению и единству.

Обработка народного сознания идет сразу по нескольким важнейшим для национальной безопасности направлениям. Подвергается усиленной словесной бомбардировке обороноспособность страны. По армии, ее солдатам и офицерам бьют прицельно, без промаха. Как, к примеру, средства массовой информации называли Российскую армию, победившую Мамая, Карла XII, Наполеона и Гитлера, но терпевшую поражения в первой и второй чеченских войнах? Ничего не говорящим ни уму, ни сердцу — «федеральные войска». Как именовали они русского солдата, наследника героев Плевны, Сталинграда, Бородино?.. И того безроднее — «федерал». Осознанная, умело просчитанная подмена слов точно воздействовала на сознание народа, который видел в «федералах» одно лишь карательно-истребительное назначение, переставал чувствовать кровное единение со своим защитником — русским воином, не хотел отдавать сыновей в «федералы», не понимал, зачем вообще нужны эти «федеральные интервенты». Тем более что «федеральные войска» сражались в Чечне не с бандитами и сепаратистами, а с «партизанскими формированиями», возглавляемыми «полевыми командирами»! Ясно, что волей-неволей народ сочувствовал именно чеченским «партизанам и полевым командирам», а не русским «федералам». Средства массовой информации, принявшие сторону чеченцев, на языковом фронте победили в этих войнах Российскую армию. Трюк словесных мошенников прост: имя Родины-России в названии армии заменили на безродное «федерация». Имя солдата, славное столетиями побед, заменили уродливым новообразованием «федерал», чужим, инстинктивно неприязненным, звучащим почти как «дебил»... У слов же «партизан», «командир» в русском языке отчетливая героическая окраска.

Хитроумным словесным тараном рушится необоримая прежде крепость доверия и любви народа к своей армии, к своим защитникам. С переходом армии на контрактную систему, которой так рьяно добиваются демократы, они, достигнув заветной цели, с деланым отвращением заклеймят наших солдат «наемниками», и тогда разрушение Российской армии, окончательное разобщение ее с народом будет ими победно завершено. Именно такова уже не раз опробованная в других странах с марионеточными режимами схема разрушения национальных войск, не способных к обороне от внешнего врага, но умело направляемых на подавление своего народа.

Не менее опасно для национальной безопасности насаждение в русском языке блатного жаргона, уголовных понятий и слов. Напитавшись ими от низкопробных ежедневных теледетективов, а больше от ежечасной мельтешни приблатненных телекомментаторов и комментаторш, начинаем вслед за ними использовать в обыденной домашней и служебной речи завшивленные, пропитанные вонючим запахом нар, грубые и отвратительные, как плевки, слова, которые и словами-то нельзя назвать: *мент, крутой, крыша, лох, завязал, заложил, подставил*... Приучаем своих детей к лагерному языку, будто растим их для тюрем и лагерей.

Блатная безобразная «феня» через телевидение, радио, печать активно внедряемая в наше сознание, совсем не безобидна, она рождает в обществе преступную агрессивность, звериную жестокость, разделяет народ на «лохов» и «крутых», формирует в обществе криминальные взгляды на жизнь. Причем криминальную психологию рождают прижившиеся в русском языке слова воровского жаргона, не имеющие к нашему языку ни малейшего отношения. Блатной жаргон почти весь родом из идиш, все эти фраера и шахермахеры, ксивы и малины, параши и халявы — навязаны нам еврейским бытом в XIX веке. Только чуждая русским преступная психология могла породить у слова марвихер значение «вор высокой квалификации» на основании еврейского марвиах «получать доход». Так укореняется чуждое нам представление, что доходы можно получать воровством. Криминальные представления о жизни явились основой для переосмысления еврейского хевер — «общество, содружество, товарищ, друг» в блатное хевра — «воровская компания, шайка». Выходит, что не содружество у них, то шайка. И даже слова из семейного, обрядового быта евреев переиначиваются в блатную «музыку». Еврейское «устроить свадьбу» в русском воровском арго преобразовалось в хипеш — «шум, суматоха, ограбление при участии проститутки». Какое, скажите, мы, русские, имеем отношение к этой преступной психологии, выраженной в столь уродливой языковой картине мира? Разве мы подразумевали когда-либо под словом дружина или отряд воровскую шайку? Разве свадьба могла бы у нас обозначать грабеж? Да и слово зарабатывать в русском означает — получить при помощи работы, труда, а не воровскими кознями. Но ядовитые жаргонные слова и понятия, стоящие за ними, все прочнее связывают наше сознание, мы уже не отдаем себе отчета, что из идиш и воровского арго пришли к нам стырить и шарить, хана и шкет. Слова эти заряжают человека энергией превосходства в хитрости, обмане, пронырливости, — все, что было не в чести у русских, теперь утверждается как достоинство.

Язык преступников, который навязывают нашей молодежи, воспитывает у ребят — таковы законы языкопознания — не только преступное мышление, но и преступное поведение. Миллионы людей, мыслящих уголовно, подчиняясь волчьим понятиям своего блатного наречия, готовы вцепиться в горло всякому, вставшему им поперек дороги. Опасный, заставляющий содрогнуться путь к поголовной бандитизации страны.

Языковое воспитание преступного сознания, подрыв доверия через слово к важнейшим государственно-политическим устоям, каковым является армия, — это продуманное разрушение национального разума, творимое властью через прессу. Каждое из этих действий, как любое оружие, имеет свою цель, свой радиус поражения, свой масштаб потерь, но все они служат выполнению общей стратегической задачи, подчинены идее выжигания национальной души.

Той же идее подчинено бесстыдное иноязычие-косноязычие тех же средств массовой информации и их хозяев, выпускающих законы и постановления, небрежно переведенные с чужого языка, это воинствующее чужеземное вторжение на пространства русского языка. Словари русского языка последних лет бьют тревогу: в России появился агрессивный языковой мутант, который, по примеру французского американизированного уродца «франгле» и германского американизированного калеки «герлиш», можно с брезгливостью именовать «русиш», но никак нельзя назвать русским языком. Оккупация иноязычия час от часу нарастает. Вслед за менталитетами, консенсусами, презентациями набежали полчища памперсов, перформансов, дилеров, гарантов и прочих языковых проходимцев. А чтобы население лучше и быстрее усваивало новоречие, огромными тиражами выпускаются толковые словари и энциклопедии новояза.

Иноязычный русиш-словарь необходим нынешним правителям, чтобы, во-первых, легче маскировать антинациональные экономические и политические преступления: присвоение, грабеж государственной собственности — ваучеризация и приватизация; подрыв оборонной промышленности — конверсия; застой в развитии — стабилизация; … во-вторых, в иноязычии начисто отсутствует народная историческая память, в нем нет природной русской красоты, на которую отзывается приветным чувством русская душа, и потому иноязычие, осуществляя программу выжигания души, легко воспитывает безнациональных общечеловеков, так нужных властям.

Наивно тешить себя словами В. Г. Белинского, что «страж чистоты языка не академия, не грамматики, не грамотеи, а дух народа», как наивно вспоминать себе в утешение, что после наполеоновского нашествия 1812 года лишь три французских слова — шер ами (милый друг) и шевалье — остались в нашем языке, да и те в весьма неприглядном облике: шаромыжник означает «попрошайка, надоедник, жалкий, ненадежный человек», шваль — «негодяй, дрянь».

Сегодня мутант-руши благодаря антинациональным газетам, радио и телевидению, как чумная палочка по воздуху, разносится во все уголки страны речами наших правителей и их прихлебателей. Они источают чужеродные словеса, как болезнетворную слизь, которую не ухватить, не смыть, не счистить — выскальзывает из рук. Чужие слова, попадая не на здоровую, цельную русскую натуру, а в больные, изверившиеся, измученные нищетой души, затурканные страхом, беспрепятственно начинают свое гноеродное действие. Так что нельзя уповать на очистительные силы духа народа. Допустили же мы, что даже само наше имя русский терпит сегодня гонение и клевету. Чужеродное, агрессивное «россиянин» вместо русский или хотя бы гражданин России стало настолько привычным, что уже не режет наш слух, не будит в нас протеста и возмущения.

Итак, лживые, бессовестные словеса, сковывающие нашу волю и помутняющие наш рассудок, несут средства массовой информации, которые уподобились сегодня сказочной колдовской дудочке, что своим магическим звуком заворожила полчища крыс, вывела их за пределы бедствующего города и тем спасла жителей. Только у нас все наоборот. Волшебная дудочка теперь во власти крыс, а мы, коренные жители России, завороженно следуем за дудочкой, куда зовет, туда безропотно и плетемся. Так что же, будем покорно дожидаться, пока она заведет нас в пропасть и на паше обжитое благодатное место, в наши дома, на наши очаги вселятся стаи ненавистных грызунов?..

Сегодня русский язык — наш родной прекрасный русский язык, любовно сбереженный нашими предками, чтобы мы так же бережно передали его своим детям, оказался в чужой, иноземной воле и становится мощным оружием помрачения нашего рассудка. Напрасно ждать помощи от власти. Ведь мы, русские, и нужны им такие: безрассудные, безнациональные, слепо покоряющиеся, слепо верящие их лживым обещаниям. Но он же, наш родной русский язык, несет в себе и спасение от национального ослепления, позволяет нам языковым чутьем, присущим каждому русскому, распознавать истинное и доброе среди неправды и зла, так русское ухо чутко различает родную песню среди гвалта истеричного рока. Вслушивайтесь, не верьте всему, в чем убеждают нас сладкоголосые властители, сомневайтесь в каждом их слове, очищайте его от шелухи лжи, отвергайте чужое и чуждое в языке, ограждайте свой ум, свою душу от покорства иноземной воле. Сопротивляйтесь! Иначе дьявольская дудочка заведет нас в пропасть.

ДИАГНОЗ — «ЭЛЕКТОРАТ»

Избирательные технологии
превратили Россию в дурдом

«Мир сошел с ума», — в последнее время мы повторяем это все чаще и чаще, уставая от обилия нездоровых лиц в метро, нервных срывов близких, истеричных выпадов сослуживцев, а, главное, от весьма далеких от здравого смысла рассуждений знакомых и незнакомых людей. Безрассудство на грани безумия свойственно сегодня многим из наших соотечественников. Порой кажется, что это о нас сказал православный провидец: наступят времена, когда весь мир будет сведен с ума, а тех, кто сохранит здравый рассудок, объявят безумцами.

Телевизионный транс:
для одних — путь во власть,
для других — в психушку

Ощущение всеобщей эпидемии сумасшествия не иллюзия, это действительное состояние многих людей, которое можно назвать повальной шизофренией. Признаки шизофрении, как их описывают психоневрологи, в точности совпадают с психическими эффектами, что возникают у вполне нормальных людей в современном обществе, которое называют «информационным». Нарушение способности думать проявляется в наивно упрощенном восприятии мира вещей и событий. Причем у больного может сохраняться способность анализировать факты и делать собственные выводы, но связь события и суждения о нем — случайна, к примеру, о погоде будет сказано, что «идет дождь, потому что синоптики обещали плохую погоду». Психически нездоровый человек не критичен в своих размышлениях. Некритичность больного ума выдают рассуждения типа «Лужков с Путиным повысили пенсию на шесть процентов, молодцы, о людях заботятся!». Шизофреник и говорит без речевых ошибок, и предложения строит внешне правильные, но все это лишь пустая умственная жвачка.

Вглядимся в человека, сидящего перед экраном телевизора, вслушаемся в его размышления по поводу увиденного и услышанного. Большинство телезрителей мыслят как психически больные люди. Вот как это происходит при восприятии новостных передач.

Теле- и радионовости сегодня — калейдоскоп быстро сменяющих друг друга репортажей из разных концов мира. В одном новостном блоке могут с равной значимостью подавать 60-летнюю годовщину Сталинградской битвы, затопление поселка в Ростовской области, смерть от передозировки «звезды»-наркомана из американской рок-группы, слух о возможной свадьбе Аллы Пугачевой с Максимом Галкиным… Молниеносная сменяемость сообщений не позволяет даже на миг представить ни величия подвига наших дедов в окопах Сталинграда, ни горя людей, лишившихся в одночасье и крова, и имущества, а уравнивание этих трагических событий со скорбью о неизвестном никому в России наркомане и озабоченностью семейными дрязгами попдивы вовсе обескураживает зрителя. Карусель новостей не оставляет времени ни для их обдумывания, ни для оценки информации. Суждения зрителя о них в силу случайного сопоставления фактов лишаются и логики, и критических выводов. Налицо симптомы шизофренического поражения мышления, которое усугубляется тем, что зритель не может повлиять на события, о которых он только что узнал, его мысли вслух — всего лишь пустое резонерство.

Изменение личности — психиатрический диагноз. Человек с изменением личности не распознает «иерархии мотивов своего поведения»: когда ему дано выбирать между чашкой кофе и визитом к больной матери, он выберет кофе и найдет своему выбору весомые оправдания, вроде того, что мать-де о нем мало и плохо заботилась. У больного с диагнозом «изменение личности» сформированы патологические потребности, часто выступающие в виде навязчивых идей. Он может стремиться делать большие и дорогостоящие покупки, или чрезмерно много есть, или навязчиво приставать к женщинам. Свои действия больной не в состоянии контролировать, его легко заразить новой «манией». Но разве не то же самое происходит с телезрителем, сосредоточено следящим за новостями и рекламой по телеящику. Разве вдалбливаемый в голову рекламный «слоган» «Кофе Чибо — это все, чтобы сделать вашу жизнь прекрасной!» не является шизофреническим нарушением иерархии мотивов? Услышав подобные слова от соседа или сослуживца, да от любого другого, хоть случайного попутчика в метро, вы непременно подумаете, что у того, как говорится, «крыша съехала». Но ведь масса рекламных текстов, несущихся из теле- и радиоэфира, строится как раз по этой придурковатой схеме: «Сделай свою жизнь прекрасной — носи подтяжки фирмы «Мечта удавленника». Усиленное поглощение подобной рекламы вызывает у внешне здорового человека патологические стремления. Вот шквалом обрушивается на нас с экрана пропаганда пива и заставляет миллионы мальчишек и девчонок шизофренически завороженно разгуливать по улицам с пивными бутылками в руках, в затяжку прикладываться к ним с видом истомленных жаждой. Если спросить, зачем они так много и озабоченно пьют, ответом послужит шизофреническое, вдолбленное в их головы через экран «не дать себе засохнуть».

Нарушение мышления, изменение личности — еще не все симптомы, которые сближают телезрителя с шизофреником. Шизофреникам свойственны галлюцинации — видения, к которым больной относится как к реальности, по сути живет в параллельном действительности мире. По уверениям психиатров, галлюцинации настолько жизнеподобны, их образы так ярки и чувственны, что убедить больного в том, что перед ним лишь плод его воспаленного воображения, невозможно. А ведь галлюцинации шизофреника по своей психологической природе сходны с живой экранной картинкой, которую впитывает с экрана телевизора зритель. Чувственность и достоверность образов, яркость впечатлений переживают и тот, и другой. Именно так, как развивается шизофреническая болезнь, — от потери логики в сознания до ярких, убедительных галлюцинаций, — вырабатывается шизофреническое, галлюцинационное мышление у теле- и радиослушателей, навязываемое им особыми приемами подачи информации. И когда мы с горечью вздыхаем, что мир сошел с ума, то интуитивно ставим правильный медицинский диагноз.

Кто же и зачем, используя преступные информационно-психологические технологии, цинично и расчетливо сводит общество с ума?

Главная цель разработчиков информационных технологий — манипулировать массами, чтобы гарантированно иметь власть, получаемую на всеобщих, прямых, равных и тайных выборах, которые еще в XIX веке умные люди России назвали «четыреххвосткой», очень точно сравнивая с плеткой, которой в Древнем Риме повелевали рабами. При помощи технологии внушения человек разумный переделывается в «человека голосующего», в микроэлемент людской биомассы, которая, послушная внешним импульсам-командам, действует как машина для голосования. Манипуляция людьми получила ученое название *нейролингвистического программирования.*

Существует множество определений нейролингвистического программирования, среди них есть и заумные, основанные на стремлении «пустить пыль в глаза», затушевать преступную суть этого явления, например: «НЛП — это создание многомерной модели структуры и функции человеческого опыта». Определения попроще более откровенны: «НЛП — это речевое воздействие человека на человека с целью создания у последнего новых программ поведения и действия». Еще нас убеждают, что НЛП — это всего-навсего «процесс ускоренного обучения и переучивания, избавления от нежелательных стереотипов поведения, создания новых программ поведения». Но во всех этих формулах четко проговаривается, что некто *посторонний для личности* составляет ей новую программу поведения, избавляет ее от «стереотипов», нежелательных этому стороннему лицу!

Отношение стороннего к своему «подопытному» на языке нейролингвистического программирования звучит предельно цинично: «Карта — это не территория», то есть твое восприятие мира, ничтожный, глупый человечишка, — это еще не сам мир. Нейролингвисты берутся менять облик наших с вами душ, то есть «карт», делая их более точным отражением «территории» — окружающего мира. Выходит, носитель нейролингвистических технологий один владеет истинным знанием о мире и исповедует властный подход к остальным: «Человек — это текст, который можно и нужно править».

Что же собирается «править» нейролингвист, проникающий в наш мозг своими хищными щупальцами? Генетические программы, переданные нам от предков? Память детства — самые чистые впечатления души? Опыт, приобретенный в жизненных невзгодах? Убеждения, воспитанные в нас родителями, вынесенные из книг и споров? Именно в это, в сознание личности, бесцеремонно вмешивается некто, называя наши разум и душу «неправильным текстом», готовый одно стереть из памяти, другое изменить на противоположное, втемяшить в качестве приятного то, что тебе до глубины души противно... Как ни трудно поверить, что сегодня, при всех провозглашенных на словах идеях гуманизма, возможно такое откровенное и бесцеремонное вторжение в человеческую душу, на деле происходит именно так, — методики нейролингвистического программирования провозглашают идею порабощения наших душ: «Человек, общаясь с другим, представляет для последнего его территорию, которую он сам формирует сообразно его собственной карте». На захваченной агрессивным чужаком «территории» осуществляется «побуждение к реакции, противоречащей, противоположной рефлекторному поведению организма, ведь нелепо внушать что-либо, что организм и без того стремится выполнить».

Дадим честное определение нейролингвистическому программированию, открыто применяемому сегодня в выборных игрищах, на политических ристалищах. *Нейролингвистическое программирование — это психологический захват души, насилие над личностью,* которая может почувствовать агрессивное вторжение, и тогда в ответ резкий отпор насильнику — «не лезь в душу!», а может и не почувствовать. В последнем и состоит дьявольское искусство технологов нейролингвистического программирования, которые, уже открыто и нагло бахвалясь, называют себя «жрецами-лингвистами», чтобы жертва их насилия не почувствовала воздействия, чтобы психические перемены произошли в человеке незаметно для него самого.

Нейролингвистическое программирование — это чужое вмешательство в подсознание человека, чтобы управлять им незаметно для него. То, что политтехнологи, эти «жрецы-лингвисты» называют подсознанием, христиане именуют глубиной человеческой души и всякое вторжение в нее очень точно определяют как соблазн и искушение.

Вторжение в подсознание осуществляется прежде всего путем гипнотического транса. *Гипнотический транс — особое состояние человека, когда он способен легче всего воспринять и усвоить внушение, чужую программу, команду извне.*

Эта технология открыта психиатром Эриксоном в конце XIX века и долго применялась в лечебных целях, но бурное развитие телевидения позволило политтехнологам применить ее к совершенно здоровым людям. Введение в телевизионный транс полностью совпадает с технологией введения в лечебный гипнотический транс.

Человек должен находиться в удобном для него положении, например, лежать на диване или расслабленно сидеть в кресле после рабочего дня. Его внимание должно быть сосредоточено на каком-либо предмете, и таким предметом как раз является телевизионный экран — яркое пятно с постоянно меняющимися красками, само собой притягивающее взгляд. Человек ни о чем не должен думать и не иметь в эту минуту никаких забот, — именно в таком состоянии опускается на свой диван телезритель, отрешившись от служебной и домашней суеты. Такова отправная точка телевизионного транса, во всем подобная профессионально-гипнотическому трансу.

Затем технологи «расщепляют» сознание и подсознание клиента, т. е. выключают разум, убедив человека ни о чем не думать. Телезрителя в состояние легкой дремоты или медитации приводит цепь быстро сменяющихся изображений, на которых невозможно сосредоточиться, — сознание выключается само собой.

Глубина такого транса может быть различной. Хорошо если человека теребят дети, просят проверить уроки или почитать книжку, замечательно, когда недовольно ворчит жена, раздраженная тем, что муж не смотрит любимый ею сериал, просто отлично, если вдруг зазвонит телефон или сбежит молоко на кухне. Гипнотический транс не любит таких «вдруг», его спугивает внешняя суета, и тогда душа человека остается малоповрежденной. Но если всего этого нет, и вы завороженным взглядом сосредоточились на волшебно мерцающем экране, тогда ваша душа в чужой и очень опасной власти. Именно тогда и происходит беспрепятственное «формирование программ поведения человека, его целеустановок».

Простейшие операции введения в гипнотический транс — присоединение к источнику внушения, подчинение этому источнику, закрепление в состоянии гипнотического транса с выключенным сознанием, но открытым подсознанием, управление путем внушения новых для вашего жизненного опыта программ — такова азбука нейролингвистического программирования. И пускай бы этими методами лечили психически больных, но нейролингвистическое программирование применяют к людям здоровым, которые получив дозу внушения, начинают вести себя как психопаты

С отключенным сознанием, как бы в полусне, человек не фильтрует поступающие ему информацию и команды, они беспрепятственно проникают в подсознание и переправляются в сознание. В результате мотивы своих поступков жертва гипнотического транса не может объяснить даже сама себе, об этом знает только тот, кто записал ей команду на «подкорку».

Помнится, в июне 1996 года с нами на даче жила моя старая знакомая — пожилая пенсионерка, бывший бухгалтер, перебивавшаяся на скромную пенсию и имевшая на попечении взрослого сына-наркомана. За два дня до выборов она вдруг неожиданно для себя и для нас засобиралась домой в Москву.

— Зачем?

— Голосовать! — не терпящим возражения тоном ответила старушка.

— За кого?!

— За Ельцина!

— Но ведь он же вас всего лишил, даже болезнь вашего сына — его вина, это он допустил разгул наркомании в стране! …

Увещевали бесполезно. Старушка, подхватившая через телевизор импульс-команду голосовать за Ельцина, подобно тому, как промозглой осенью слабый здоровьем человек подхватывает тяжелый грипп, стала жертвой выборной президентской кампании. Таких, запрограммированных на избрание «любимого кандидата», можно наблюдать во время любых выборов, когда на избирательный участок приходят растерянные, озабоченные, несколько подавленные люди, рассеяно берут бюллетень, долго и напряженно вглядываются в длинный список, будто силясь что-то вспомнить, и затем ставят галочку против какой-то им самим неведомой фамилии. Специалисты по выборным технологиям, рекламируя свои услуги, хвастают, что «по разным оценкам, посредством воздействия на подсознание избирателей можно привлечь от 2—3 до 10—15 процентов голосов от числа проголосовавших». Американские консультанты после победы Ельцина в 1996 году, когда говорили об эффективности своих избирательных технологий, назвали цифру в 35 процентов. Примерно такое же число дал опрос населения после президентских выборов в июне 1996 года: «Для 32% из тех, кто голосовал за Б.Ельцина, его победа была безразлична, и лишь 67% были удовлетворены ею» («Коммерсант-Daily», 1996, 29 августа). Командный импульс голосовать за Ельцина был сильным, но кратковременным, и уже в сентябре 1996-го года уровень доверия к только что избранному президенту составил по данным ВЦИОМ всего 12%.

Информационные «отмычки» для взлома наших душ

Внедряясь в подсознание, специалисты по нейролингвистическому программированию преодолевают особые «фильтры» души, которые процеживают поступающую информацию. Эти «фильтры» хранят рассудок от грубых повреждений, стараясь не допустить помрачения ума. Подсознание может выключать память, спасая от «перебора» сведений, заведомо не нужных ее хозяину. И если вы твердо убеждены, что не пойдете голосовать, так как выборы — смесь махинаций и профанаций, то все кандидатские имена со всех углов и столбов будут скользить мимо вашей памяти.

Подсознание работает как «фильтр», не воспринимая, отбрасывая от себя нежелательное. Когда старому коммунисту пытаются объяснить, что компартия, которой он предан всю жизнь, запятнала себя репрессиями и уничтожением православных священников, он тут же «затворяет свой слух».

Человеческое подсознание в угоду хозяину способно все оправдать, все объяснить, все простить. Получив внушение любить президента, как отца родного, человек на уровне подсознания принимается оправдывать, обелять его, очищать от всех преступлений, грехов и ошибок: во всем виноваты окружение, помощники, подчиненные, пришельцы с Марса, солнечная активность, но только не президент. Что бы ни случилось, будьте уверены, оправдание любимому президенту всегда найдется.

Самый устойчивый из психологических барьеров подсознания, спасающий человека от информационного вторжения в душу, — его убеждения, которые в терминологии политтехнологов значатся как «барьер мифов». Для взлома этого барьера политтехнологи разработали особо хитрые «отмычки». Так, убежденно верующего православного может подвигнуть идти голосовать православный священник или православный кандидат, чем пиарщики очень активно пользуются, выпуская на арену агитации лукавых людей, ряженых в рясы и убеждающих голосовать «по воле Божьей». По той же причине пиарщики любят «подавать» своих кандидатов в пейзажах с церквами и крестами. Подсознание верующего без сопротивления принимает подобный сигнал: «свой — православный!»

Серьезным препятствием для проникновения чужаков в подсознание является и так называемый межличностный барьер, та волна неприязни, что вздымается в человеке, когда слышит о ненавистных по опыту жизни людях. Разве можно было расположить избирателя к Ельцину, собравшемуся во власть на новый срок, разрушившему страну, спустившему жуликам народную собственность, развязавшему гражданскую войну? Но и этот кажущийся непреодолимым барьер подсознания сумели взломать политтехнологи. Они не стали придумывать Ельцину новый «имидж», а, словно забыв о своем подопечном, взялись менять «имидж» его соперников-коммунистов. Переименовали их в «красно-коричневых», внушили, что при «красно-коричневых» в России будут голод и гражданская война, и тем самым изменили к ним отношение населения. Накопив огромный опыт взлома подсознания, политтехнологи скоро и ненавистное народу имя Чубайса принудят воспринимать с благожелательным добродушием: не тряпка, жесткий, волевой, сумел навести порядок в энергетике, наведет его и в России.

Каждый человек имеет свои, порой очень личностные барьеры подсознания из верований, знаний, убеждений и ими заграждается от чужих непрошеных вторжений в свою душу, следовательно, во время таких массовых кампаний, как выборы, искателям душ нужно одновременно находить «ключики» для миллионов людей. Есть ли такие универсальные «отмычки»? Да, есть. Все теле- и радиоканалы строго контролируются или властью, или их хозяевами, и сведения поступают к зрителю и слушателю в «упаковке» комментария или с «биркой» оценки их журналистом. Военная хроника из Чечни в 1995—1996 годах могла не содержать никаких рассуждений репортера, но, рассказывая о противоборствующих сторонах, тележурналисты русских солдат называли «федералами», а чеченских бандитов — «партизанами», «полевыми командирами», и зритель на подсознательном уровне сочувствовал «партизанам», героически сражавшимся с непонятными «федералами». Даже интонация репортера формирует мнение телезрителя. Вот свидетельство Шендеровича, большого мастера подобных эффектов: «Передо мной — две кассеты. Два репортажа, сделанные одним и тем же журналистом. Оба посвящены встречам Лукашенко и Путина. Между ними — всего полгода, но как изменился автор репортажей! Тонкое, нескрываемое ехидство (осень 1999-го, НТВ) и граничащее с восторгом уважение к лидерам союзного государства (весна 2000-го, РТР)».

Сегодня в результате бешеной конкуренции между владельцами телеканалов «кухня» приготовления информационного варева приоткрылась, из нее вырываются зловонные пары от тех продуктов, которыми нас потчуют телетехнологи. Тот же Шендерович описывает свое столкновение по поводу акцентов в освещении войн в Чечне и Югославии с тогдашним директором НТВ Добродеевым: «Армия эта не моя, и война не моя» (о чеченской кампании), «Олег, тебе нужны Балканы?» (о войне в Югославии).

Лжезакон свободы информации втолковывает наивным гражданам, что средства массовой информации в демократическом обществе показывают то, что хочет видеть большинство телезрителей, что это-де «народный заказ». И что, кто-то действительно поверит, что катящий с телеэкрана вал насилия, секса, лицемерия, подлости жаждет видеть народ? Да если какой космический пришелец, ничего не зная о нашей цивилизации, судил бы о ней только по тем фильмам, которые вышли на экраны за последние годы, он вынес бы твердое убеждение, что Россия — страна убийц, проституток и наркоманов. А ведь нас всерьез убеждают, что мы именно такие, какими нас показывают, нам внушают, что мы агрессивны и злы по своей природе, и телевидение объективно, прямо-таки зеркально отражает наше лицо и нашу натуру.

Бдительность зрителя усыпляют внушением, что средства массовой информации несут плюрализм мнений, и тогда голоса, которые доносятся с экрана, не кажутся зрителю опасно навязчивыми, так как эти голоса рассуждают по-разному, а, следовательно, не может быть опасности психологического давления.

Нас убеждают, что «черный ящик» в углу комнаты — наш друг, наше окно в мир, наше око, следящее за самым интересным в мире. Это подкупает нас доверять экрану, как собственным глазам, что вкупе с раскрытыми при помощи телевизионного транса вратами нашего подсознания и делает зрителя послушной игрушкой в руках политтехнологов.

Покажем, как телеманипуляторы играют с нами в «кошки-мышки», где зрители всегда «мышки».

Обыватель приходит с работы, ложится на диван или плюхается в кресло, включает телевизор и расслабленно поглядывает на мелькание рекламных картинок. Если среди этого мелькания внезапно на 2-3 секунды застынет яркий во весь экран глаз, наш зритель непременно встрепенется и уткнется взглядом в мерцающий экран, потому что у человека веками выработан рефлекс общения — глаза в глаза, чужой, упавший взгляд он обязательно встречает ответным взглядом. Но у манипуляторов, поместивших глаз на экране, свой замысел, — зритель должен сосредоточить внимание на одной точке, тогда эффективное введение его в телевизионный гипнотический транс обеспечено.

Теперь, когда зритель и расслаблен, и сосредоточился, на экране вновь мелькают рекламные сюжеты на очень высокой скорости. Запомнить их невозможно, никому не под силу даже успеть понять, о чем эти сюжеты, столь коротки секунды их появления. Зато их запоминает наше подсознание, которое потом заставит человека действовать: покупать ненужный ему товар или голосовать за незнакомого, а то и вовсе ненавистного ему человека. Мельтешня сюжетов «расщепляет» сознание зрителя, выключает его как неспособное считывать информацию с телеэкрана, и потому вслед за мельканием обывателю кажут пространные сюжеты. И вот их уже пребывающий в телевизионном полусне телезритель воспринимает безропотно и запоминает надолго.

«Расщепление» сознания может достигаться самыми хитроумными способами. На экране возникает известное всем с детства по репродукциям в учебниках живописное полотно «Охотники на привале», на котором с удовольствием останавливается наш взгляд, интуитивно возрадовавшись образам детства и школьных лет, и вдруг изображение начинает оживать, охотники встают, собаки вскакивают, а зритель, естественно, вздрагивает, на миг поверив, что все это ему чудится и что он сходит с ума. Эта мгновенная потеря ощущения реальности сама собой расщепляет сознание и вводит человека в гипнотический транс.

Когда доза информации попала на подсознание тележертвы, телезрителя немедленно выводят из состояния полузабытья. Чаще всего это происходит при помощи серии ярких вспышек, на которые реагирует глаз и мозг, как бы пробуждаясь от усыпления. На это пробужденное сознание снова воздействуют еще более усиленной дозой информации, которая проникает в человеческий ум и память в состоянии постгипнотического внушения, очень благоприятном при управлении человеком извне. Такова схема активного воздействия на подсознание человека техническими приемами телерекламы.

А теперь представьте, что все эти приемы бьют в одну и ту же точку, преследуют одну и ту же цель: заставить народ голосовать за нужного властям кандидата, за угодный правителям выборный думский блок. Получив сверхдозу такого внушения, человек, все защитные барьеры подсознания которого взломаны, все фильтры души уничтожены, просто заболевает манией любви и преданности, становится сам не свой, в нем отчетливо проступают симптомы психического изменения личности. И запретить делать из граждан России психопатов правители никогда не пожелают, других способов удержаться у власти у них просто нет. Только обман, манипулирование и телевизионное внушение.

Технологии внушения: как нас заставляют любить врагов Отечества

Реклама и новости, ток-шоу и интервью, сериалы и реалити-шоу — все жанры телевидения служат выборам, и их воздействие на зрителей особенно агрессивно в горячие дни выборных кампаний. Число жертв информационных технологий многократно увеличивается, некоторые впадают в депрессию, растет число самоубийств, люди становятся беспричинно злобны, мучаются страхами или, наоборот, заболевают апатией. И это не удивительно, ведь в нас, без спроса, даже без нашего ведома закладывают информацию, запускают командные импульсы, вырабатывают симпатии и антипатии, не свойственные нам по природе, которые вызывают мучительное чувство раздвоения личности, разрушают психику.

Рассмотрим, как делаются диверсионные «закладки» информации в наше подсознание. Вмонтированный в видеопленку «25-й кадр» не виден глазом, но хорошо улавливается подсознанием. Классический пример его использования в рекламе поп-корна во время проката кинофильмов в США всегда сопровождается лживым заверением, что ныне такая наглая манипуляции людьми просто невозможна, поскольку «25-й кадр» запрещен как преступный беспрепятственный вход в подсознание, при этом монтаж якобы легко обнаружить и, дескать, рекламодатели и телетехнологи боятся неприятностей. Такие заверения лишь усыпляют наше внимание к тому, что мы получаем с экрана. Выявить «25-й кадр» на телевидении практически невозможно, для этого необходима специальная компьютерная программа, появившаяся в России только в 2002 году и показавшая очень низкую продуктивность из-за перегруженности «25-ми кадрами» всех телепередач на всех каналах. Когда эту компьютерную программу по чьей-то оплошности начали рекламировать, Министерство печати и информации России проговорилось, что «25-й кадр» используется сейчас практически в каждой телепередаче и в каждой рекламе. Что конкретно внедряется в наше подсознание через «25-й кадр» — неукротимое желание пить пепси, навязчивая идея поклоняться Будде или Кришне, а может, мания исступленно любить Жириновского, — нам не ведомо. Можно, к примеру, заставить толпу разгоряченных болельщиков бить витрины и поджигать машины на улицах, передав им через «25-й кадр» на огромных уличных телеэкранах сигнал лютой злобы. А потом в ответ на спровоцированную бойню срочно принять в Думе закон о противодействии экстремистской деятельности, карающий всех неугодных власти.

Есть и иные пути влезть в наши души и мозги, подкинуть в наши гнезда «роковые яйца». Это так называемая «свертка» информации в легко усваиваемый образ и «развертка» ее в сознании зрителя в виде твердого убеждения. В 1996 году накануне очередных президентских выборов придворный режиссер Эльдар Рязанов снял документальный фильм о том, как гостевал у Ельциных. Его принимали запросто на кухне, суетливая Наина мелькала на экране с капустным пирогом, что-то нечленораздельное мямлил Президент, но главным событием фильма стал ... стул, на который как бы случайно опустился Рязанов и как бы нечаянно порвал свои брюки. Какая замечательно выигрышная сцена! Зритель огорошен: у Ельцина из стульев гвозди торчат! Простой, скромный человек, совсем как мы, грешные! Гвоздь и порванные штаны Рязанова — вот образ, в который была свернута пространная информация о том, что Ельцин-де не вор и злодей, обесчестивший великое государство, а скромный, простой, наш, свойский. А «свой» плохим быть не может! Или вот известный своими нетрадиционными сексуальными похождениями Жириновский предстает перед зрителями то с женой в церковном таинстве венчания, то в окружении сына и внучат. Ну, чем не идиллия? Трогательные внучатки-близняшки в коляске или морщинистая жена в ослепительно белом подвенечном платье — картинки семейного счастья, милые сердцу любого доброго обывателя. Умиление, вызванное такими картинками, полностью вытравливает из человеческой души отношение к Жириновскому как к развратнику и извращенцу.

Технология «свертки информации» на широкую ногу была поставлена в передаче «Без галстука» на НТВ, где нам представляли «одомашненных» политиков — на кухнях и дачах, с женами и детьми, собаками и кошками, попадались субъекты с верблюдами. Чего они только не вытворяли с идиотским искренним лицом под одобрительные понукания ведущей! Премьер-министр Черномырдин бацал (нельзя же это назвать игрой!) два притопа — три прихлопа на гармошке, саратовский губернатор Аяцков демонстрировал искусство верховой езды на верблюде, секретарь Совета безопасности Лебедь пыхтя отжимался и наяривал утюгом пододеяльники, премьер-министр Кириенко с подростковым энтузиазмом пырял японским кухонным ножом воображаемого противника… Выставление себя полными идиотами делалось героями передач ради одного — показать избирателю, что они свои, простые, доступные, такие, как все. Посмотрят обыватель и его благоверная, как Черномырдин живет, и вроде у Черномырдина в гостях побывали, рядом с ним на стуле посидели, гармошку его хрипатую послушали, супругой его полюбовались, приметили, где что на полках стоит, на чем хлеб-соль едят. А если ты у человека в доме был, он же своим становится, родной совсем, почти что брат. И поет не лучше пьяного соседа, и баба его еще толще моей Нюрки, и пес его шелудивый, такие и в нашем дворе бегают. Ну как есть свой! А за своего, знакомого, родного, за его Нюрку, гармошку и пса — как не проголосовать, рука сама бюллетень нашаривает… Один мой знакомый, очень недовольный деятельностью Лужкова, после такой вот передачи, где очень крупно показали жену московского мэра, сочувственно произнес: «Я ему все простил, мученику!»

Так, через мимолетный образ, как бы нечаянную деталь, вроде бы случайное действие закладывается в душу человека продуманная информация и растекается, заполняя сознание убежденным мнением — о скромном и честном труженике Ельцине, о свойском мужике Черномырдине, о добропорядочном семьянине Жириновском… В выборных кампаниях эту технологию считают важнейшей. Если политика показывают потеющим в тяжелом физическом труде, скажем, рубит дрова на даче, значит, нас хотят убедить, что трудолюбив наш будущий избранник, хозяйственный. Если демонстрируют политика гладящим лошадь или собаку, треплющим за уши кота, насторожитесь, вас хотят убедить, что он добрый и отзывчивый человек. Кот, собака и лошадь очень часто не имеют к герою ни малейшего отношения. Хитрющая Маргарет Тэтчер ради имиджа выгуливала перед телекамерами совершенно незнакомую ей собаку. Предвыборные пудели господина Путина, если бы не были его собственными, тоже могли быть взяты напрокат из какого-нибудь собачьего клуба, причем именно пудели — глупые, добродушные существа, кидающиеся лизать в нос всякого встречного-поперечного и вызывающие умиление избирательниц. Демонстрировать в роли путинского любимца кровожадного бультерьера телетехнологи вряд ли бы решились. Показать кандидата, гладящего экзотическую бородавчатую жабу или миниатюрного домашнего крокодила, — такие семейные любимцы есть у некоторых оригиналов, — пиарщики вообще наотрез откажутся, равно как не предложат «клиенту» прогуляться с черным каракумским тарантулом на плече или с парой породистых белых крыс на изящной золотой витой цепочке.

Особенно критично относитесь к идиллическим репортажам о политиках в окружении детей, как своих, так и чужих. Маленькая дочка забралась к папе на руки и прижалась к нему румяной щечкой. В душе зрителя мед и патока — этот человек никому не сделает зла, ведь он так любит детей! Он и о наших детях позаботится не хуже, чем о родных! И сколько таких идиллических картинок из «детского альбома» припасли политтехнологи для доверчивого избирателя: тут тебе и посещение «клиентом» детского дома с подарками, и его визит в детскую больницу с лекарствами. Обездоленные дети, исстрадавшиеся личики, с трогательным ожиданием искренние глаза — тот вазелин, с помощью которого цинично пролезают в души избирателей депутаты и президенты. Вот откуда постоянный сюжет предвыборных новостей: жена президента со слащавой улыбкой гладит по головке детдомовского сиротку, Лужков собственноручно привозит мед в детский приют и торжественно проводит там публичное чаепитие, Путин чуть ли не каждый день бывает на уроках в школах, самолично объясняя второклассникам свою предвыборную программу... Для здравого ума — бездарнейшее времяпрепровождение руководителя. Люди при столь важных должностях, обремененные кучей государственных дел, занимаются сущими пустяками. Смешно мэру работать раздатчиком меда, а Президенту учить второклассников Конституции, но с точки зрения выборных технологий — мудрые шаги — избиратель уронит скупую слезу и до самого заветного дня выборов будет неотвязно помнить — наш избранник необыкновенно, исключительно, замечательно добрый человек!

Заметьте, не все стороны жизни своих обожаемых вождей видят избиратели в этих «электоральных пасторалях». Никто никогда еще не показал, как какой-нибудь кандидат с аппетитом поглощает черную икру, да даже простую свиную отбивную еще никто из них на экране прилюдно не скушал. А почему? Да потому что это интуитивно не по нутру обывателю, который, поглазев на жующего, непременно решит: «Ох, и прожорлив! Такого к власти нельзя — всех сожрет!».

Точно так же никто из пиарщиков не посоветует своим «клиентам» показать себя моющимся, причесывающимся, одевающимся, а вот в бане, непременно в парной, с экрана телевизора успели покрасоваться многие — ведь это образная информация о русскости и здоровости человека. Но моющийся, скажем, под душем, вооруженный мочалкой и мылом кандидат непременно даст зрителю повод подумать: «Видать, шибко грязный, если нужда прилюдно мыться». А поскольку подсознание метафор не приемлет, то и образ грязного во всех отношениях человека закрепится за «клиентом» навеки.

Важной технологией внушения, проникновения в наши мозги и души оказываются авторские программы на политические темы. Их воздействие основано на особой роли монолога. Вопросы, ответы, споры, возражения, то есть привычный в нашей повседневности диалог дает возможность каждому анализировать, сомневаться, думать. Монолог же — когда один говорит, а другие его только слушают, в обычной жизни возможен, когда говорит старший — начальник, учитель, руководитель, родитель, хозяин, словом, авторитет, которого принято не перебивать, которому будет лучше не возражать, с которым себе дороже спорить. Но монолог с экрана телевизора в авторских программах создает ситуацию, когда мы, зрители, не можем возразить ни Сванидзе, ни Познеру, ни Радзиховскому, ни Шустеру, глаголющим с экрана. Мы принуждены только слушать их, как будто они нам отцы родные или учителя, начальники или хозяева. Благодаря телемонологу у большинства зрителей, вопреки их собственной воле, вырабатывается привычка, даже потребность соглашаться с тем, что вещает им с экрана «говорящая голова». Слова «говорящей головы» с экрана всегда кажутся весомее и значительнее слов рядом живущих, будь они стократ умнее познеров и шустеров. Ведь с умным соседом можно поспорить, можно даже в ухо ему дать, чтоб шибко не умничал, а с экранной головой, пусть даже наипустейшей в мире, не поспоришь, в ухо не заедешь. Вот психологическая причина высоты экранного пьедестала, создающего культ из любой серости.

Увеличительная телелинза, наведенная на исполнителя монологов — телекомментатора, депутата, президента, банкира, удивительным образом умножает объем мозгов и значимость слов всякого, на кого умело наведена. Вспомним, как подавали с экрана речи больного и пьяного Ельцина в бытность его Президентом России: вырезали нетрезвые детали, несуразицы и глупости, произнесенные им «не в себе», отредактированные монологи выдавались за тронные слова, которые, представьте, многих брали за душу! Он говорит, а ты молчишь, ты же подсознательно оказываешься в роли провинившегося сына пред очами строгого отца. А разве отца выбирают, разве отца можно судить? Вот так волшебная линза телеэкрана из визгливо тявкающей моськи делает многозначительно трубящего слона, из лилипута —

гулливера. И мелкотравчатые грызловы, слиски, райковы, лужковы и лукины с такими же мелкотравчатыми, под стать себе, невзрачными мыслишками и блеклыми речишками, косноязычные и заики, картавые и шепелявые с помощью волшебной линзы предстают на телеэкране могутными, авторитетными, неукротимыми златоустами.

Безропотное послушание «говорящей голове», конечно, оказывают не все. Замечено, что эти самые «головы» эффективно воздействуют на людей довольно высокого интеллекта, которые, как говорят, «легко обучаемы», потому что выдрессированы жизнью и работой перенимать опыт у любого авторитета. Но на многих людей, по натуре своей непокорных и неподатливых, а также на несообразительных, не любящих учиться и слушать умные речи, убедительные монологи «говорящих голов» не действуют. Такие неслухи и в детстве отца-матери не почитают, на работе перечат начальству, сутяжничают по пустякам. Ловушкой для неготовых участвовать в заклинательных «сеансах говорящих голов» является другая виртуозная технология внушения, отработанная в телевизионных техниках «ток-шоу».

Ток-шоу представляет собой диалог — ведущий или ведущие расспрашивают приглашенного на передачу гостя или гостей. Зритель, наблюдающий беседу на экране, — это третья, созерцающая действо сторона. Кажется, столкновение мнений, горячие споры, резкие возражения делают наблюдающего вольным выбирать, с кем согласиться и кого поддержать сначала душою и сердцем, а потом головой. Спорщик и неслух наверняка уловят в гвалте полемики мнение по душе. Но свобода выбора одного из двух или нескольких мнений здесь также иллюзорна, и вот почему. Вы, наверное, обращали внимание, что в ток-шоу обязательно присутствуют зрители, плотным кольцом окружающие собеседников. Аудитория эта по большей части молодежная, набрана из студентов, или женская, где добывают такое количество праздных домохозяек, неведомо, скорее всего они вообще являются штатными единицами телеканалов. Вот с этой аудиторией, с ее мнением, ее чувствами, ее впечатлением и сливается душой, сердцем и головой зритель. Не каждый, конечно, но психологи установили, что треть человечества непременно хочет быть как все, не отстать от других, подпевать общему хору. На солидарности во мнениях, на автоматическом присоединении телезрителя к зрительской аудитории ток-шоу и строится расчет программирующих нас политтехнологов. Ведь мнение зрительской аудитории ток-шоу абсолютно управляемо. К примеру, в передаче Познера «Времена» активную роль играет не видимый телезрителю, зато хорошо видимый трибунам, и когда этот человек хмурится, возмущается, подсмеивается, начинает аплодировать в нужных по сценарию местах, вслед за ним и трибуны хмурятся, возмущенно протестуют, хохочут, всплескивая руками, дружно подхватывают аплодисменты, давая звучащему на арене мнению нужную манипуляторам эмоциональную оценку. И мы, продавливая свои диваны у телевизоров, не по своей воле, а исключительно по диктату суфлера ток-шоу хмуримся и возмущаемся, хихикаем и аплодируем. Мой коллега, будучи приглашенным на «Времена» к Познеру, заметил манипуляции суфлера. Убедившись, что трибуны кидаются хлопать в ладоши по звуку его первого хлопка, он принялся хлопать в «неурочный час», и «увел» за собой трибуны, они азартно аплодировали словам, в ответ на которые, по замыслу Познера, должны были топать ногами. Конфуз в программе «Времена» был полный, а результат манипуляции зрительским мнением практически нулевой.

Заметьте, что ток-шоу на телевидении представлены в широчайшем ассортименте, охватывая все социальные группы не любящих думать и учиться людей, на которых логика факта не действует. Это большей частью женщины, а они весьма добросовестные избирательницы, при отсутствии телевизора дни напролет проводили бы у подъездов на лавочках, пересуживая соседей, родню, начальство и всякого встречного-поперечного, но там, на лавочках, управлять их мнением невозможно, и для выборов эти люди были бы потеряны. А вот управлять ими, слившимися в одну коллективную душу с трибунами ток-шоу, очень удобно. И политтехнологи умело управляют, играя на любопытстве телезрителей к «грязным темам» извращенной любви, супружеских измен, к тайнам черной магии и вредительского колдовства, к каббале и гаданиям, да мало ли житейской грязи, на которую глупое женское любопытство клюет, пересиливая стыд, отвращение, осторожность и брезгливость. Одна только передача «Жди меня», занимающаяся поиском беглых мужей, скрывающихся от алиментов, и блудных сыновей, забывших о родителях, так прикует зрительницу к экрану, что и плач родного дитяти не оторвет от мерцающей голубой линзы ее зачарованного взгляда. Эта почти маниакальная привязанность к ток-шоу делает бедных женщин послушным стадом любимого пастуха — ведущего передачи. И в заветный час этот манипулятор произносит заветное слово, по которому сотни тысяч его поклонниц как главную задачу своей жизни выполнят порученное им телеведущим.

Еще одна технология внушения — это художественные сериалы, изо дня в день приковывающие население к экранам, так что стар и мал забывают про сон и питье, ждут не дождутся узнать, кто кого победит в бандитской разборке, выйдет ли Роза-Мария-Изабелла замуж за Дона Диаболиса, чьим сыном является ребенок Лючии… Сериалы воспитали особый тип зрителя-телемана, приучив большую часть населения страны сжиться с телевизором, не отходить от телевизора, мыслить телевизором. Из жизни большинства людей ушли другие источники информации — книги и газеты, с которыми человек чувствует себя гораздо более свободным в суждениях. Сегодня большинство пенсионеров, которые вместо молитвы и воспитания внуков, естественного состояния старого человека, пережившего время страстей и думающего о спасении души, пребывают в наркотическом полусне, нашептанном виртуальными страстями мыльных опер. Место «Тропиканки» и всяческих «Рабынь» теперь заступили отечественные сериалы про «нашу жизнь». Их задача, привязав к себе взрослое население страны, неспешно перевоспитывать его в соответствии с задачами, поставленными властью. Все герои сериалов черно-белые, несмотря на яркость цветных кинолент: добрые и отважные борются, воюют, противостоят негодяям и злодеям. Усложнения не допускаются вовсе не потому, что того не желает телезритель — потребитель многочасовых ежедневных порций двуцветного кино. Уж наш-то любитель кино умел разобраться в сложных натурах Гамлета — Смоктуновского и Андрея Рублева — Солоницына. Черно-белые герои сериалов служат совсем другому, они программируют зрителя, навязывая ему новые представления о жизни, предельно ярко обозначенные в черно-белых символах-героях, они ненавязчиво, но настойчиво формируют наши новые симпатии и антипатии.

К примеру, сериал «Кодекс чести», показанный в начале 2003 года по НТВ, — один из воспитывающих в преддверии выборов декабря 2003 года именно национальные симпатии и антипатии. В нескольких фильмах по нескольку серий каждый показаны бывшие спецназовцы, честные и смелые, душой радеющие за державу, среди них пятеро русских и два еврея. Враги же, с которыми воюют российские командос, — это чеченцы, собирающиеся взорвать атомную станцию, это русский продажный генерал, торгующий химическим оружием с арабами, это бандит-эстонец, контролирующий калининградский порт. А вот друзья и верные помощники кто? Не трудно догадаться: еврей Аарон, бывший советский разведчик, сбежавший некогда за границу и ныне тоскующий по России, смелая еврейская девушка — агент Моссада, спасающая ценой своей жизни Россию от чеченского атомного взрыва... Следующие фильмы этого сериала продолжат список национальных симпатий-антипатий, без сомнения, в том же направлении. Кавказцы, эстонцы, русские, арабы заведомо будут противостоять спецназовцам, а евреи останутся верными товарищами по оружию, причем во славу России. И так вот, ненавязчиво, не в лоб, а исподволь, через сюжет, через образ доброго старого Аарона и отважной героини-моссадовки, через храброго лейтенанта Семена, павшего смертью храбрых, у зрителей формируется чувство, да, пока только чувство глубокой симпатии к любому Аарону, который затем предложит себя в депутаты, в губернаторы, в мэры и президенты. А все наше негодование о бедах Отечества мы изольем на головы ловко подсунутых нам виновников наших бед — кавказцев, арабов, эстонцев…

Откуда вам знать, что вкрадчивые «25-е кадры», базарные ток-шоу, нахрапистые авторские программы, разудалые «герои дня», наглые «свободы слова» дружно и разом навалились на вас и «обработали» вашу душу так, что теперь ее не только родная мама не узнает, но и сами себя вы узнать не можете и, мучаясь от раздвоения личности, приходите в отчаянье. Выход из этого омута один: не смотреть их, не слушать их, и уж во всяком случае не верить ни одному их слову.

Демократический электорат — армия психопатов

Здоровое чувство отвращения к завораживающему душу экрану знакомо многим. Это прекрасно знают манипуляторы-политтехнологи. И для того чтобы люди не могли осознать себя жертвами технологий внушения, чтобы они не сумели изжить в себе ненормальную симпатию к врагам Отечества, нагло пожирающим нашу Родину при всенародном молчании, для этого через средства массовой информации народ обрабатывают словесным «дустом», отравляя сознание людей, создавая из них целые армии психопатов.

Во-первых, это вживление в человеческое сознание словесных матриц, определяющих мироощущение человека, его понимание сегодняшнего устройства жизни. Власть имущим в России будет спокойнее от того, что ее народы не имеют притязаний на лучшую жизнь. Взгляд человека на происходящее в России программируют набором таких нехитрых понятий:

Наша жизнь плоха, потому, что во всем мире плохо.

Чтобы не стало хуже, надо больше и лучше работать.

Чтобы не стало хуже, нельзя допустить войны и крови.

Как на деле осуществляют подобное программирование? «Во всем мире плохо», — эта мысль навязывается телетехнологами через упорное нагнетание катастрофизма, когда первые строки всех новостей занимают убийства, взрывы, землетрясения, аварии, самоубийства, покушения... Зрителей погружают в омут отчаянья и безволия, соблазняют примером уйти из этой постылой, бессмысленной, жестокой жизни. Три девочки в Подмосковье выбросились из окна. Три дня телевидение назойливо показывало распростертые детские тела, называло имена, смаковало подробности детской жизни, находило все новых родных, знакомых, свидетелей. И следом пошла волна подобных самоубийств — другие несчастные девочки тоже захотели быть знаменитыми.

Как в земной ад погружает телевидение нас в бедствия всего мира, а для чего? Чтобы внушить одно: если другому несладко живется, то и тебе вроде не так обидно терпеть. Именно ради этого варят и потчуют нас телевизионным хлебовом из аварийных, самоубийственных, катастрофических новостей, внушают русскому человеку: главное, чтобы не стало хуже! И в подспорье объясняют, как сделать, чтобы не стало хуже. «Не допустить войны и крови». Со всех эфиров проникающее в сознание ежедневное заклинание «Лишь бы не было войны!». Убийственная, вредоносная, сокрушающая дух человека и народа запрограммированность поведения. Следа бы не осталось от России, дозволь она своим вождям вооружиться этим лозунгом. Вы только представьте себе Владимира Мономаха, Александра Невского, Иоанна Грозного или Петра Первого, Суворова или Ушакова, Жукова или Сталина с этим заклинанием, с этим причитанием, с этим нытьем, с этим скулежом на устах. Иноземцы давно бы стерли нас в пыль, а землю нашу растащили по своим огородам. Но в наши головы упорно вживляют программу терпимости и покорности: бедствуй, недоедай, мерзни, умирай, но терпи, русский человек, лишь бы не было войны.

На наших глазах проржавленность души этой вредоносной, губительной для России программой изничтожает национальное мышление и национальный тип поведения русских — народа воинственного, однако и многотерпеливого, и добродушного. Колдовское заклинание «Не допустить войны и крови!» ослепило людей. Война — вот она, вовсю хозяйничает, крошит страну на куски, режет по живому, пожирает людей по три с лишком миллиона в год, а люди, уготовленные к закланию на этой самой войне, все одно талдычат уже накрепко усвоенное «Лишь бы не было войны!». Ни зарплат, ни пенсий, голодный народ, как в блокаду, от истощения падает в обморок, беспризорных детей больше, чем в войну, зато жиреют воры, жируют бандиты, — где закон, справедливость, порядок? «Перетерпим, — хором в ответ, — лишь бы не было войны!» Молодежь спивается, гибнет в наркотическом угаре, — где суровое возмездие развратителям? А нам в ответ о мире и согласии: «Лишь бы не было войны!»

Другой речевой импульс, внушающий, принуждающий, что делать, чтобы не стало хуже: «больше и лучше работать, много работать, работать без сна и отдыха». И вроде русские леностью никогда не отличались, но ведь как ловко на них самих все беды списать: «Плохо работаете, товарищи, вот и живете худо». Когда подобная программа оккупирует разум, человек чувствует, что он в тупике. Трудолюбивому и честному русскому, привыкшему кормить себя и семью собственным трудом, своими руками и головой, настойчиво внушают … работать лучше и больше. Вкалывая по-черному, но мало получая, и в таком положении находятся сегодня восемьдесят процентов населения России, трудяга все время ищет, где бы ему еще приработать, и получается, как в анекдоте про врача, которого спросили, почему он всегда трудится на полторы ставки: «Да потому что на одну — есть нечего, а на две — некогда». Но работают и на двух, и на трех, а куда денешься — иначе не выжить… И тогда ни учителю, ни врачу, ни строителю, ни милиционеру не только есть некогда, детей растить и учить некогда, думать некогда, некогда остановиться и задуматься — для чего устроена вся эта гонка? Человек становится тупой машиной по лихорадочному добыванию денег — заработать, потратить, снова заработать и опять потратить, да еще с испуганной оглядкой, чтобы курс доллара и рубля не упал, не съел заработанное. Смысл самого труда, его качества, цель человеческой жизни — все отходит на задний план. В мозгу тяжело ворочается единственная запрограммированная мысль — надо больше, больше, больше работать…

Как проникают в наши головы эти вредоносные программы поведения? Идея «лишь бы не было войны» подается в упаковке военных сводок из Чечни, в устрашающих репортажах о бессмысленной гибели там русских солдат, в кричащих документальных фильмах о захватах заложников… Эти шоу, ввергающие зрителей в информационный шок, телевидение разыгрывает регулярно. Одна телепанорама зрительного зала — поля битвы с террористами на Дубровке в Москве с точки зрения политтехнологов дорогого стоит — кровь, много крови, мертвые женские тела… Панорама смерти, особенно мертвые молодые женщины, шокирует обывателя и укрепляет в нем одну-единственную мысль: лишь бы не было войны, любой ценой, любыми жертвами, готовностью тысячекратно терпеть и молчать, «лишь бы не было войны».

Программа «надо больше и лучше работать» внедряется в подсознание навязчивой демонстрацией обеспеченного человека, выдаваемого за идеально счастливого — чаще всего это актер, политик, предприниматель и банкир — всегда под одним соусом: «он добился этого, потому что всегда много работал».

Впитывание таких программ вводит человека в ненормальное психическое состояние одержимости многочисленными фобиями — беспричинным страхом перед собственным будущим и перед будущим своей страны.

Другие словесные матрицы, внушаемые обывателю, нацелены на то, чтобы управлять духовно-нравственным состоянием человека. Здесь нас буквально «переписывают» заново, помните, исходная позиция манипуляторов-нейролингвистов: «человек — это текст, его можно и нужно править». Задача авторов «новых текстов» — воспитание человека в духе служения своему чреву. Эгоист живет только ради своего удовольствия, и потому наиболее управляем, мотивы его поступков всегда ясны, поведение предсказуемо, и убедить его в целесообразности любых шагов, предпринятых властью, — вплоть до сдачи государства Российского в аренду Соединенным Штатам Америки сроком на тысячу лет — не составит труда, главное, внушить массовому обывателю: «Ты от этого только выиграешь». Но сначала надо добиться, чтобы принцип «жить для себя» стал основой существования миллионов. Это делается весьма успешно внедрением в наше подсознание словесных матриц «удовольствия» и «наслаждения»:

Надо жить для своего удовольствия и наслаждения.

Удовольствие и наслаждение приносят еда, секс, веселые зрелища.

Все, что мешает удовольствию и наслаждению, гони от себя.

Перевоспитание населения в духе рабства собственным прихотям, служения собственному чреву целенаправленно и мощно осуществляется в России. В основу его заложен инстинкт собственности. Словесным стимулированием этот инстинкт обостряют до навязчивого желания проглотить весь мир. Удовольствие от обладания — едой, здоровьем, женщиной, мужчиной, красотой, имуществом — вот смысл и цель жизни субъекта с «переписанным текстом» души.

Яркие рекламы заклинают: «Жизнь — это наслаждение, наслаждение вкусом!», «Живите с удовольствием — попробуйте шоколад «Дав», «Детское питание Бле-вота (bleu water — это не шутка) — это все, что нужно вашему малышу», «Ты достойна самого лучшего: купи шампунь «Вши-вота!»...

Особенно активно, без критики и подозрения, эти установки впитывает молодежь. Не имеющие опыта собственной жизни, не наученные послушанию родителям, их души представляют для захватчиков-политтехнологов не занятую ничем и не освоенную никем территорию, которую те и кроят по своему вкусу, внушая через рекламу, эстраду, кино все поглощающую мысль: «Ваша цель — наслаждение!» Законы словесного воздействия срабатывают здесь помимо воли молодого человека, и он с тупым упорством начинает стремиться к наслаждению — в еде, в любви, в любом своем поступке, ища только этого и интуитивно избегая всего, что может помешать наслаждению — избегая жертвенного служения Отечеству, нарушая сыновний долг, скрываясь от армии, пренебрегая родительскими обязанностями, никогда не рискуя перед лицом опасности жизнью, ведь ею **велено** лишь наслаждаться.

Очень активно словесные матрицы удовольствия внушаются через бесчисленные «развлекаловки» и «хохмы» — юмористические программы жванецких, хазановых, петросянов, винокуров… Люди, собирающиеся на эти зрелища в огромных залах и у телеэкранов, жаждут одного — «поржать». Не посмеяться, не улыбнуться тонкой шутке, игре слов, а именно «поржать», «погоготать», «повизжать», — какие еще животные термины приложить к этим звукам, которые издают зрители, схватываясь за животы, икая, обливаясь слезами и фыркая… Такой смех ненормален, но не плоские и пошлые шутки его вызывают, а эпидемическая искра, передающаяся от одного зрителя к другому. Состояние, в которое впадают пришедшие за удовольствием люди на «сеансах» смеха, сродни психически болезненному состоянию эйфории, когда «деятельность больных расторможена, наблюдается дурашливое поведение и расстройства критического мышления». Весь ужас в стремлении юмористических программ создавать у зрителя потребность и удовольствие от впадения в психически болезненное состояние эйфории.

Сама жизненная программа, которая навязывается людям, склонным к удовольствиям, сродни психозу эйфории, при котором больной не может воспринимать и здраво оценивать происходящее.

* * *

Особое внимание политтехнологи уделяют словесным внушениям, формирующим рефлекс равнодушия к судьбам своей страны и своего народа. Для того чтобы этот рефлекс был стойким у огромных народных масс, требуется кропотливая предварительная обработка человеческого сознания. Такая обработка идет по трем основным направлениям.

Первое. Это уничтожение памяти — цепкого удержания в уме событий и лиц, которые влияли и влияют на судьбу страны. В борьбе с народной памятью очень важна передозировка информации. Человеческая память не безгранична, она веками приучена вбирать в себя только необходимое — в быту, в работе, в духовном становлении. И когда в человека впихивают, вбивают, грузят тонны информации, ему не нужной, праздной, глупой (в Самаре чуть не взорвали дом, Путин не хочет идти в президенты на третий срок, нет, хочет, ах, опять не хочет, Анастасия Заворотнюк собирается замуж, а может, и не собирается...), память рушится под непосильной ношей вестей, отказывается служить человеку в разумном осознании настоящей жизни, в понимании вихря настоящих и мнимых событий. Лужков в 93-м призывал стрелять в народ? — не помню, пусть он снова будет мэром. Зюганов в 96-м выиграл президентские выборы и сдал победу Ельцину? — и знать не хочу!, пускай теперь с Путиным соревнуется!.. Так уходит осмысление, размышление, миросозерцание, жизнь превращается в одни рефлексы, которые культивируют телескотоводы.

Второе. Это лживое изображение истории нашей Родины. Радзинские, парфеновы, млечины, сванидзе делают это умело и расчетливо, возводя камень за камнем кособокое и шаткое здание виртуального прошлого великой Российской империи. Изолганные исторические факты выдают не в виде собственных гипотез и предположений, нет, они программируют наши мозги абсолютной уверенностью «так было!». В их виртуальной истории национальные герои, вожди, правители России — непременно злодеи и сумасшедшие, особенно ненавистны им Иоанн Грозный и Иосиф Сталин. Царь великой воли и мужества Николай Второй, больше двух десятилетий сохранявший Россию от великих потрясений, с неистовой злобой именуется у виртуальных летописцев кровавым и слабовольным, а измена и заговор против него величают великой бескровной Февральской революцией. Победы Отечества выставляют поражениями, и Куликовская битва, мол, татарского владычества не уничтожила, и на Бородинском поле еще неизвестно кто кого побил, и в Великую Отечественную столько людей положили, какая, мол, это победа... Достижения и открытия русских людей в виртуальной телеистории оборачиваются лишь рабским подражанием, а то и вовсе воровством западных технологий, именно об этом разглагольствовали имитаторы нашей истории в канун 50-летия отечественной атомной бомбы, удержавшей Америку от ядерной агрессии... Главное в создающейся лжеистории — разрушение идеала национального вождя, кого ни возьми сегодня — царя ли русского, полководца, героя войны — все имена изолганы, истоптаны, а маяками на пустынном горизонте российского прошлого лишь фигуры Троцкого, Михоэлса, Сахарова...

Но не только виртуальное прошлое состряпано для потребления русским народом, чтобы не мечтал он больше ни о новом Петре Великом, ни об Александре III, ни о Сталине, ни о Жукове, ведь кого ни возьми, все они на экране телевизора — убийцы, диктаторы, параноики — так твердят нам радзинские, уполномоченные кагалом программировать нас. Современная Россия тоже предстает с экранов в виртуальном изображении — придуманный образ нищей страны, не способной ни прокормить себя, ни защитить, и такой же лживый образ народа — пропойного, неумелого, неразумного, вороватого, спасти который может лишь иноземная опека.

Наглядевшись войны и терактов в художественных сериалах, человек и настоящую войну, гибель соотечественников, взрывы домов, слезы идущих за гробами матерей и жен начинает воспринимать как художественное кино — отстраненно и равнодушно. Пока показывают — сердце стучит, кровь приливает к вискам, душа болит, а убрали с экрана картинку — и вроде ничего не произошло, кино да и только!

Следом, в подсознание человека в хорошо унавоженную почву беспамятности, исторического космополитизма, отстраненности от боли и бед родной страны, проникают словесные матрицы апатии и безразличия:

Судьбу страны решают без меня, поэтому надо думать только о себе (в вариантах: о семье, о детях, о родителях);

Что я могу сделать один, когда вокруг лишь негодяи да провокаторы;

Если буду сопротивляться в одиночку, могут убить (в вариантах — выгнать с работы, расправиться с детьми).

Страх перед жупелом насильственной смерти, трепет перед мнимой опасностью для семьи и фантом вездесущего провокаторства, парализующие волю совестливого человека (бессовестные граждане давно сагитированы призывами жить ради удовольствий и наслаждений), — все это воспитывается исподволь через ряд хитроумных словесных трюков. Нас запугивают, внушают шарахаться от малейшей опасности для себя и близких, проводя через шквал сюжетов криминальной хроники. Не столько потому, что это лакомо обывательскому любопытству, а именно потому, что обыватель, наблюдая на экране преступный разгул и беспредел, становится пугливым как мышь, которая трусливо поводит усиками, выглядывая из своей норки бусинками настороженных глаз, готовая при любой опасности нырнуть в глубокое подполье, залечь, притаиться, замереть в смертельном страхе. Вспомним реакцию москвичей на захват заложников — зрителей мюзикла «Норд-Ост». Дело было ночью, но уже на следующее утро в вагонах метро вмиг стало пустынно, жители микрорайонов, осторожно озираясь, выходили из своих подъездов, под каждым кустом высматривая притаившегося чеченца с гранатой. Москвичи жаловались друг другу, что боятся зайти в гастроном, могут взорвать...

Именно стремление запугать является причиной того, что нынешние правители России навязчиво употребляют в речи «феню» — блатной жаргон, криминальный жаргон, преступную терминологию и черную матерщину. Здесь четко срабатывают законы словесного воздействия: приученный экраном и газетами бояться крутых бандитов и жестоких насильников, крепких тренированных «качков», обыватель неосознанно уже страшится и говорящих на преступной фене пухлых и дряблых смуглолицых господ в жилетках и смокингах, он покоряется их воле безропотно, как отдал бы на большой дороге кошелек грабителю, безотчетливо оправдывая свою трусость и непротивление злу навязанной ему телетехнологами мыслью «Что я могу сделать один?».

Так поодиночке выбивают из строя честных и совестливых людей, приучая их жить в постоянном страхе за себя и за жизнь своих детей. Страх глушит совесть, возмущение, протест. Мы приучаемся внимать событиям равнодушно, инертно: «А! Делайте, что хотите, мне все равно».

Такая запрограммированность поведения погружает человека в омут апатии, которая сродни болезненному состоянию. Подобная апатия, по определению психиатров, «характеризуется тем, что деятельность больных лишена произвольности, целенаправленности, они не могут самостоятельно делать выбор, принимать решения по собственной воле».

Психологический настрой «что я могу сделать один» формирует массы психопатов с ярко выраженным синдромом «окамененного нечувствия», равнодушия к судьбам своей страны и своего народа.

* * *

Есть ли спасение от психопатического программирования поведения, от информационного заражения, или оно достанет нас везде, где есть средства связи, книги, газеты, телевидение? Можно ли противостоять тем, кто захватывает наши души, порабощает их незаметно для нас самих?

Противоядие вирусу безумия, поражающему с помощью психолингвистических технологий, давно известно. Это — молитва к Богу, в нашей православной церкви звучащая на церковнославянском языке. Об этой очищающей сознание силе молитвенного слова знают не только православные верующие, давно привыкшие, что спасительный девяностый псалом, прозванный в народе «Живые помощи», удивительным образом просветляет разум человека, даже ни слова в нем не понимающего. Есть свидетельства, как люди, читавшие про себя эту молитву на допросах в тюрьме, умели устоять перед внушением профессионального гипнотизера подписать самооговор и ложные показания. Воистину, живая помощь Божия нисходит на человека по слову этого псалма. В руководстве святой инквизиции «Молот ведьм» инквизиторы Шпренгер и Инститорис утверждали, что молитва «Богородице Дево, радуйся» — проверенный опытом способ освобождения людей от одержимости и бесноватости, от помутнения рассудка, вызванного колдовством.

О молитве, как противоядии внушению, говорят не только в Русской Православной Церкви, но и в Церкви католической. Об этом же свидетельствуют современные нейролингвисты, которые не скрывают, что «в своих истоках нейролингвистическое программирование развивалось на базе изучения деятельности магов, колдунов, шаманов», и с великим сожалением признают, что «молитвы осуществляют контрсуггестию», — то есть препятствуют внушению! Так что самым верным средством спастись от напасти программирования является слово молитвы, с которой мы прибегаем к Богу, к Высшей Силе, от Него получая ограждение и вразумление, ибо сказано в псалме девяностом: «Оружием оградит тебя Истина Его, и не убоишься…»

Есть еще одно надежное средство защиты, делающее человека не восприимчивым к техникам внушения, «переписывающим тексты» людских душ — это генетическая память человека, отрицать существование которой наука сегодня уже не решается. Да и как отрицать эту таинственную кладовую, где хранится информация о нашем прошлом, не о собственном, а именно историческом прошлом, если самое парадоксальное явление — то, что благодаря включению генетической памяти ребенок в течение трех первых лет жизни в совершенстве овладевает родным языком. Это удивительное явление известно каждому по собственным детям. Какова глубина генетической памяти, каков объем хранящейся в этой памяти информации, какова широта охвата генетической памятью истории рода у каждого конкретного человека — на эти вопросы пока нет ответа. Но главное известно, и оно очень смущает нейролингвистов: такая память есть, она хранит информацию о далеких предках, и именно благодаря стойкости этой памяти некоторые люди абсолютно не восприимчивы внушению, «тексты их душ» невозможно переписать, их «установки» никто не в силах поменять, и именно такие личности способны в грозную годину всколыхнуть души своих соплеменников, пробудить их на решительное сопротивление узурпаторам, заставить их слышать зов предков, построивших великую Российскую империю. Так что «голос предков», «зов крови» — не только поэтические метафоры, это сокровище нашей генетической памяти, не раз спасавшее русских от порабощения.

СОДЕРЖАНИЕ